NEW
서울대 선정
인문고전
60선

49
이황 성학십도

NEW 서울대 선정 인문 고전 ㊾

만화 이황 **성학십도**

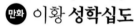

개정 1판 1쇄 발행 | 2019. 8. 21
개정 1판 3쇄 발행 | 2025. 1. 11

허경대 글 | 정윤채 그림 | 손영운 기획

발행처 김영사 | 발행인 박강휘
등록번호 제 406-2003-036호 | 등록일자 1979. 5. 17.
주소 경기도 파주시 문발로 197 (우10881)
전화 마케팅부 031-955-3100 | 편집부 031-955-3113~20 | 팩스 031-955-3111

값은 표지에 있습니다.
ISBN 978-89-349-9474-9
ISBN 978-89-349-9425-1(세트)

좋은 독자가 좋은 책을 만듭니다. 김영사는 독자 여러분의 의견에 항상 귀 기울이고 있습니다.
전자우편 book@gimmyoung.com | 홈페이지 www.gimmyoung.com

이 도서의 국립중앙도서관 출판예정도서목록(CIP)은 서지정보유통지원시스템 홈페이지(http://seoji.nl.go.kr)와
국가자료종합목록시스템(http://www.nl.go.kr/kolisnet)에서 이용하실 수 있습니다. (CIP제어번호 : CIP2018042973)

|어린이제품 안전특별법에 의한 표시사항| **제품명** 도서 **제조년월일** 2025년 1월 11일
제조사명 김영사 **주소** 10881 경기도 파주시 문발로 197 **전화번호** 031-955-3100 **제조국명** 대한민국
사용 연령 10세 이상 ▲**주의** 책 모서리에 찍히거나 책장에 베이지 않게 조심하세요.

미래의 글로벌 리더들이 꼭 읽어야 할 인문고전을 만화로 만나다

NEW 서울대 선정 인문고전 60선

49

이황 성학십도

허경대 글 · 정윤채 그림

주니어김영사

| 기획에 부쳐 |

〈NEW 서울대 선정 인문고전60〉이 국민 만화책이 되기를 바라며

제가 대여섯 살 때 동네 골목 어귀에 어린이들에게 만화책을 빌려주는 좌판 만화 대여소가 있었습니다. 땅바닥에 두터운 검정 비닐을 깔고 그 위에 아이들이 좋아하는 만화책을 늘어놓았는데, 1원을 내면 낡은 만화책 한 권을 빌릴 수 있었지요. 저는 그곳에서 만화책을 보면서 한글을 깨쳤고 책과의 인연을 맺었습니다.

초등학교 때는 용돈을 아껴서 책을 사서 읽었고, 중학교 때는 학교 도서 반장을 맡아 도서관에서 매일 밤 10시까지 있으면서 참 많은 책을 읽었습니다. 그 무렵 헤밍웨이의《노인과 바다》를 손에 땀을 쥐며 읽으면서 인생에 대해 고민했고, 헤르만 헤세의《수레바퀴 아래서》를 읽으며 사춘기의 심란한 마음을 달랬습니다. 김래성의《청춘 극장》을 밤새워 읽는 바람에 다음 날 치르는 중간고사를 망치기도 했습니다.

당시 저의 꿈은 아주 큰 도서관을 운영하는 사람이 되어 온종일 책을 보면서 책을 쓰는 작가가 되는 것이었습니다. 나이가 들고 어느 정도 바라는 꿈을 이루었습니다. 큰 도서관은 아니지만 적당한 크기의 서점을 운영하고, 글을 쓰는 작가가 되었거든요. 저는 여기에 새로운 꿈을 하나 더 보탰습니다. 그것은 즐거운 마음과 힘찬 꿈을 가지게 해 주고, 나아가 자기 성찰을 도와주는 좋은 만화책을 만드는 일이었습니다. 이렇게 해서 만든 책이 바로 〈서울대 선정 인문고전〉입니다. 서울대학교 교수님들이 신입생과 청소년들이 꼭 읽어야 할 책으로 추천한 도서들 중에서 따로 60권을 골라 만화로 만든 것입니다. 인류 지성사의 금자탑이라고 할 수 있는 고전을 보기 편하고 이해하기 쉽도록 만화책으로 만드는 일은 쉬운 일은 아니었습니다. 약 4년 동안에 수십 명의 학교 선생님들과 전공 학자들이 원서의 내용을 정확하게 전달할 수 있도록 밑글을 쓰고, 수십 명의 만화가들이 고민에 고민을 거듭하면서 만화를 그려 60권의 책을 만들었습니다.

〈서울대 선정 인문고전〉이 완간되었을 무렵에 우리나라에 인문학 읽기 열풍이 불기 시작했습니다. 〈서울대 선정 인문고전〉은 인문학 열풍을 널리 퍼뜨리는 데 한몫을 하면서 독자들의 뜨거운 사랑과 관심을 받았습니다. 덕분에 지금까지 수백만 권이 팔리는 베스트셀러가 되었습니다. 그 사랑에 조금이나마 보답을 하기 위해 《칸트의 실천이성 비판》, 《미셸 푸코의 지식의 고고학》, 《이이의 성학집요》 등 우리가 꼭 읽어야 할 동서양의 고전 10권을 추가하여 만화로 만들었습니다.

〈서울대 선정 인문고전〉은 어린이와 청소년이 부모님과 함께 봐도 좋을 만화책입니다. 국민 배우, 국민 가수가 있듯이 〈서울대 선정 인문고전〉이 '국민 만화책'이 되길 큰마음으로 바랍니다.

손영운

| 글작가 머리말 |

실천하지 않는 학문은 학문이 아니지요!

일찍이 공자가 주창한 유학을 성리학으로 발전시킨 사람은 송나라의 주자였습니다. 그는 공자가 주창한 인仁의 도를 뛰어넘어, 사물의 본성과 근본원리를 이해하는 학문을 정립하여 성리학으로 발전시켰습니다. 이후 주자의 성리학이 우리 조선에 많은 영향을 끼쳤다는 사실은 여러분들도 익히 들어 알고 있을 것입니다. 그런데 주자와 대등한 학자가 우리 조선에도 있었다는 사실을 혹 알고 계시는지요? 중국 송나라에 주자가 있었다면 우리 조선에는 바로 퇴계 이황 선생님이 있었습니다.

퇴계 선생님은 송나라의 주자학을 받아들여 인간의 심성을 '사단칠정론四端七情論'으로 규명하였으며, '알인욕존천리遏人欲存天理', 즉 인간의 감성적인 욕구를 억제하고 천리에 따라 행동하고자 했던 위대한 스승이자 철학자였습니다. 그는 만년에 《성학십도》를 지어 조선의 성리학 발전에 크게 기여하였는데, 이것은 어린 선조 임금이 성군이 될 수 있도록 퇴계 선생님이 손수 지어올린 글이었습니다.

《성학십도》는 주렴계의 '태극도太極圖'를 비롯하여 열 가지의 그림을 일일이 풀어 해석한 글로서 퇴계 선생님이 평생 동안 연구해온 성리학의 철학이 집약되어 있다고 할 수 있습니다. 크게는 우주의 원리에서부터, 작게는 개인의 심성에 이르기까지 자세하게 기록해 놓았으며, 더욱이 성인이 되기 위해 몸소 실천해야 할 방도까지 일일이 열거

해 놓았습니다.

'성학십도聖學十圖' 의 '성학聖學' 은 그 낱말에서 알 수 있듯이 성인이 되기 위한 학문이며, 공부하는 사람이면 누구나 추구하려던 보편적인 학문이었습니다. 성인이 되기 위해서 먼저 자신의 심성을 수양하고 그를 바탕으로 덕치德治를 행하려고 했던 유가의 기본 덕목이 함축되어 있는 말입니다. 좀 더 간략하게 말하면, '인간 본연의 참된 모습으로 되돌아가고자 하는 학문' 이었던 것입니다.

과학이 발달하고 세상이 급변하는 이 시대는 공경과 예의가 없어진 지 오래되었습니다. 날이 갈수록 점점 우리들 마음은 피폐해지고 성인의 길에서 멀어져 가고만 있는 실정이지요! 이런 시기에 무엇보다 요구되는 것이 퇴계 선생님의 실천적 학문이 아닐까 생각해 봅니다.

《성학십도》에서 제시한 성리철학은 우리들의 오만방자한 마음을 바로잡아, 악하고 불량스러운 마음을 바르게 고쳐 착한 곳으로 인도해 주는 글입니다. 다시 말하자면, 잃어버렸던 착한 본성을 다시 회복시켜 주는 글이지요.

비록 부족한 점이 많은 글이지만 이 책을 반복해서 읽어 책 속에 들어 있는 퇴계 선생님의 성리철학을 몸으로 체득한다면, 여러분들도 반드시 본성을 회복하여, 성인의 길로 접어들 수 있을 것이라 생각합니다. 아무쪼록 이 책을 통해 정신적으로나 육체적으로 여러분들의 삶이 더욱 풍요로워지기를 바라며, 여러분 모두 성인의 길로 접어들 수 있기를 간절히 기원해 봅니다.

끝으로, 제한된 지면이지만 《성학십도》를 통해 여러분들과 만나게 된 것을 무한한 영광으로 생각하며, 퇴계 선생님의 말씀을 그림으로 잘 표현해 주신 정윤채 작가님과 편집에 힘써 주신 주니어김영사 모든 직원분들께 감사의 말씀을 드립니다.

허경대

스스로를 돌아보게 하는 책

《성학십도》는 퇴계 이황 선생님이 평생을 공부해서 깨달은 사상을 정리해 17살의 어린 임금 선조에게 바치기 위해 만든 책입니다. 성인이 되기 위한 방법을 10가지 그림으로 설명하고 자신의 해석을 담아 어린 선조 임금이 지혜롭고 어진 성군이 될 수 있도록 돕기 위한 지침서라고 할 수 있습니다.

지금으로 말하면 '그림으로 보는 성리학의 모든 것' 또는 '10장으로 끝내는 성리학 핵심체크' 정도일까요? 《성학십도》는 제1장 태극도에서는 만물의 생성원리를, 제2장 소학도부터는 사람의 마땅한 도리와 심성, 세상의 예의와 법도는 물론 자신을 수양해 품성을 기르는 방법들을 다루고 있습니다. 즉, 수기치인修己治人의 원리와 사단칠정四端七情으로부터 오륜五倫과 오사五事에 이르는 유학의 모든 가르침을 담고 있다 할 것입니다.

퇴계 선생님이 돌아가신 뒤 후학들이 뜻을 모아 세운 서원이 도산서원입니다. 경북 안동에 있는 도산서원에는 지금도 그 당시 퇴계 선생님이 후학을 가르치던 도산서당이 남아 있습니다. '바라보며 즐기니 족히 여기서 평생을 지내도 싫지 않겠다.' 는 뜻인 완락재玩樂齋라 이름 붙인 선생이 기거하던 방은 그야말로 한 평 정도밖에 되지 않는 '쪽방' 입니다. 당대의 학자이며 높은 벼슬을 지낸 선생이 머물던 방이라기엔 너무나 협소해서 믿기지 않을 정도입니다. 서원 안에 있는 박물관에는 선생이 평소 짚고 다니던 지팡이, 갓 등 유물이 전시돼 있는데 마치 어느 선사의 유품처럼 소박하기 그지없어 늘 '경敬'을 주장하고 몸소 실천하였던 선생님의 소박하고 청빈한 삶이 그대로 다가옵니다.

《성학십도》의 내용은 '수신제가치국평천하修身齊家治國平天下' 하려는 지도자에게도 필요하지만 보통사람들이 세상을 살아가는 데도 꼭 필요한 덕목들입니다. 어른을 공경하고 나라에 충성하며 자신과 남을 귀하게 여겨 존중해야 하고, 그러기 위해서는 끊임없이 자신을 돌아보고 수양해야 한다고 말합니다.이 주제들은 시대를 초월해서 인류가 공통적으로 추구해야 할 덕목일 것입니다.

속도와 개인 간의 경쟁, 물질적인 이익이 우선시되는 현대사회에서 자신을 수양하고 이웃과 사회를 돌아보게 하는 이런 가르침은 보다 사람답게 살아가고, 한편으로 균형 잡힌 사고를 하기 위해 꼭 한 번은 정독할 만한 가치가 있다고 생각됩니다.

자신을 갈고 닦음으로써 세상을 모두 이롭게 한다는 성리학의 기본적인 사상은 퇴색될 수 없겠지요.

"고지학자위기古之學者爲己, 금지학자위인今之學者爲人." '옛날의 배우는 사람들은 자신을 완성하고 덕을 수양하기 위해 공부했는데, 요즘 배우는 사람들은 남에게 알려지고 자기를 과시하기 위해 공부한다.' 는 공자님 말씀을 다시 한 번 되새겨 볼 때입니다.

| 차 례 |

기획에 부쳐 04

머리말 06

제1장 《성학십도》는 어떤 책일까? 12

제2장 퇴계 선생은 어떤 분일까? 24

제3장 태극도 34

《성학십도》를 올리는 이유 59

제4장 서명도 62

만물이 나누어지는 과정 83

제5장 소학도 86

소학도 계고(稽古) 편 105

제6장 대학도 108

소수서원(紹修書院)과 도산서원(陶山書院) 127

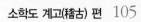

제7장 백록동규도 130

조선의 유학과 퇴계의 성리학 151

제8장 심통성정도 154

이기론(理氣論)과 사단칠정론(四端七情論) 169

제9장 인설도 172

이황의 도산십이곡(陶山十二曲) 187

제10장 심학도 190

기질을 바로 잡는 일은 나에게 달려 있다 209

제11장 경재잠도 210

홍범구주(洪範九疇) 229

제12장 숙흥야매잠도 232

《성학십도》와 관련된 인물들 253

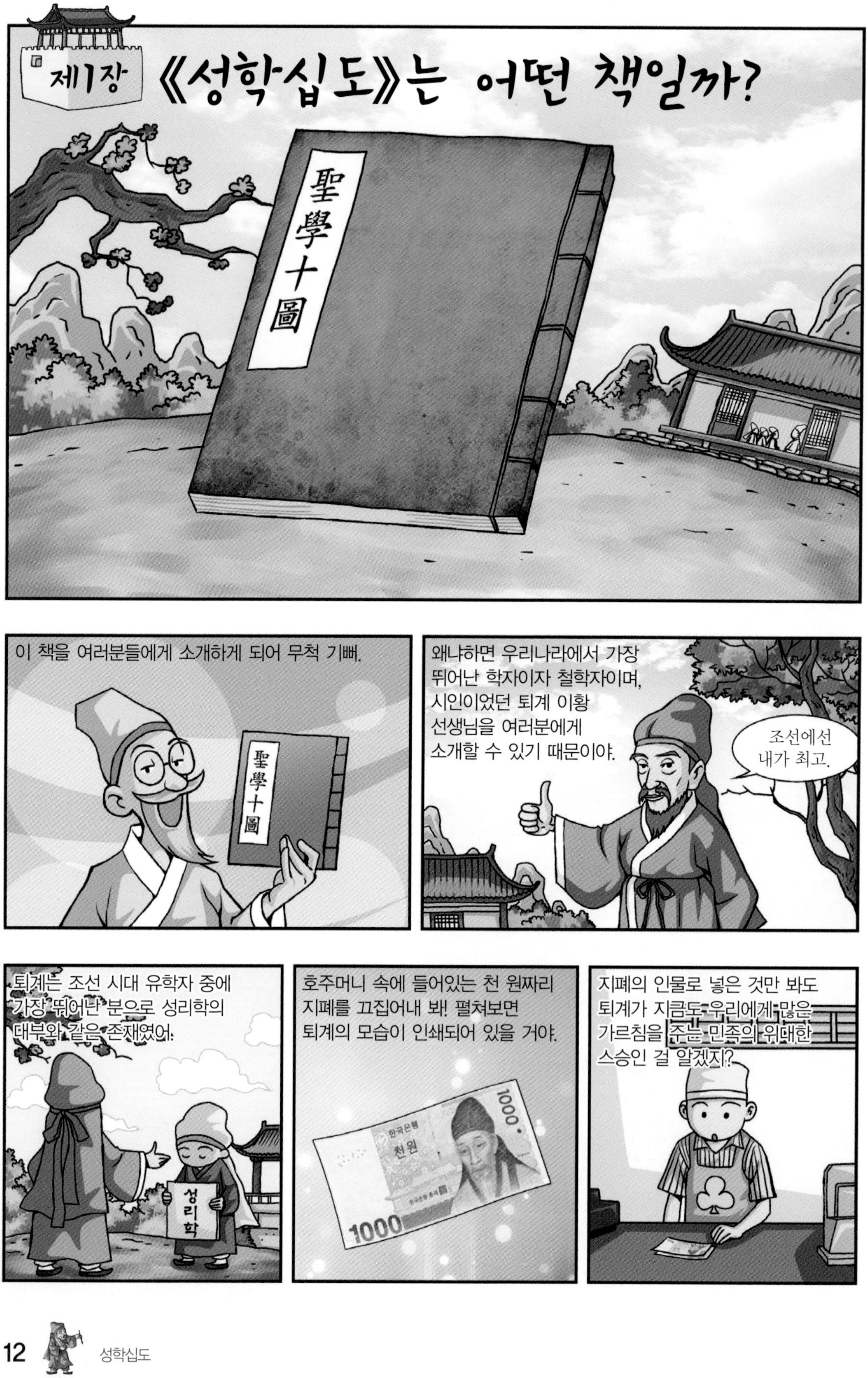
제1장 《성학십도》는 어떤 책일까?
聖學十圖
이 책을 여러분들에게 소개하게 되어 무척 기뻐.
聖學十圖
왜냐하면 우리나라에서 가장 뛰어난 학자이자 철학자이며, 시인이었던 퇴계 이황 선생님을 여러분에게 소개할 수 있기 때문이야.
조선에선 내가 최고.
퇴계는 조선 시대 유학자 중에 가장 뛰어난 분으로 성리학의 대부와 같은 존재였어.
성리학
호주머니 속에 들어있는 천 원짜리 지폐를 끄집어내 봐! 펼쳐보면 퇴계의 모습이 인쇄되어 있을 거야.
1000
한국은행
천원
1000
지폐의 인물로 넣은 것만 봐도 퇴계가 지금도 우리에게 많은 가르침을 주는 민족의 위대한 스승인 걸 알겠지?

그럼 지금부터 그가 쓰고 그린 《성학십도》의 세계로 들어가 볼까?
성학십도
우선 책 제목에 '성학(聖學)' 이라는 글이 있어. '성스러울 성(聖), 배울 학(學)', 즉 '성인이 되는 학문' 이라는 뜻이야.
성학은 넓은 의미로 공자께서 주창하신 유학을 말하지만 여기서는 유학 중에서도 신유학,
유학
성리학
즉 성리학을 말해.
성리학
유학
조선의 성리학을 대표하는 퇴계 이황은 만년에 고향에 머무르면서 학문을 연구하고 또 제자들을 가르쳤어.
그러던 중에 조선 13대 임금 명종이 죽고
14대 임금 선조가 17살의 나이로 보위에 오르게 되었어.
선조는 퇴계를 궁중으로 불러들여 경연* 에서 강의하게 했어.

* 경연 – 왕에게 유학을 강연하는 것.

퇴계는 어명을 받들어 궁궐로 들어간 후 어린 선조가 성군이 될 수 있도록 군주가 지켜야 할 여섯 가지 조목,
《무진육조소(戊辰六條疏)》를 지어 올렸어.
《무진육조소》는 선조가 보위에 오른 무진년에, 7,400여 자에 해당하는 상소문을 올렸다고 해서 붙여진 이름이야.
자세히 한번 살펴볼까?
첫째, 왕통을 튼튼히 하여 인과 효를 온전히 할 것
둘째, 소인배의 참소를 막아 왕실어른을 잘 모실 것
셋째, 성학을 두렵게 하여 정치의 근본으로 삼을 것
넷째, 도덕과 학문을 밝혀 인심을 바르게 할 것
다섯째, 왕의 뜻을 받들 수 있는 신하를 신임하여 세상사를 바르게 보고 들을 수 있게 할 것
여섯째, 정성을 다해 수양하고 백성을 살펴 하늘의 사랑을 받도록 할 것
그러나 나이 어린 선조는 퇴계가 지어 올린 《무진육조소》를 실천하려 하지 않았어.
그러자 퇴계는 《성학십도》를 지어 올린 후 고향으로 낙향했어.
聖學十圖
《성학십도》라는 글자를 풀이하면 '성스러울 성(聖), 배울 학(學), 열 십(十), 그림 도(圖)',
聖學十圖
즉 '성인이 되기 위한 학문을 10개의 그림으로 나타낸 것'이라는 뜻이야.
하나
둘
셋
퇴계는 자신이 직접 그린 세 개와 다른 선현들이 그린 일곱 개를 합쳐서 모두 10개의 그림으로 구성했어.
소학도, 백록동규도, 숙흥야매잠도는 내가 그렸지.

퇴계는 선조에게 《성학십도》를 바치며 다음과 같은 서문을 지어 올렸어.
"성인이 되기 위한 학문인 성학에는 커다란 실마리가 있고,
마음을 수양하는 심법에는 지극한 요령이 있습니다.
이것을 그려내어 그림을 만들고, 그 그림에 해설을 붙여서
사람에게 '도에 들어가는 문'과 '덕을 쌓는 기초'를 보여 주는 것은 후대의 현인들이 반드시 행했던 것입니다.
덕
도
임금의 마음은 나라의 정사가 비롯되는 곳이며,
임금의 마음
나라의 정사
모든 책임이 돌아가는 곳입니다.
책임
책임
책임
모든 욕구가 서로 공격하고 모든 사악함이 번갈아 마음을 손상시키려고 합니다.
한번 태만해 소홀해지고 방종이 계속되면,
산이 무너지고 바다가 넘치는 것처럼 걷잡을 수 없게 될 것이니 누가 그것을 막을 수 있겠습니까?"

퇴계는 어린 선조가 학문을 잘 익혀 진실하게 성인의 도를 실천하기를 바랐던 거야.
군주가 하늘을 공경하고, 두려워하며,
백성들의 마음을 잘 읽고,
나아가 덕 있는 정치를 펼칠 때,
정치
덕
덕
비로소 성군이 될 수 있다는 것을 깨닫게 해주려고 한 거지.
"소신은 병중에 추위에 떨면서 혼자 이것을 만들었습니다.
눈은 어둡고 손이 떨려 글자가 바르지 못하며,
글씨를 써 놓은 줄이 고르지 못하옵니다.
바라건대 이 10도를 경연에 참여하는 여러 신하들을 불러 잘못된 부분은 고쳐 쓰고,
글씨를 잘 쓰는 사람에게 다시 쓰게 하여 정본을 만드십시오.

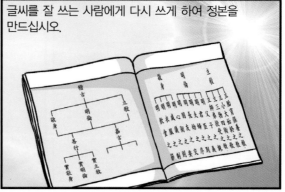

그런 다음 병풍을 한 벌 만들어 전하가 계시는 곳에 펴두시고,
또 따로 작은 장첩을 만들어 책상에 올려놓으시고 항상 보시면서 깊이 살피시면 노신의 구차한 충성보다 더 좋을 것입니다."
선조는 퇴계가 보내온 글을 읽고 당장 답장을 써 약속했어!
"경께서 올린 《성학십도》를 검토해 보니 학문하는 사람들이 간절히 바라던 것이므로,
삼가 병풍과 장첩을 만들어 두고 마땅히 경계하겠소."
퇴계는 서문 마지막에 다음과 같이 적었어.
"정신을 가다듬고 의지를 굳건하게 하여 처음부터 끝까지 반복하시고,
하찮다고 소홀하게 여기거나 번거롭다고 버리지 않으신다면 이것은 나라에 있어서도 행운이며,
성학십도
백성들에게도 매우 다행스러운 일입니다."
퇴계는 선조가 《성학십도》에서 제시하는 성학을 열심히 익히면,
나라와 백성이 흥할 것이라는 메시지를 전한 거야.

퇴계가 조정을 떠난 후 선조는 마음을 굳게 먹고 《성학십도》를 익히고 실천하려고 했어.
그래, 내 공부해 보리라.
성학십도
그래서 경연장에서 홍문관* 학자들에게 《성학십도》에 대해서 시강해 보라고 명을 내렸어.
《성학십도》를 시강해 보도록 하시오.

* 홍문관 – 조선 시대 학문 연구·시강·언론 기관.

그러나 조정의 대신들 중에 아무도 《성학십도》에 대해서 제대로 강의하지 못했어.
이 대감, 이걸 어떻게 해석해야 하오?
그러게요, 이걸 어떤 말로 설명을 해야할지 난감하오.
나는 도통 무슨 뜻인지….
당시 홍문관 학자 조정기는 선조에게
《성학십도》는 지극히 깊은 뜻이 들어 있어 공부를 했던 학자들도 풀어 해석하기 힘이 듭니다.
어찌 감히 어전에서 강의할 수 있겠습니까?
이걸 보면 당시 조정에서는 '태극도, 서명도, 백록동규, 심통성정론, 인설, 심학, 경재잠, 숙흥야매잠' 등 성리학의 철학사상을 깊이 이해하고 있는 학자가 없었던 거야.
?
?
태극도
서 명 도
인설도
이런 점만 봐도 퇴계의 학문의 세계가 얼마나 깊고 높았는지 알 수 있겠지?
내가 이해 못하는 것도 당연하구나.
맞아!

그러자 선조는 신하들에게 《성학십도》에 대해서 연구하여 시강하도록 명령을 내렸어.
조정의 대신들은 머리를 맞대고 연구하기에 바빴으며,
뒤늦게 《성학십도》의 진가를 알아차린 대신들은 급기야 1569년에 책으로 만들어 전국 관청에 배포하였어.
성학십도
나라 안의 모든 학자들이 《성학십도》를 연구하는 데 열을 올린 것이지.
《성학십도》가 도대체 무엇이기에 이처럼 많은 학자들이 앞다투어 연구했을까?
성학십도
그 이유는《성학십도》를 알면 성리학의 대체(大體)를 알 수 있었기 때문이야.
성학십도
나를 상대하는 게 더 편할걸.
성리학
《대학》의 '수신제가치국평천하(修身齊家治國平天下)' 즉 '자신의 몸과 마음을 수양해 사회와 국가 그리고 인류를 평화롭게' 하는 마음가짐을 가질 수 있기 때문이지.
성학십도
나를 알면 《대학》의 내용도 이해하게 되지.
대학
…….
또한 《성학십도》에는 우주의 생성과정에서부터 만물의 생성과 사물의 이치와 순리, 행위의 실천 등이 일목요연하게 정리되어 있기 때문이기도 해.
성학십도
우주의 모든 원리가 내 안에 있다.

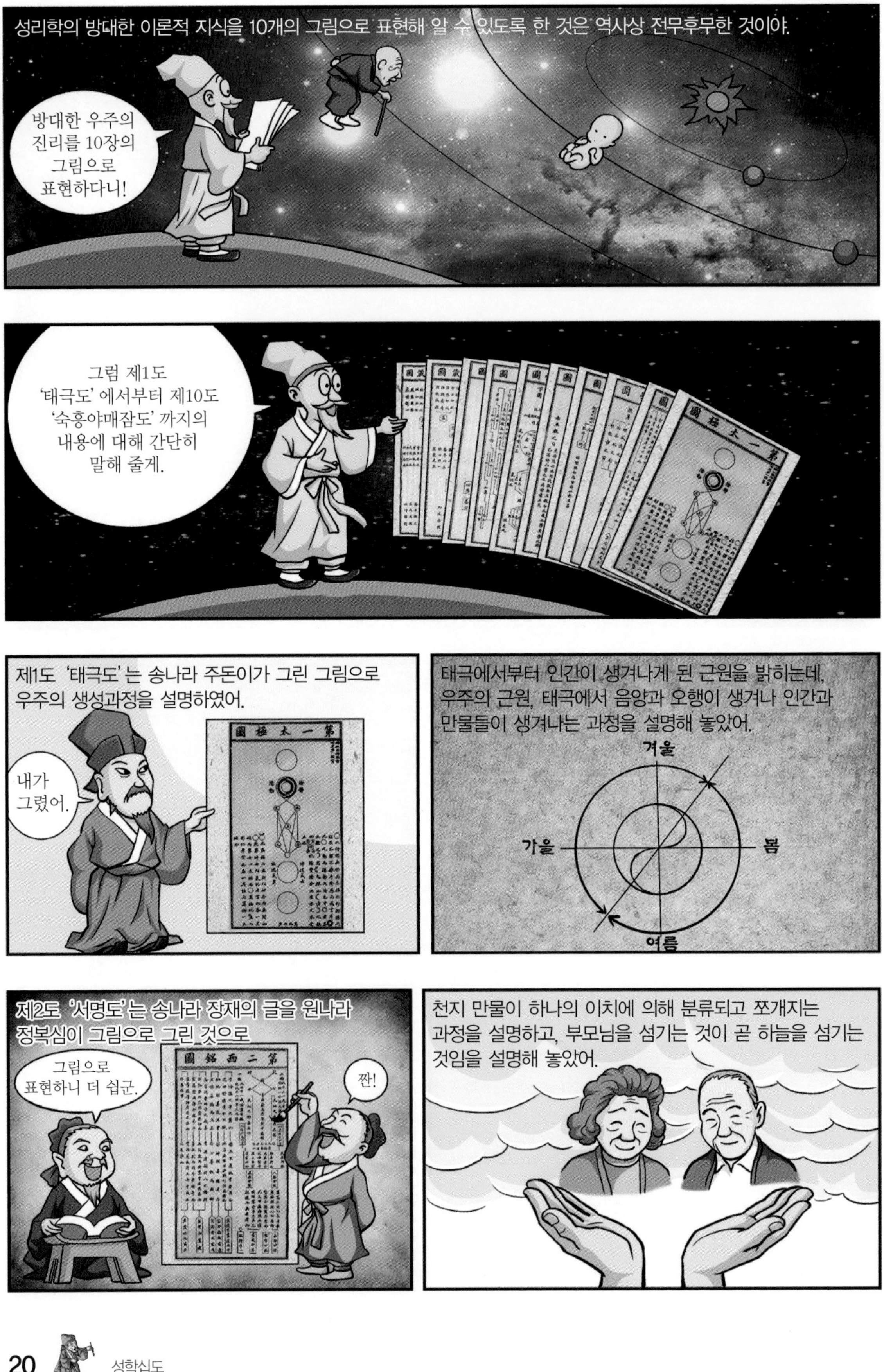
성리학의 방대한 이론적 지식을 10개의 그림으로 표현해 알 수 있도록 한 것은 역사상 전무후무한 것이야.
방대한 우주의 진리를 10장의 그림으로 표현하다니!
그럼 제1도 '태극도' 에서부터 제10도 '숙흥야매잠도' 까지의 내용에 대해 간단히 말해 줄게.
제1도 '태극도'는 송나라 주돈이가 그린 그림으로 우주의 생성과정을 설명하였어.
내가 그렸어.
태극에서부터 인간이 생겨나게 된 근원을 밝히는데, 우주의 근원, 태극에서 음양과 오행이 생겨나 인간과 만물들이 생겨나는 과정을 설명해 놓았어.
겨울
가을
봄
여름
제2도 '서명도'는 송나라 장재의 글을 원나라 정복심이 그림으로 그린 것으로
그림으로 표현하니 더 쉽군.
짠!
천지 만물이 하나의 이치에 의해 분류되고 쪼개지는 과정을 설명하고, 부모님을 섬기는 것이 곧 하늘을 섬기는 것임을 설명해 놓았어.

제3도 '소학도'는 송나라 주희의 글을 퇴계 선생이 그림으로 그린 것으로
내 글을
내가 그렸지.
오륜이 인간의 근본임을 강조하고, 어린아이가 일상생활 속에서 실천해야 할 구체적인 덕목을 소개해 놓았어.
제4도 '대학도'는 공자님의 말씀을 조선 초기 권근이 그림으로 그린 것으로
허허
그림으로 정리해 봤습니다.
인간이 타고난 밝은 덕을 밝히기 위해서는 자신의 몸과 마음을 수양하여 주위의 다른 사람들을 착한 곳으로 인도해야 함을 설명해 놓았어.
봉사대
제5도 '백록동규도'는 주희의 글을 퇴계 선생이 그림으로 그린 것으로
오륜을 체득하여 타고난 밝은 성품을 실현하기 위해서는 사물의 이치에 대하여 열심히 연구하고, 몸과 마음을 성현들 가르침대로 독실하게 실천해야 함을 설명해 놓았어.
제6도 '심통성정도'는 원나라 정복심의 글과 그림을 퇴계 선생이 보충한 것으로
조금 덧붙였습니다.
사람의 마음이 성품과 정감을 통제함을 밝히고, 사단칠정을 요약해서 설명해 놓았어.
조금 늦었지?
으… 한 시간이나, 참아야지.

제7도 '인설도'는 송나라 주자가 그린 그림으로
인이 최고야.
인의 생성과정을 설명하고 정이 겉으로 표현되기 전에 이미 인이 마음속에 부여되어 있음을 설명해 놓았어.
仁
제8도 '심학도'는 원나라 정복심이 그린 그림으로,
내가 그렸지만 허허…
몸의 주재인 마음과, 마음의 주재인 경을 밝혀, 몸과 마음과 공경함의 상관관계를 밝혀 놓았어.
경
마음
제9도 '경재잠도'는 송나라 주희의 글을 왕백이 그린 것으로,
내가 글을 짓고,
내가 그렸지.
마음을 중심에 두고 공경할 실천 방법들을 열거해 놓았어.
제10도 '숙흥야매잠도'는 원나라 초기 진백의 글을 퇴계 선생이 그림으로 그린 것으로
내 글이구먼.
경을 중심에 두고 새벽부터 밤늦게까지 공경을 실천할 수 있는 구체적인 방법을 제시하여 실질적으로 몸으로 체득할 수 있는 방법을 제시해 놓았어.
어떻게 실천하지?
공경

한마디로 《성학십도》는 거대한 성리학의 내용을 아주 간략하게 함축시켜 요약해 놓은 그림이야!
마인드 맵 같은 건가?
이 그림의 내용을 이해할 수 있다면 성리학 전체를 이해할 수 있는 것이지.
일목 요연하게 다 보이는군.
성리학
이렇게 성리학의 내용을 한눈에 알아 볼 수 있도록 만든 것은 당시로서는 아주 획기적인 발상이었어!
이런 발상을 하다니 정말 대단하군!
호오~ 역시!
《성학십도》는 나라의 성리학을 공부하는 모든 유학자들이 읽고 실천해야 할 책으로 여겨졌어.
자네도 그 책으로 공부하나?
《성학십도》가 대세 아닌가.
당시 일부 유학자들은 책으로 된 《성학십도》를 보고,
음…, 책만 볼 게 아니라…
병풍을 만들어 서재에 비치해 두고 아침 저녁으로 읽으면서 퇴계 선생의 말씀을 실천하기에 바빴을 거야.
매일 이렇게 생활 속에서 실천해야지.
또한 《성학십도》는 선조 이후의 임금들이 제왕학으로 삼을 만큼 중요한 글로 여겨졌으며,
제왕학으로도 손색이 없도다.
성학
또 인격을 수양하고 도를 추구하는 유학자들에게는 반드시 갖추어야 할 기본 지침서였어.
성학십도

제2장 퇴계 선생은 어떤 분일까?

퇴계 이황(李滉)은 1501년
경상북도 예안현* 온계리에서
7남 1녀의 막내아들로 태어났어.

퇴계가 태어난 지 얼마 되지 않아
아버지 찬성공 이식(李埴)은
마흔 살의 젊은 나이에
세상을 떠났어.

* 예안현 – 지금의 경북 예천군 예안면

그 후 어머니 박씨는 농사를 짓고 양잠을 하며 홀로
어린 아이들을 키웠지.

어머니는 비록 궁핍한 생활을 하였지만 자식들 교육만은
소홀하지 않았어.

퇴계는 5살이 되었을 무렵 이웃집 노인에게서 천자문을 배웠어.
어린 나이였지만 아침 일찍 일어나 세수하고 배운 것을 복습하며 옷차림을 단정히 하여 항상 엄숙한 자세로 학문을 익혔지.
퇴계는 12살 때 숙부 이우(李堣)로부터 《논어》를 배워 유학의 세계에 입문하였어.
논어
숙부는 어린 퇴계가 학문에 열중하는 것을 보고 "장차 이 아이가 틀림없이 우리 가문을 지킬 것이다."라고 말했다고 해.
장차 큰 인물이 될 아이야.
퇴계는 중국 도연명*의 전원시를 좋아했어.
그는 사서(四書)에만 열중한 것이 아니라, 시문학에도 관심을 가졌던 거야.

* 도연명(陶淵明) – 중국 동진 말기 남조시대의 대표적인 전원시인. 기교를 부리지 않고, 평담한 시풍을 추구하였음.

15살 때 시를 지었는데 상당한 경지의 수준을 보였지.
정녕 네가 이 시를 지었단 말이냐?
그리고 19살 때 송나라 주자가 집대성한 《성리대전》을 읽었으며, 20살 때는 유학에서 가장 어렵다는 《주역》**을 읽었어.
성리대전
주역

** 《주역(周易)》 – 삼경 중에 길흉의 운을 알아보는 우주론적 철학서임.

퇴계는 21살 때 결혼을 한 후,

23살 때 한양으로 올라와서 성균관에서 공부하였어.
성균관

하지만 성균관의 분위기에 실망하여 다시 시골집으로 돌아갔지.
고향이 좋구나.

퇴계는 과거 시험에서 세 번 낙방한 후 《심경부주》*라는 책을 읽고 심학에 심취했었어.
낙방
낙방
낙방
심경부주

이후 퇴계는 평생 《심경부주》를 새벽부터 밤늦도록 읽었다고 해.

* 《심경부주(心經附註)》 – 송나라 때 진덕수가 지은 《심경(心經)》을 송나라의 정민정이 주(註)를 붙인 책.

27살 때 진사시**에 합격하고 성균관에 다시 들어갔어.

그 해 11월에 부인 허씨가 둘째 아들을 낳다가 세상을 떠나 3년 뒤에 권질의 딸과 재혼을 했지.

** 진사시 – 조선 시대 성균관에 입학할 자격을 부여하는 것을 목적으로 실시한 과거시험임. 소과 또는 사마시라고도 함.

두 번째 부인 권씨는 시집온 지 얼마 되지 않아 자신의 친정집이 조정의 화를 입게 되자
심한 충격으로 정신이 올바르지 못하게 됐어.
한 번은 퇴계의 집에서 집안사람들이 모여 제사를 지내고 있었어.
그때 부인 권씨가 젯상 위에 차려놓은 배를 집어 가려고 했단다.
그러자 퇴계는 얼른 젯상 위에 진설된 배를 가져다 부인에게 주었어.
주위 사람들이 퇴계에게 그렇게 한 연유를 묻자,
"조상께서도 아내가 먹는 것을 더 좋아할 것입니다."라고 말했다고 해.
이처럼 퇴계는 부인의 허물을 덮어 주고, 부인을 손님과 같이 공경하여 남편의 도리를 실천했다고 해.
이걸 보면 퇴계는 다른 사람을 대할 때는 물론이거니와 자신의 부인에게도 공경을 다한 것을 알 수 있어.
유교에서 매우 중요하게 여기는 '경(敬)'을 몸소 실천에 옮겼던 거지.
경

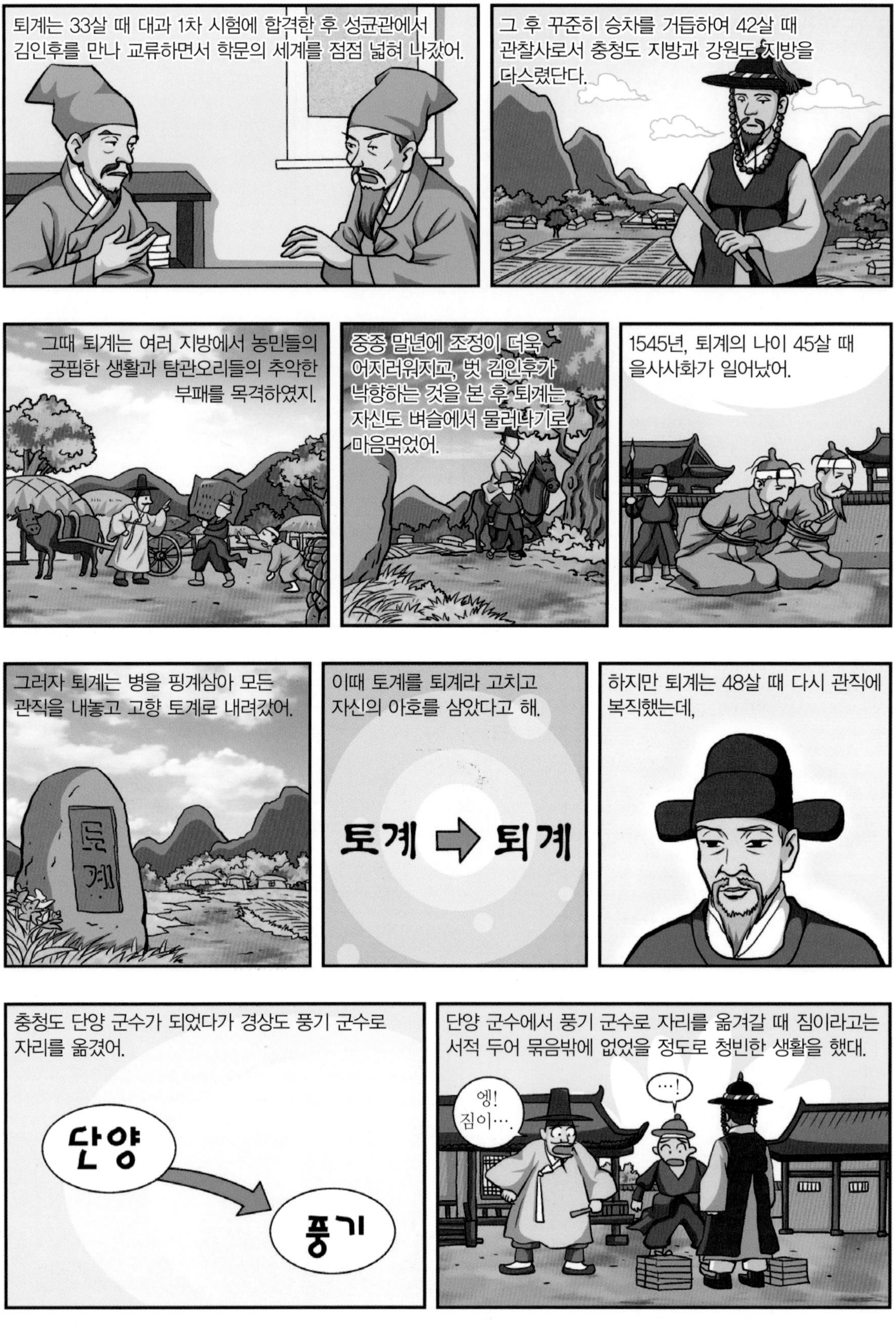
퇴계는 33살 때 대과 1차 시험에 합격한 후 성균관에서 김인후를 만나 교류하면서 학문의 세계를 점점 넓혀 나갔어.
그 후 꾸준히 승차를 거듭하여 42살 때 관찰사로서 충청도 지방과 강원도 지방을 다스렸단다.
그때 퇴계는 여러 지방에서 농민들의 궁핍한 생활과 탐관오리들의 추악한 부패를 목격하였지.
중종 말년에 조정이 더욱 어지러워지고, 벗 김인후가 낙향하는 것을 본 후 퇴계는 자신도 벼슬에서 물러나기로 마음먹었어.
1545년, 퇴계의 나이 45살 때 을사사화가 일어났어.
그러자 퇴계는 병을 핑계삼아 모든 관직을 내놓고 고향 토계로 내려갔어.
토계
이때 토계를 퇴계라 고치고 자신의 아호를 삼았다고 해.
토계 ➡ 퇴계
하지만 퇴계는 48살 때 다시 관직에 복직했는데,
충청도 단양 군수가 되었다가 경상도 풍기 군수로 자리를 옮겼어.
단양
풍기
단양 군수에서 풍기 군수로 자리를 옮겨갈 때 짐이라고는 서적 두어 묶음밖에 없었을 정도로 청빈한 생활을 했대.
엥! 짐이….
…!

퇴계는 풍기 군수로 있을 때 경상도 감사에게 글을 올려, 소수서원을 우리나라 최초의 사액서원*으로 만드는 데 일조를 하였으며,
성리학 보급에 크게 기여했지.

* 사액서원 – 조선 시대 왕으로부터 편액, 서적, 토지, 노비 등을 하사받아 그 권위를 인정받은 서원.

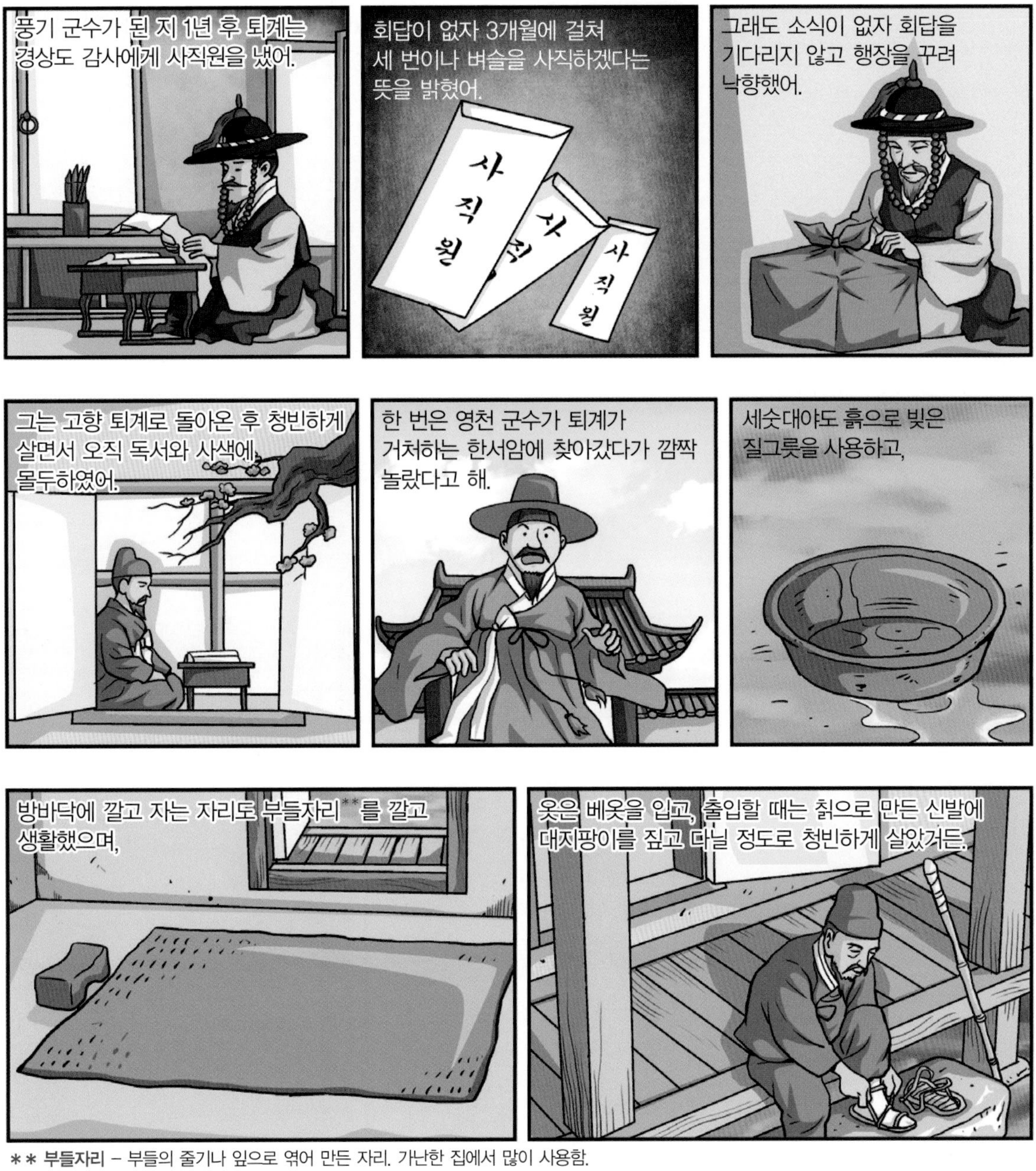
풍기 군수가 된 지 1년 후 퇴계는 경상도 감사에게 사직원을 냈어.
회답이 없자 3개월에 걸쳐 세 번이나 벼슬을 사직하겠다는 뜻을 밝혔어.
사직원
사직
사직원
그래도 소식이 없자 회답을 기다리지 않고 행장을 꾸려 낙향했어.
그는 고향 퇴계로 돌아온 후 청빈하게 살면서 오직 독서와 사색에 몰두하였어.
한 번은 영천 군수가 퇴계가 거처하는 한서암에 찾아갔다가 깜짝 놀랐다고 해.
세숫대야도 흙으로 빚은 질그릇을 사용하고,
방바닥에 깔고 자는 자리도 부들자리**를 깔고 생활했으며,
옷은 베옷을 입고, 출입할 때는 칡으로 만든 신발에 대지팡이를 짚고 다닐 정도로 청빈하게 살았거든.

** 부들자리 – 부들의 줄기나 잎으로 엮어 만든 자리. 가난한 집에서 많이 사용함.

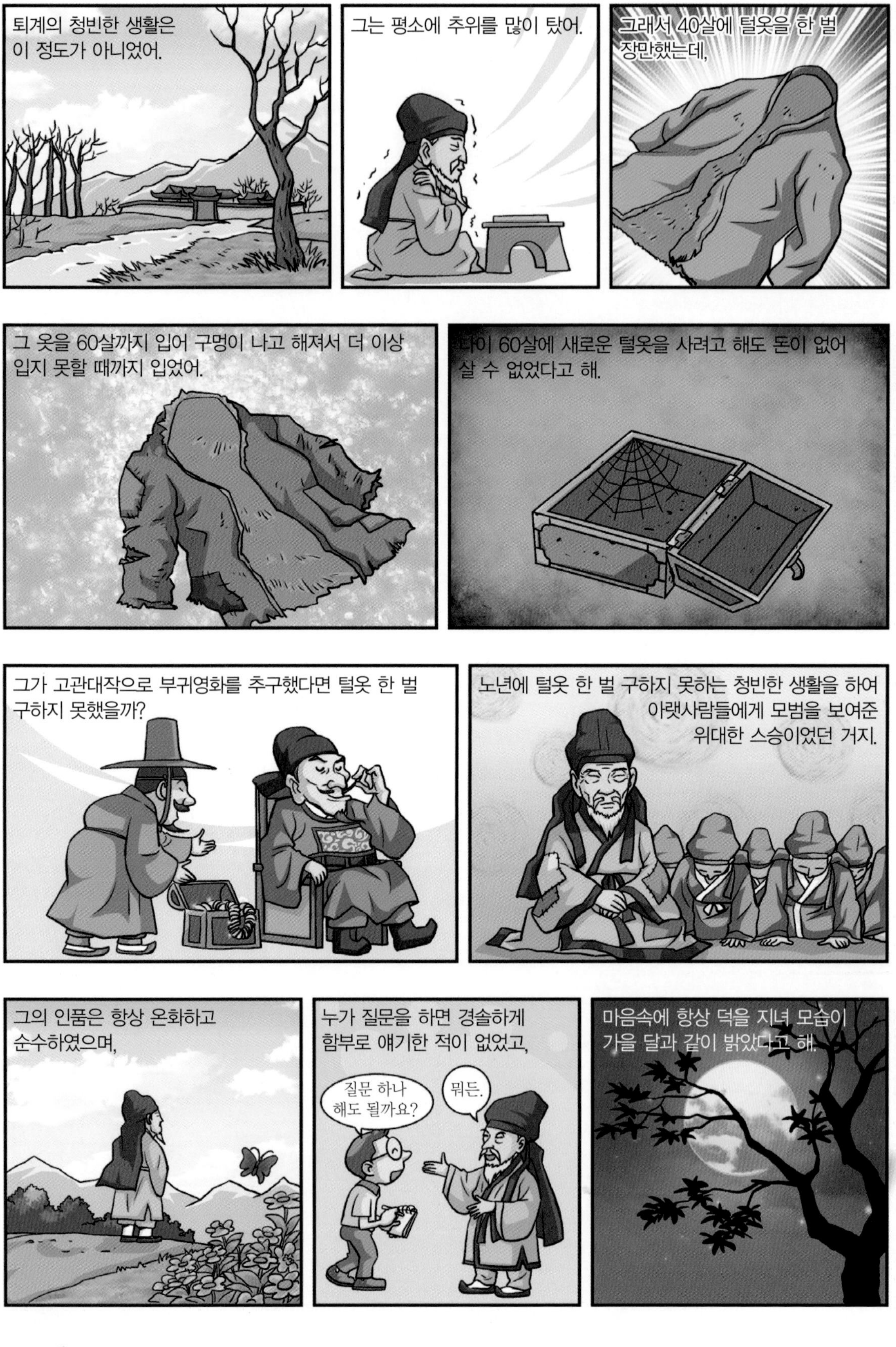
퇴계의 청빈한 생활은
이 정도가 아니었어.
그는 평소에 추위를 많이 탔어.
그래서 40살에 털옷을 한 벌
장만했는데,
그 옷을 60살까지 입어 구멍이 나고 해져서 더 이상
입지 못할 때까지 입었어.
다시 60살에 새로운 털옷을 사려고 해도 돈이 없어
살 수 없었다고 해.
그가 고관대작으로 부귀영화를 추구했다면 털옷 한 벌
구하지 못했을까?
노년에 털옷 한 벌 구하지 못하는 청빈한 생활을 하여
아랫사람들에게 모범을 보여준
위대한 스승이었던 거지.
그의 인품은 항상 온화하고
순수하였으며,
누가 질문을 하면 경솔하게
함부로 얘기한 적이 없었고,
질문 하나
해도 될까요?
뭐든.
마음속에 항상 덕을 지녀 모습이
가을 달과 같이 밝았다고 해.

퇴계가 한서암*에서 5년을 지내는 동안 그에게 배우기 위해 모여드는 학생들 수가 점점 많아졌어.
그러자 퇴계의 나이 57살 때 도산서당**을 지었어.
陶山書堂

* 한서암 – 퇴계가 지은 암자. ** 도산서당 – 모두 세 칸인데, 중간 한 칸은 완락재(玩樂齋)라 부르고, 동쪽 한 칸은 암루헌(巖樓軒)이라 부름.

퇴계는 그곳에서 많은 후학들을 양성했으며, 《도산기(陶山記)》를 기록했단다.
陶山記
《도산기》에 나타난 도산서당은 한 폭의 그림 같았는데,
퇴계는 이때 그 유명한 '도산잡영', '도산십이곡'과 같은 시조들을 창작했어.
도산잡영
도산십이곡
퇴계는 무엇보다 사람을 귀하게 여겼어.
당시 조선은 엄격한 신분사회였지.
사람들을 양반, 중인, 상인, 천민으로 구분지었단다.
양반
중인
상인
천민
하지만 퇴계는 모든 사람들을 똑같은 예로 대접했어.
=
집에 손님이 찾아오면 귀천을 가리지 않았고,
또 신분의 높고 낮음을 가리지 않고 똑같은 술상을 대접했어.

또한 사람을 가르칠 때에도 귀천을 가리지 않았어.
퇴계가 풍기 군수로 있을 때, 한 대장장이가 글을 배우고자 하니 그를 가륵하게 생각하고 유생들과 함께 글을 가르쳤다고 해!
그는 평소 학문을 좋아하는 사람을 좋아했으며,
음…나 같은 사람을 좋아 하는구나.
비록 제자라도 함부로 이름을 부르지 않고 높여 자(字)를 불렀으며,
근데 '자' 가 뭐야?
어…그게 그러니까…
학문이 높고 언행이 바르면 호(號)를 지어주어 불렀다고 해.
자는 성인이 되어 이름 대신 부르는 호칭이고, 호는 학문하는 선비들이 자나 이름 대신 부르는 호칭이야.
신분의 고하를 가리지 않는 그의 인본주의는 가족에게도 예외가 아니었어.
퇴계가 만년에 낙향하여 고향에서 지내고 있을 때였어.
서울에서 생활하던 손자가 증손자를 낳았다는 소식을 들었어.
그런데 손자는 자기 아내가 젖이 나오지 않자
할아버지인 퇴계에게 편지를 보내 아이 낳은 여종을 서울로 보내줄 것을 간곡히 부탁했단다.

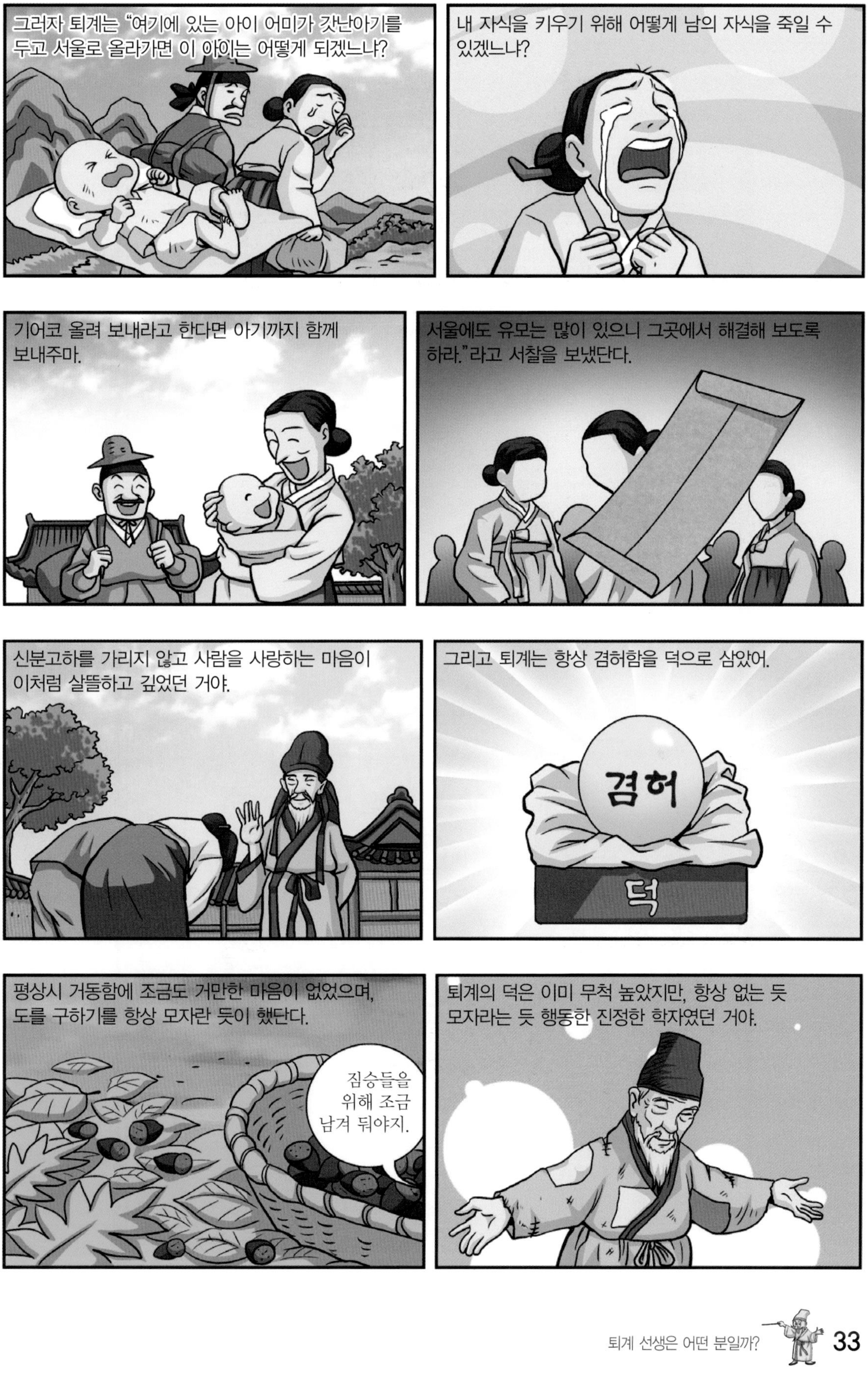
그러자 퇴계는 "여기에 있는 아이 어미가 갓난아기를 두고 서울로 올라가면 이 아이는 어떻게 되겠느냐?
내 자식을 키우기 위해 어떻게 남의 자식을 죽일 수 있겠느냐?
기어코 올려 보내라고 한다면 아기까지 함께 보내주마.
서울에도 유모는 많이 있으니 그곳에서 해결해 보도록 하라."라고 서찰을 보냈단다.
신분고하를 가리지 않고 사람을 사랑하는 마음이 이처럼 살뜰하고 깊었던 거야.
그리고 퇴계는 항상 겸허함을 덕으로 삼았어.
겸허
덕
평상시 거동함에 조금도 거만한 마음이 없었으며, 도를 구하기를 항상 모자란 듯이 했단다.
짐승들을 위해 조금 남겨 둬야지.
퇴계의 덕은 이미 무척 높았지만, 항상 없는 듯 모자라는 듯 행동한 진정한 학자였던 거야.

제3장 태극도

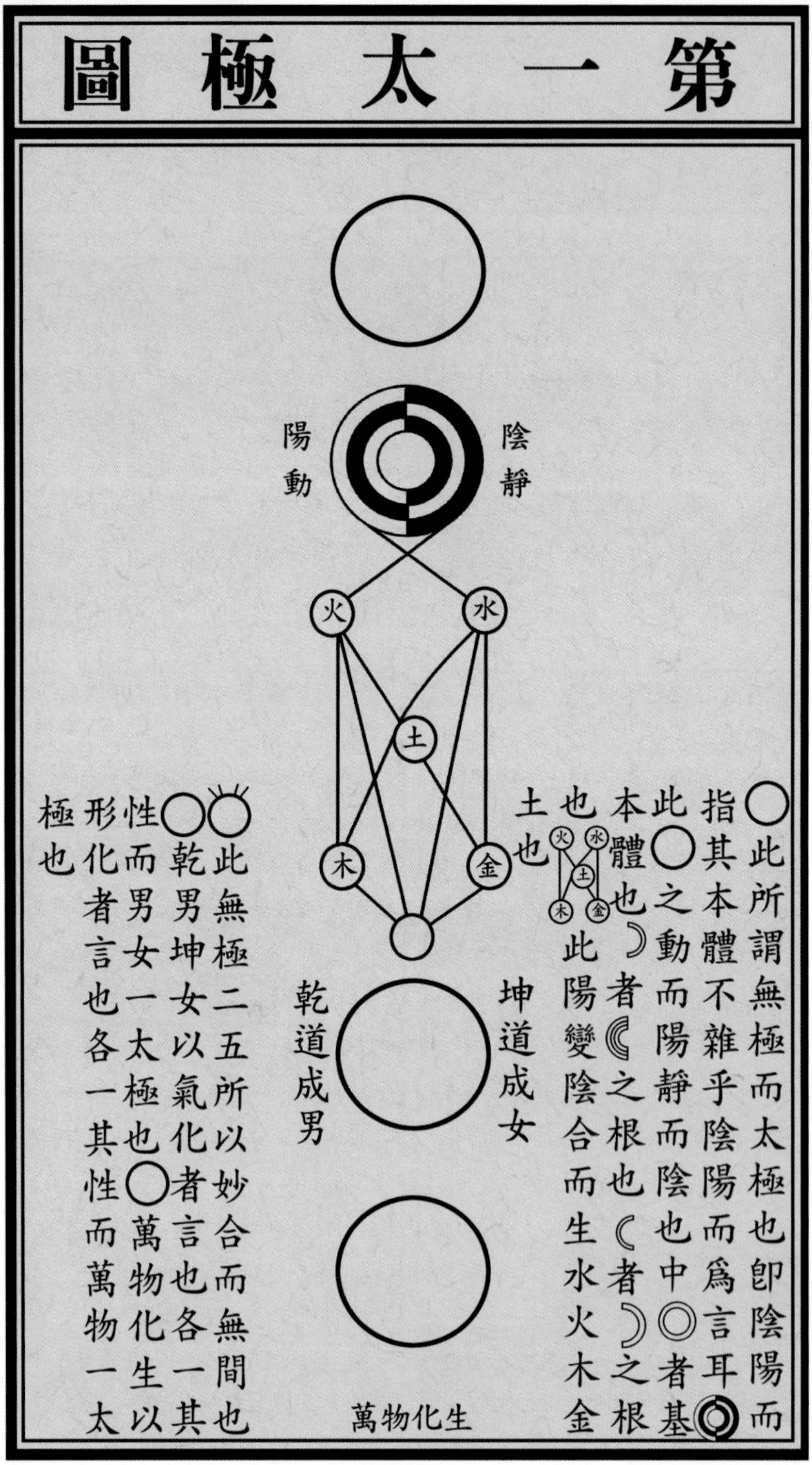

第一太極圖
○此所謂無極而太極也卽陰陽而
指其本體不雜乎陰陽而爲言耳◎
此○之動而陽靜而陰也中◎者基
本體也☽者☾之根也☾者☽之根
也 火水土木金 此陽變陰合而生水火木金
土也
坤道成女
陰靜
陽動
火
水
土
木
金
乾道成男
萬物化生
◎此無極二五所以妙合而無間也
○乾男坤女以氣化者言也各一其
性而男女一太極也○萬物化生以
形化者言也各一其性而萬物一太
極也

제일 태극도

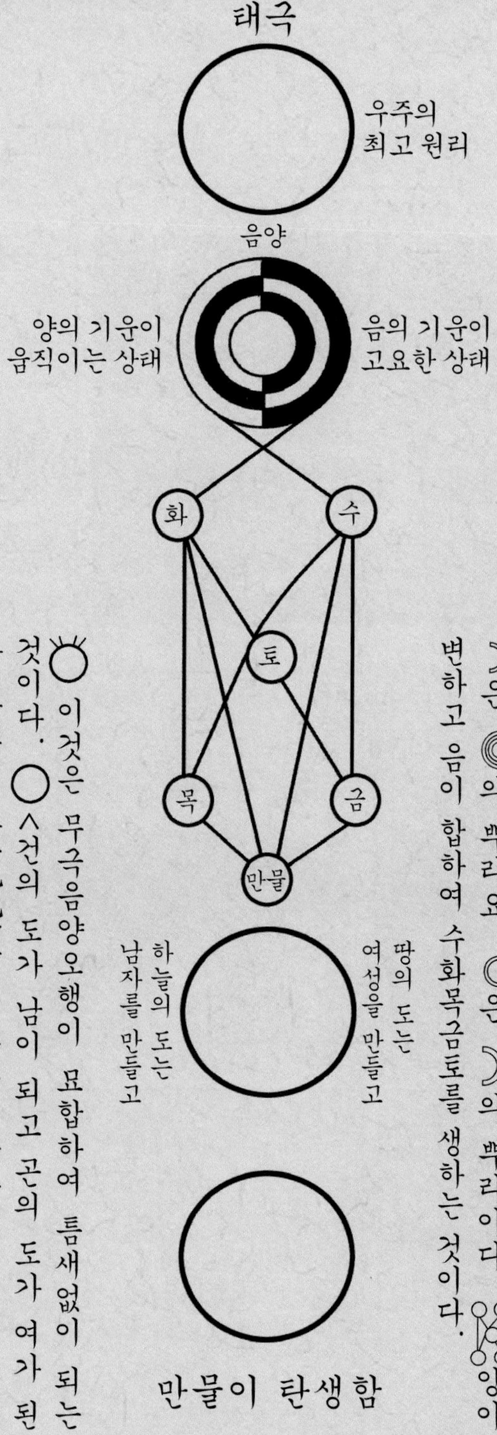
태극
우주의 최고 원리
음양
양의 기운이 움직이는 상태
음의 기운이 고요한 상태
화
수
토
목
금
만물
하늘의 도는 남자를 만들고
땅의 도는 여성을 만들고
만물이 탄생함

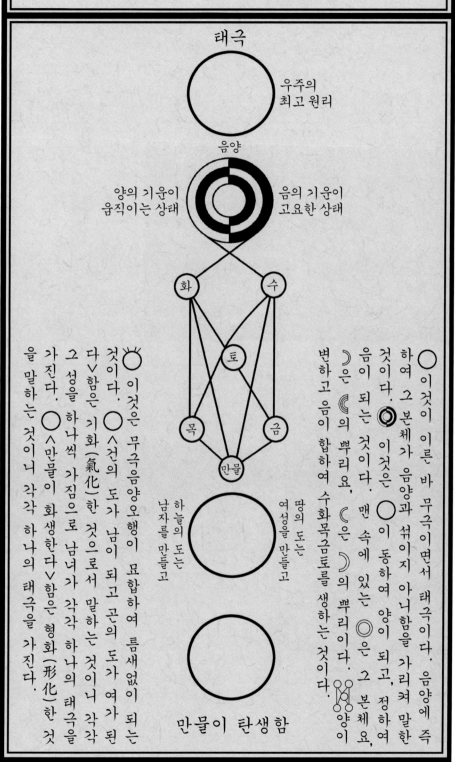

◯ 이것이 이른 바 무극이면서 태극이다. 음양에 즉하여 그 본체가 음양과 섞이지 아니함을 가리켜 말한 것이다. ◎ 이것은 ◯이 동하여 양이 되고, 정하여 음이 되는 것이다. 맨 속에 있는 ◎은 그 본체요, ☽은 ◎의 뿌리요, ☾은 ☽의 뿌리이다. [symbol]양이 변하고 음이 합하여 수화목금토를 생하는 것이다.

[symbol] 이것은 무극음양오행이 묘합하여 틈새없이 되는 것이다. ◯ <건의 도가 남이 되고 곤의 도가 여가 된다>함은 기화(氣化)한 것으로서 말하는 것이니 각각 그 성을 하나씩 가짐으로 남녀가 각각 하나의 태극을 가진다. ◯ <만물이 화생한다>함은 형화(形化)한 것을 말하는 것이니 각각 하나의 태극을 가진다.

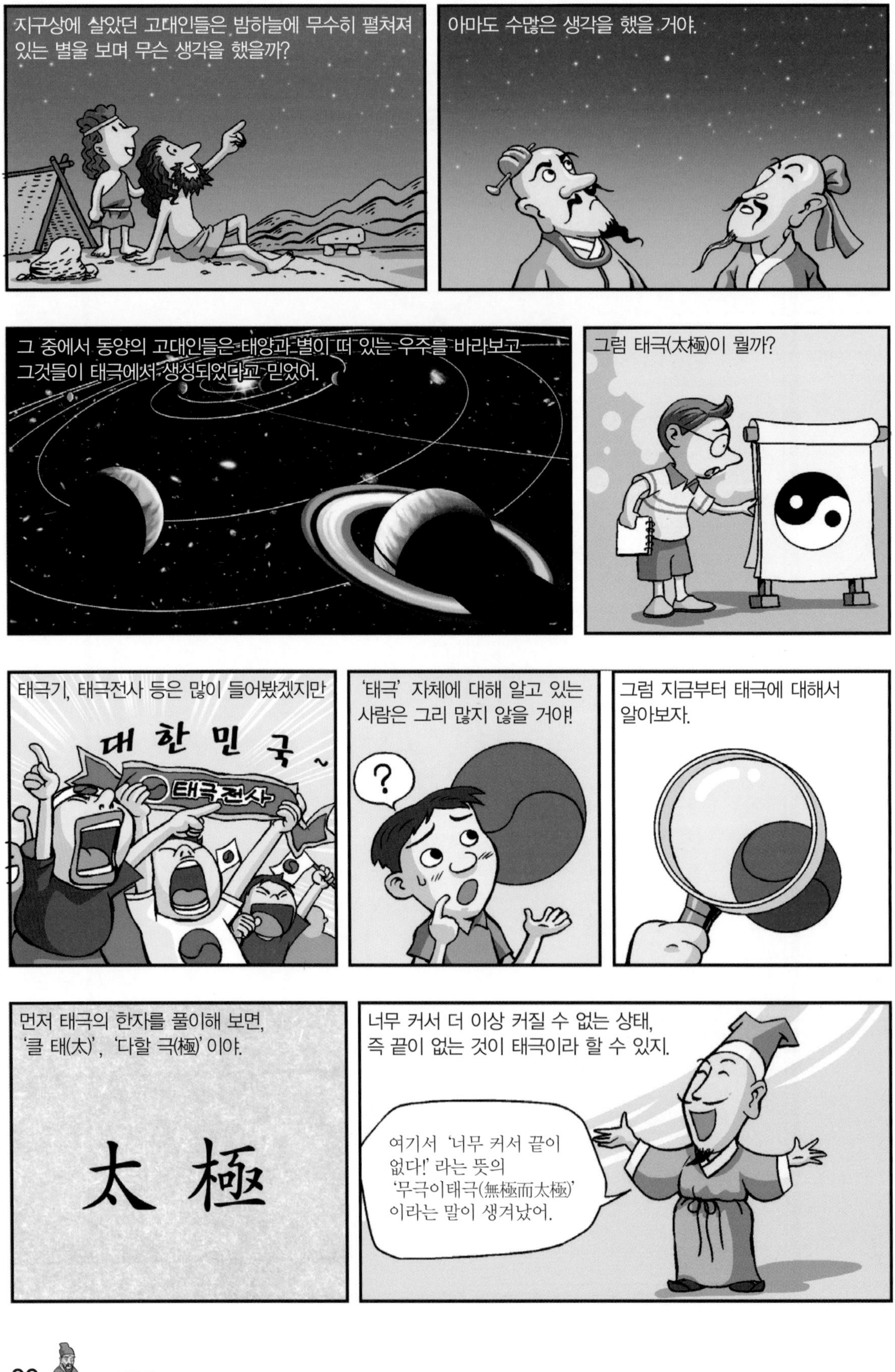
지구상에 살았던 고대인들은 밤하늘에 무수히 펼쳐져 있는 별을 보며 무슨 생각을 했을까?
아마도 수많은 생각을 했을 거야.
그 중에서 동양의 고대인들은 태양과 별이 떠 있는 우주를 바라보고 그것들이 태극에서 생성되었다고 믿었어.
그럼 태극(太極)이 뭘까?
태극기, 태극전사 등은 많이 들어봤겠지만
대한민국~
태극전사
'태극' 자체에 대해 알고 있는 사람은 그리 많지 않을 거야!
?
그럼 지금부터 태극에 대해서 알아보자.
먼저 태극의 한자를 풀이해 보면, '클 태(太)', '다할 극(極)' 이야.
太極
너무 커서 더 이상 커질 수 없는 상태, 즉 끝이 없는 것이 태극이라 할 수 있지.
여기서 '너무 커서 끝이 없다!' 라는 뜻의 '무극이태극(無極而太極)' 이라는 말이 생겨났어.

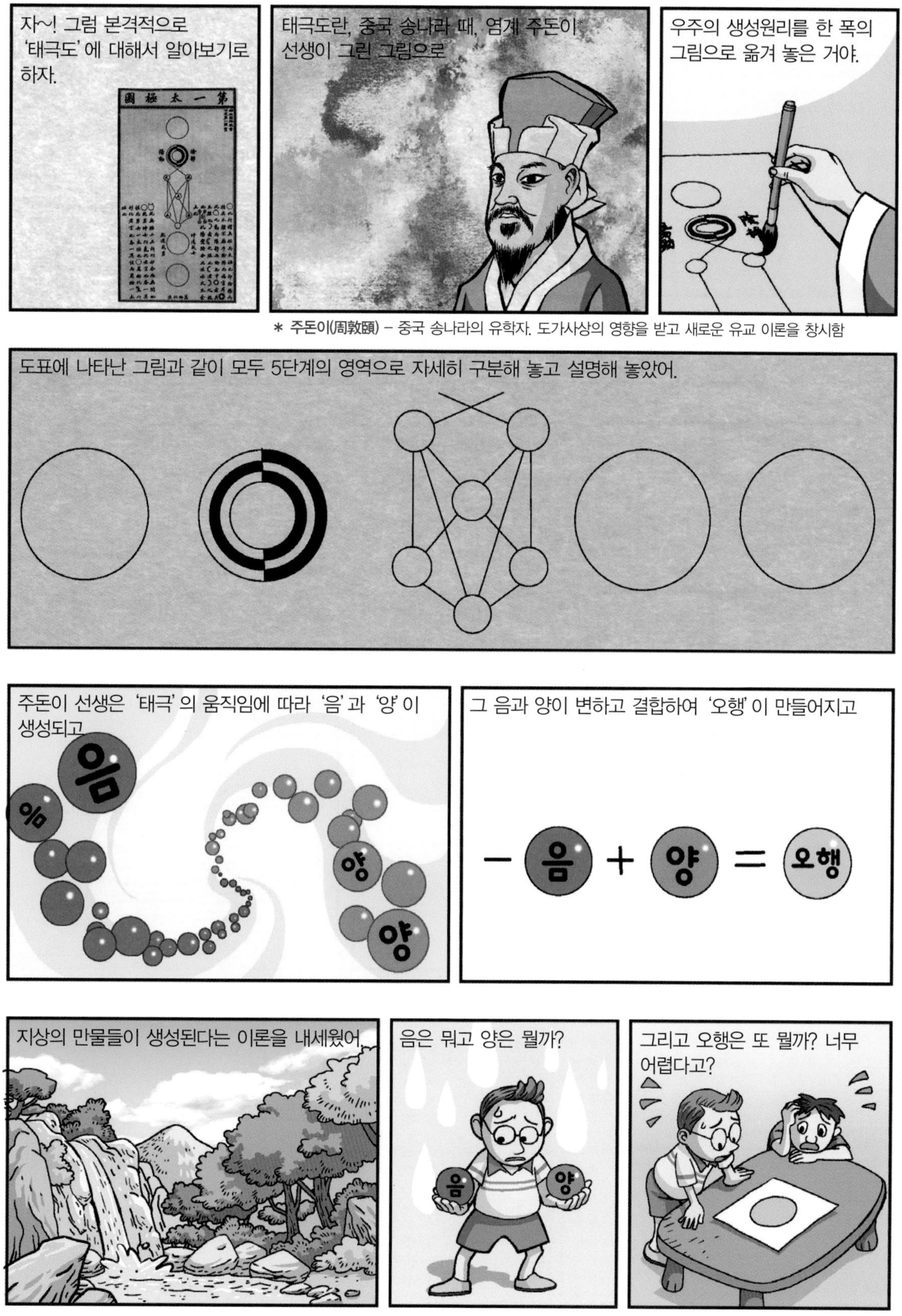
자~! 그럼 본격적으로 '태극도'에 대해서 알아보기로 하자.
태극도란, 중국 송나라 때, 염계 주돈이* 선생이 그린 그림으로
우주의 생성원리를 한 폭의 그림으로 옮겨 놓은 거야.
도표에 나타난 그림과 같이 모두 5단계의 영역으로 자세히 구분해 놓고 설명해 놓았어.
주돈이 선생은 '태극'의 움직임에 따라 '음'과 '양'이 생성되고
음
음
양
양
그 음과 양이 변하고 결합하여 '오행'이 만들어지고
음 + 양 = 오행
지상의 만물들이 생성된다는 이론을 내세웠어.
음은 뭐고 양은 뭘까?
음
양
그리고 오행은 또 뭘까? 너무 어렵다고?

* 주돈이(周敦頤) – 중국 송나라의 유학자. 도가사상의 영향을 받고 새로운 유교 이론을 창시함

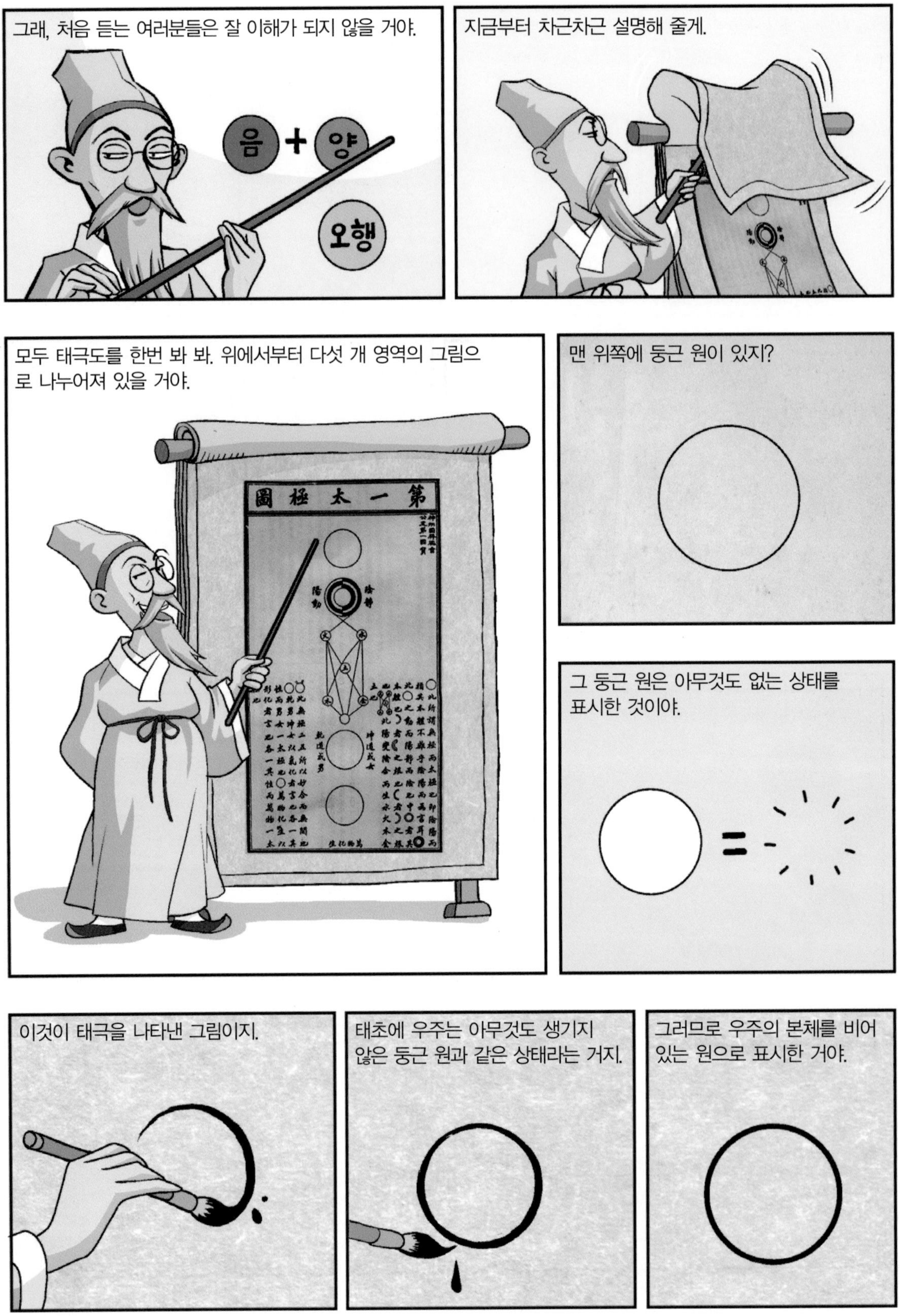
그래, 처음 듣는 여러분들은 잘 이해가 되지 않을 거야.
음
+
양
오행
지금부터 차근차근 설명해 줄게.
모두 태극도를 한번 봐 봐. 위에서부터 다섯 개 영역의 그림으로 나누어져 있을 거야.
第一太極圖
맨 위쪽에 둥근 원이 있지?
그 둥근 원은 아무것도 없는 상태를 표시한 것이야.
이것이 태극을 나타낸 그림이지.
태초에 우주는 아무것도 생기지 않은 둥근 원과 같은 상태라는 거지.
그러므로 우주의 본체를 비어 있는 원으로 표시한 거야.

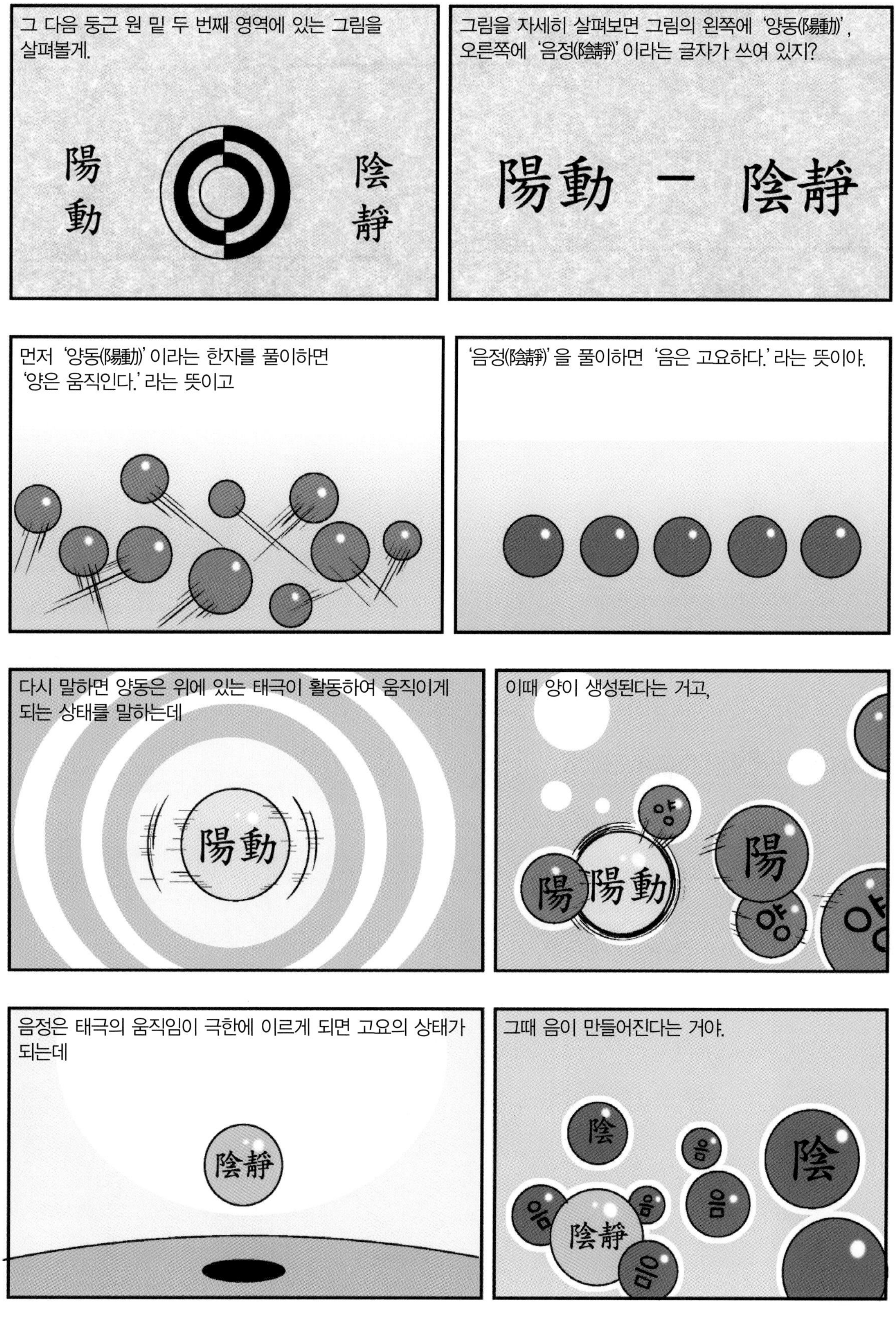
그 다음 둥근 원 밑 두 번째 영역에 있는 그림을 살펴볼게.
陽動
陰靜
그림을 자세히 살펴보면 그림의 왼쪽에 '양동(陽動)', 오른쪽에 '음정(陰靜)' 이라는 글자가 쓰여 있지?
陽動 — 陰靜
먼저 '양동(陽動)' 이라는 한자를 풀이하면 '양은 움직인다.' 라는 뜻이고
'음정(陰靜)' 을 풀이하면 '음은 고요하다.' 라는 뜻이야.
다시 말하면 양동은 위에 있는 태극이 활동하여 움직이게 되는 상태를 말하는데
陽動
이때 양이 생성된다는 거고,
양
陽
陽動
陽
양
음정은 태극의 움직임이 극한에 이르게 되면 고요의 상태가 되는데
陰靜
그때 음이 만들어진다는 거야.
陰
음
陰
음
음
음
陰靜
음

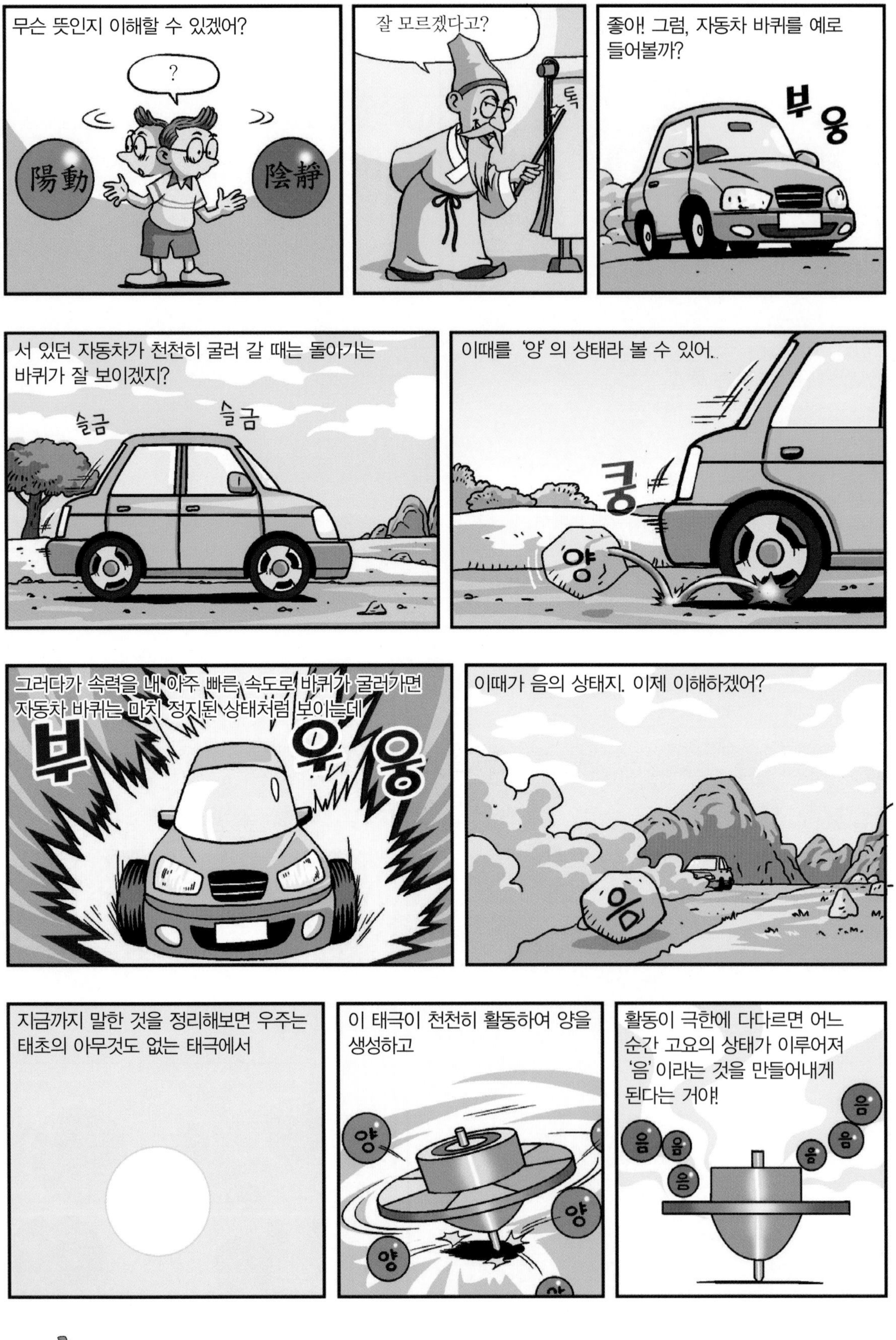
무슨 뜻인지 이해할 수 있겠어?
?
陽動
陰靜
잘 모르겠다고?
톡
좋아! 그럼, 자동차 바퀴를 예로 들어볼까?
부웅
서 있던 자동차가 천천히 굴러 갈 때는 돌아가는 바퀴가 잘 보이겠지?
슬금
슬금
이때를 '양'의 상태라 볼 수 있어.
쿵
양
그러다가 속력을 내 아주 빠른 속도로 바퀴가 굴러가면 자동차 바퀴는 마치 정지된 상태처럼 보이는데
부우웅
이때가 음의 상태지. 이제 이해하겠어?
음
지금까지 말한 것을 정리해보면 우주는 태초의 아무것도 없는 태극에서
이 태극이 천천히 활동하여 양을 생성하고
양
양
양
활동이 극한에 다다르면 어느 순간 고요의 상태가 이루어져 '음'이라는 것을 만들어내게 된다는 거야!
음
음
음
음
음
음

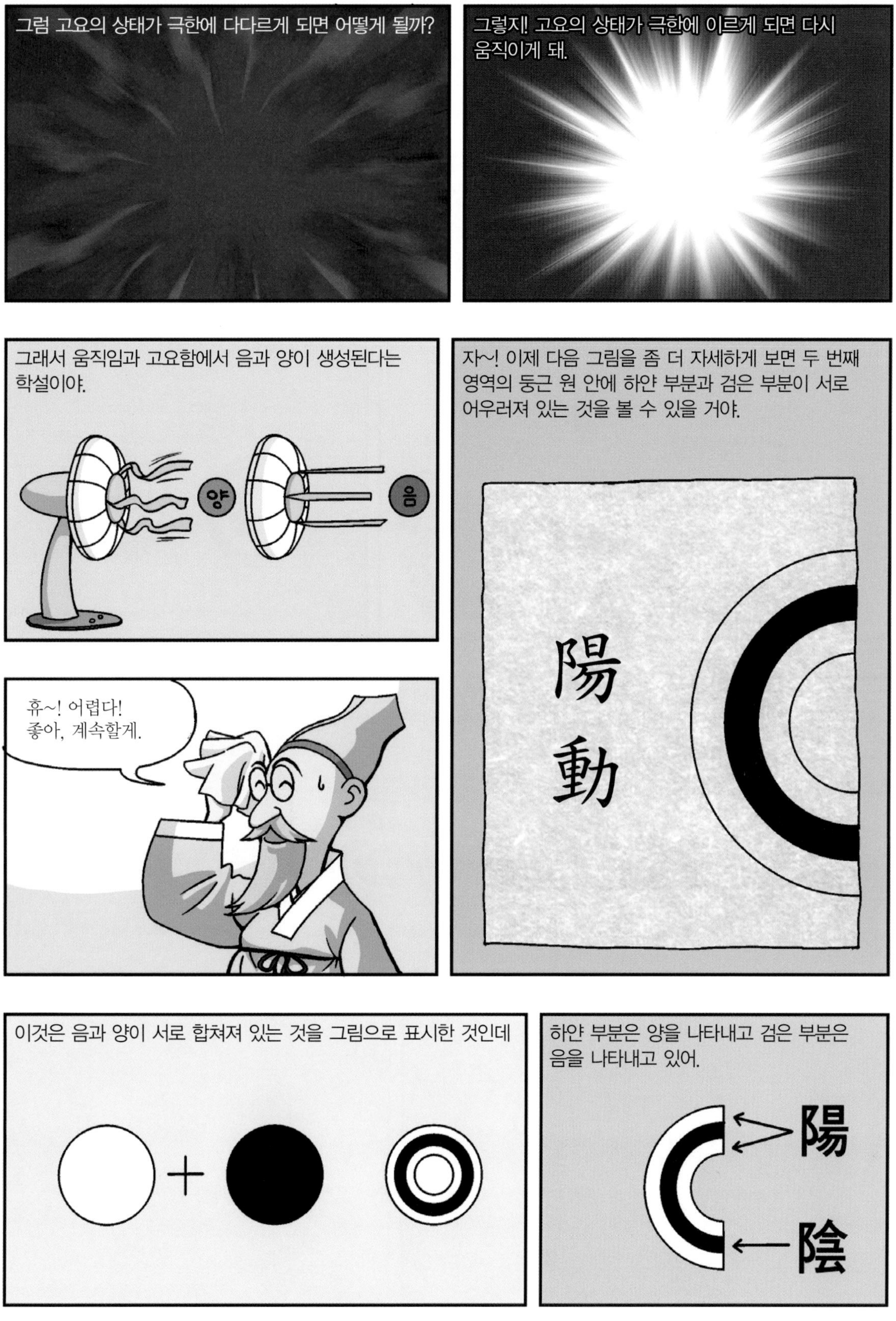
그럼 고요의 상태가 극한에 다다르게 되면 어떻게 될까?
그렇지! 고요의 상태가 극한에 이르게 되면 다시 움직이게 돼.
그래서 움직임과 고요함에서 음과 양이 생성된다는 학설이야.
양
음
자~! 이제 다음 그림을 좀 더 자세하게 보면 두 번째 영역의 둥근 원 안에 하얀 부분과 검은 부분이 서로 어우러져 있는 것을 볼 수 있을 거야.
陽動
휴~! 어렵다! 좋아, 계속할게.
이것은 음과 양이 서로 합쳐져 있는 것을 그림으로 표시한 것인데
하얀 부분은 양을 나타내고 검은 부분은 음을 나타내고 있어.
陽
陰

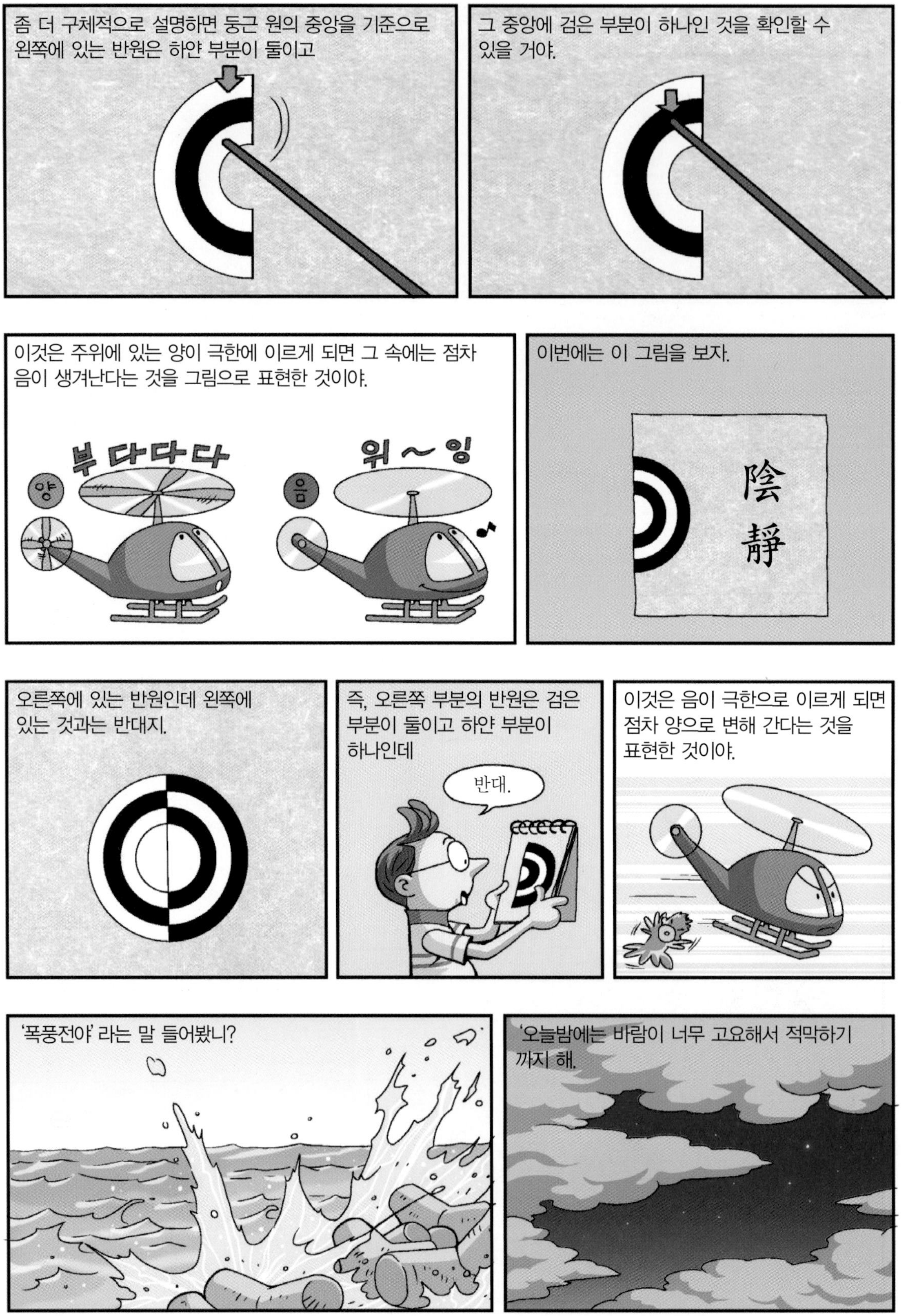
좀 더 구체적으로 설명하면 둥근 원의 중앙을 기준으로 왼쪽에 있는 반원은 하얀 부분이 둘이고
그 중앙에 검은 부분이 하나인 것을 확인할 수 있을 거야.
이것은 주위에 있는 양이 극한에 이르게 되면 그 속에는 점차 음이 생겨난다는 것을 그림으로 표현한 것이야.
부다다다
양
위~잉
음
이번에는 이 그림을 보자.
陰
靜
오른쪽에 있는 반원인데 왼쪽에 있는 것과는 반대지.
즉, 오른쪽 부분의 반원은 검은 부분이 둘이고 하얀 부분이 하나인데
반대.
이것은 음이 극한으로 이르게 되면 점차 양으로 변해 간다는 것을 표현한 것이야.
'폭풍전야'라는 말 들어봤니?
'오늘밤에는 바람이 너무 고요해서 적막하기까지 해.

아마도 내일은 엄청난 비바람이 불어 닥칠 거야. 미리 비바람이나 단속해야겠어.' 라고 어른들이 하시는 말씀을 들은 적이 있을 거야.

어른들은 경험을 통해 고요함이 극에 다하면 반드시 비바람이 불어 닥친다는 것을 알고 있어.

이 얘기와 같이 바람이 고요해져 극에 달하게 되면 다시 바람이 서서히 일어나 거세게 되어 후에 엄청난 바람을 일으켜.

자~ 그럼
세 번째 영역의
그림으로
넘어갈게.
第一太極圖

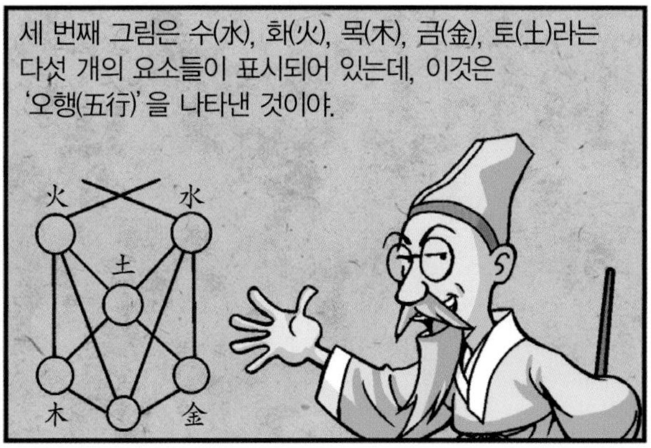
세 번째 그림은 수(水), 화(火), 목(木), 금(金), 토(土)라는 다섯 개의 요소들이 표시되어 있는데, 이것은 '오행(五行)'을 나타낸 것이야.
火
水
土
木
金

양이 변화하고, 음이 결합함에 따라 이와 같은 다섯 가지 요소를 만들어 내게 되지.
火
水
金
土
木

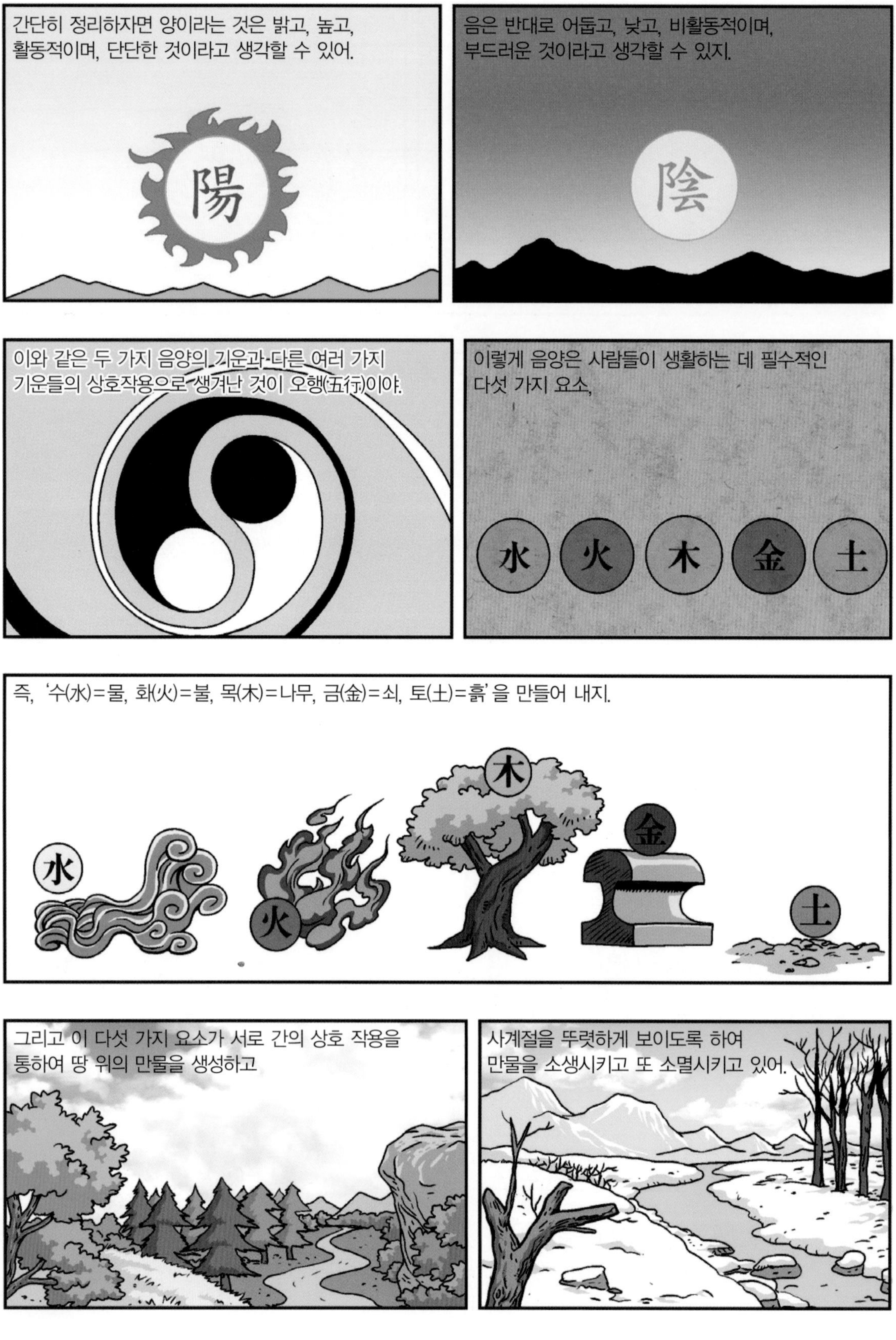
간단히 정리하자면 양이라는 것은 밝고, 높고,
활동적이며, 단단한 것이라고 생각할 수 있어.
陽
음은 반대로 어둡고, 낮고, 비활동적이며,
부드러운 것이라고 생각할 수 있지.
陰
이와 같은 두 가지 음양의 기운과 다른 여러 가지
기운들의 상호작용으로 생겨난 것이 오행(五行)이야.
이렇게 음양은 사람들이 생활하는 데 필수적인
다섯 가지 요소,
水 火 木 金 土
즉, '수(水)=물, 화(火)=불, 목(木)=나무, 금(金)=쇠, 토(土)=흙'을 만들어 내지.
水
火
木
金
土
그리고 이 다섯 가지 요소가 서로 간의 상호 작용을
통하여 땅 위의 만물을 생성하고
사계절을 뚜렷하게 보이도록 하여
만물을 소생시키고 또 소멸시키고 있어.

사계절인 봄에는 만물이 생성되고
여름에는 성장하며
가을에는 결실을 맺고
겨울에는 땅의 뿌리로 다시 돌아가게 하여 끝없는 생명의 순환 고리를 만들어 낸다는 거야.
사람을 예로 들어볼게.
B
어린아이가 세상에 태어날 때는 계절에 비유하면 봄에 해당해.
부모님의 도움을 받고 무럭무럭 자라나는 청소년 시기는 여름에 해당하지.
그리고 성장해서 결혼해 아들, 딸을 낳고 살아가는 행복한 시기가 가을에 해당하는 거야.
그러다가 나이가 많이 들어 늙어 죽게 되는 시기가 바로 겨울이야.

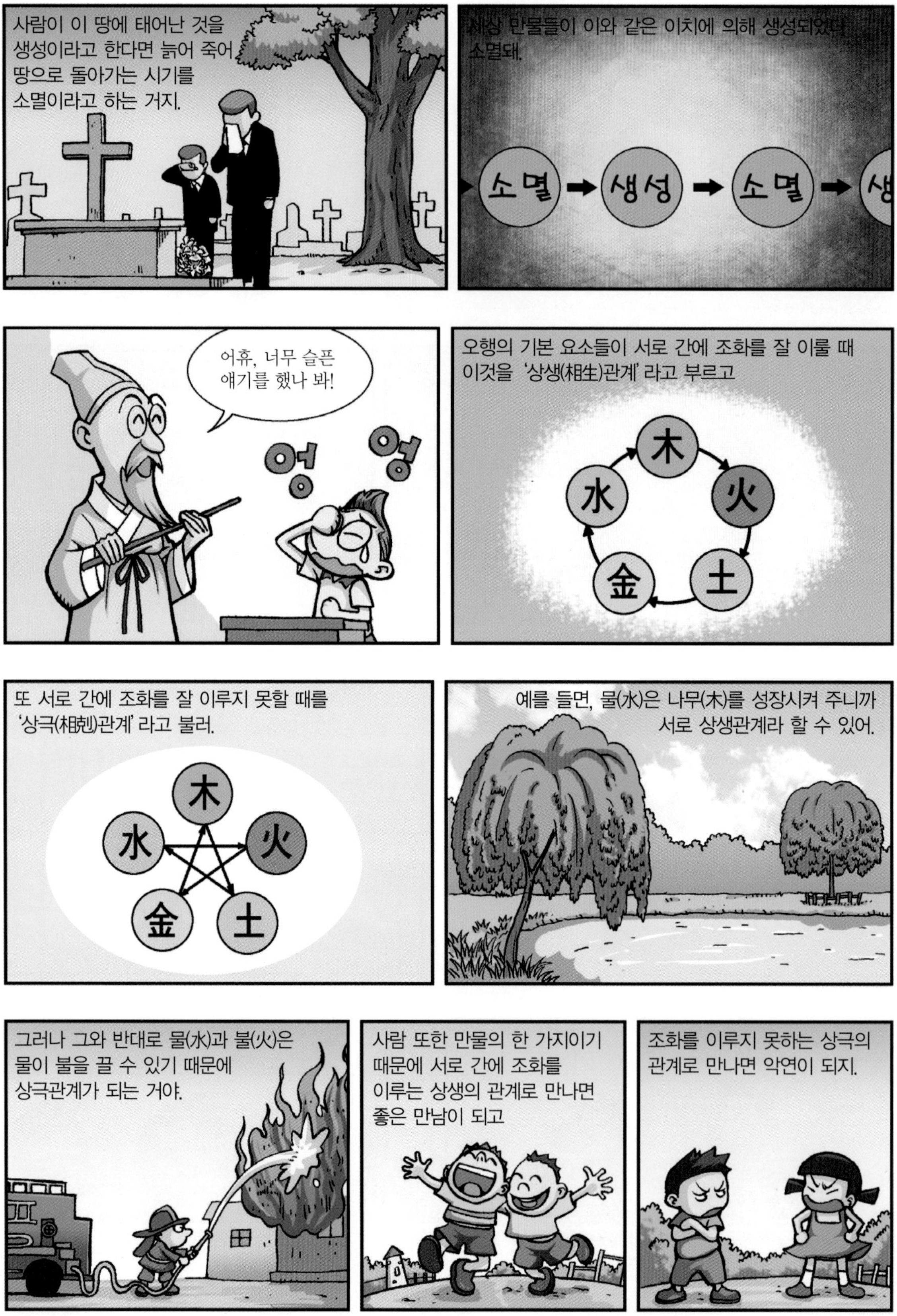
사람이 이 땅에 태어난 것을 생성이라고 한다면 늙어 죽어 땅으로 돌아가는 시기를 소멸이라고 하는 거지.
세상 만물들이 이와 같은 이치에 의해 생성되었다 소멸돼.
소멸 → 생성 → 소멸 → 생
어휴, 너무 슬픈 얘기를 했나 봐!
엉 엉
오행의 기본 요소들이 서로 간에 조화를 잘 이룰 때 이것을 '상생(相生)관계' 라고 부르고
木 火 土 金 水
또 서로 간에 조화를 잘 이루지 못할 때를 '상극(相剋)관계' 라고 불러.
木 火 土 金 水
예를 들면, 물(水)은 나무(木)를 성장시켜 주니까 서로 상생관계라 할 수 있어.
그러나 그와 반대로 물(水)과 불(火)은 물이 불을 끌 수 있기 때문에 상극관계가 되는 거야.
사람 또한 만물의 한 가지이기 때문에 서로 간에 조화를 이루는 상생의 관계로 만나면 좋은 만남이 되고
조화를 이루지 못하는 상극의 관계로 만나면 악연이 되지.

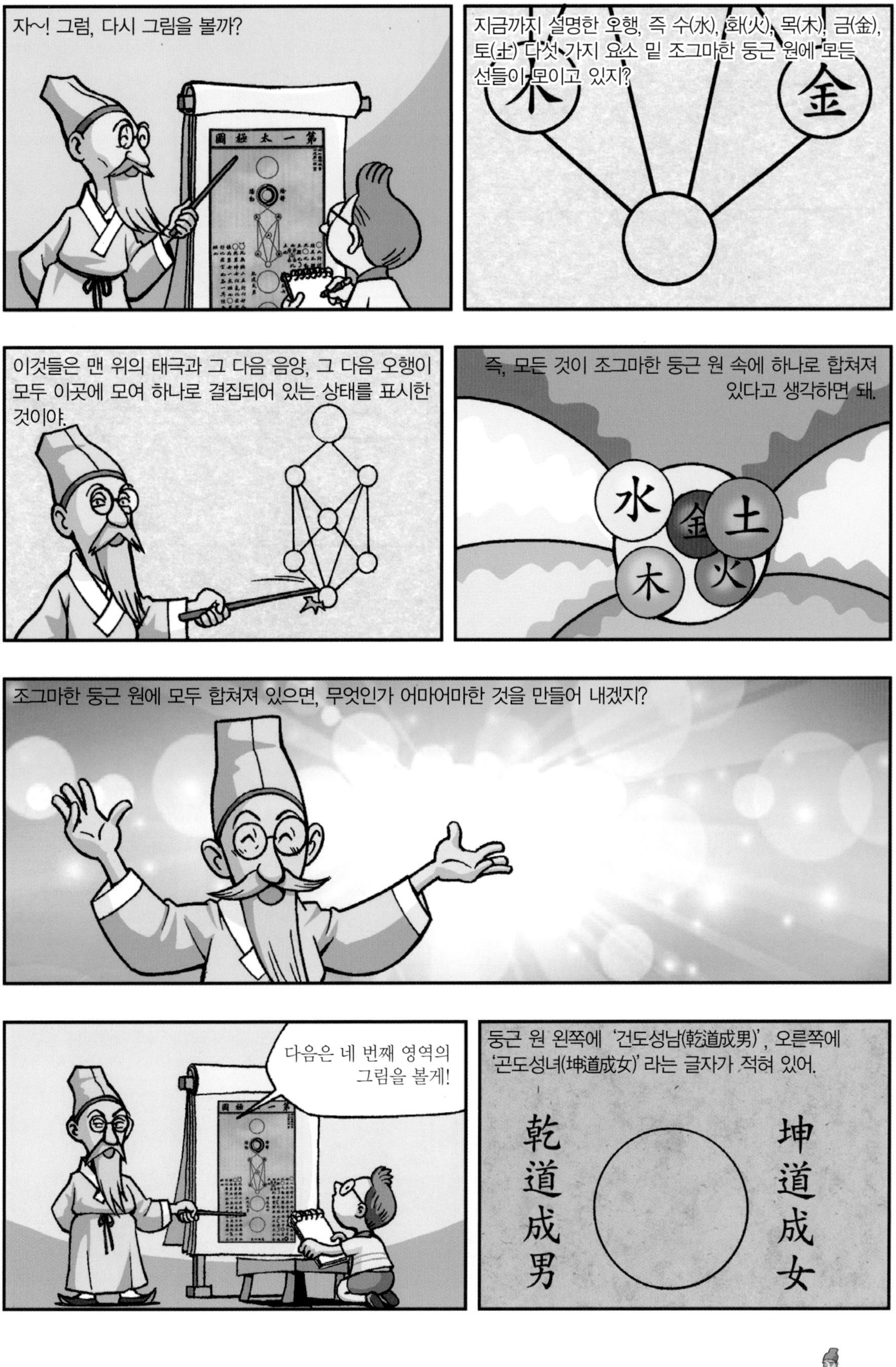

자~! 그럼, 다시 그림을 볼까?
지금까지 설명한 오행, 즉 수(水), 화(火), 목(木), 금(金), 토(土) 다섯 가지 요소 밑 조그마한 둥근 원에 모든 선들이 모이고 있지?
金
이것들은 맨 위의 태극과 그 다음 음양, 그 다음 오행이 모두 이곳에 모여 하나로 결집되어 있는 상태를 표시한 것이야.
즉, 모든 것이 조그마한 둥근 원 속에 하나로 합쳐져 있다고 생각하면 돼.
水
金
土
木
火
조그마한 둥근 원에 모두 합쳐져 있으면, 무엇인가 어마어마한 것을 만들어 내겠지?
다음은 네 번째 영역의 그림을 볼게!
둥근 원 왼쪽에 '건도성남(乾道成男)', 오른쪽에 '곤도성녀(坤道成女)' 라는 글자가 적혀 있어.
乾道成男
坤道成女

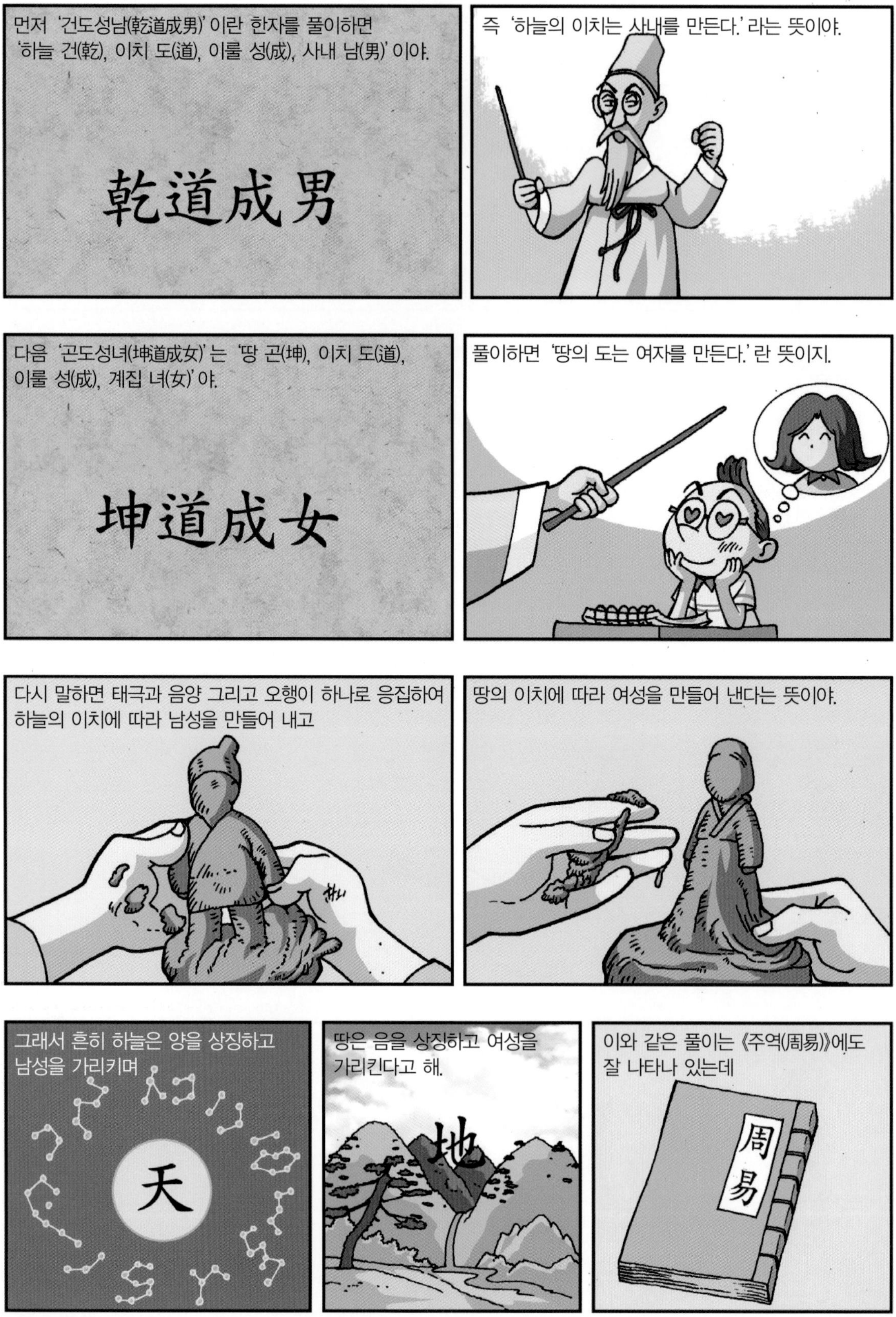

먼저 '건도성남(乾道成男)'이란 한자를 풀이하면 '하늘 건(乾), 이치 도(道), 이룰 성(成), 사내 남(男)'이야.
乾道成男
즉 '하늘의 이치는 사내를 만든다.'라는 뜻이야.
다음 '곤도성녀(坤道成女)'는 '땅 곤(坤), 이치 도(道), 이룰 성(成), 계집 녀(女)'야.
坤道成女
풀이하면 '땅의 도는 여자를 만든다.'란 뜻이지.
다시 말하면 태극과 음양 그리고 오행이 하나로 응집하여 하늘의 이치에 따라 남성을 만들어 내고
땅의 이치에 따라 여성을 만들어 낸다는 뜻이야.
그래서 흔히 하늘은 양을 상징하고 남성을 가리키며
天
땅은 음을 상징하고 여성을 가리킨다고 해.
地
이와 같은 풀이는 《주역(周易)》에도 잘 나타나 있는데
周易

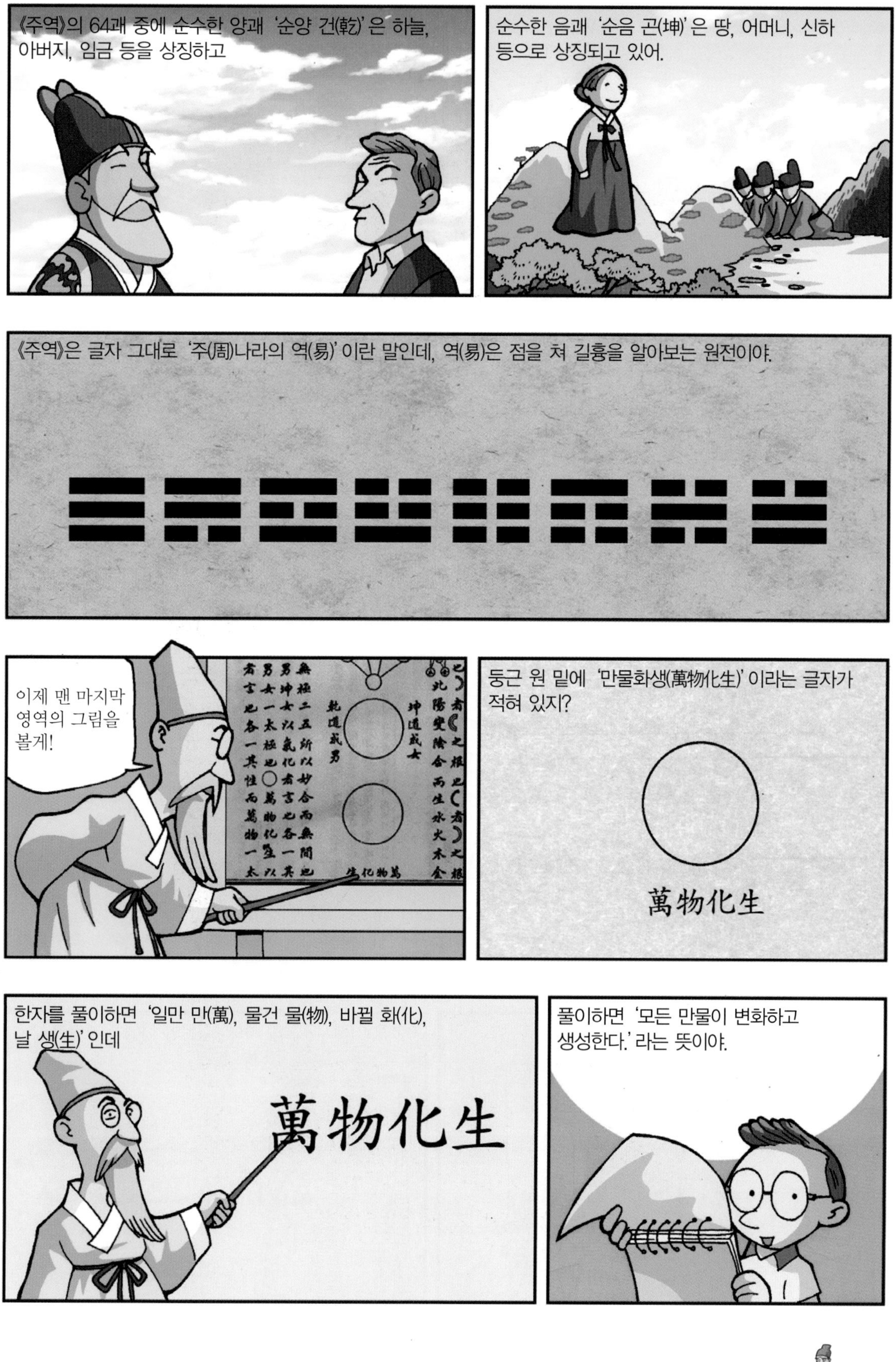
《주역》의 64괘 중에 순수한 양괘 '순양 건(乾)'은 하늘, 아버지, 임금 등을 상징하고
순수한 음괘 '순음 곤(坤)'은 땅, 어머니, 신하 등으로 상징되고 있어.
《주역》은 글자 그대로 '주(周)나라의 역(易)'이란 말인데, 역(易)은 점을 쳐 길흉을 알아보는 원전이야.
이제 맨 마지막 영역의 그림을 볼게!
둥근 원 밑에 '만물화생(萬物化生)'이라는 글자가 적혀 있지?
萬物化生
한자를 풀이하면 '일만 만(萬), 물건 물(物), 바뀔 화(化), 날 생(生)'인데
萬物化生
풀이하면 '모든 만물이 변화하고 생성한다.'라는 뜻이야.

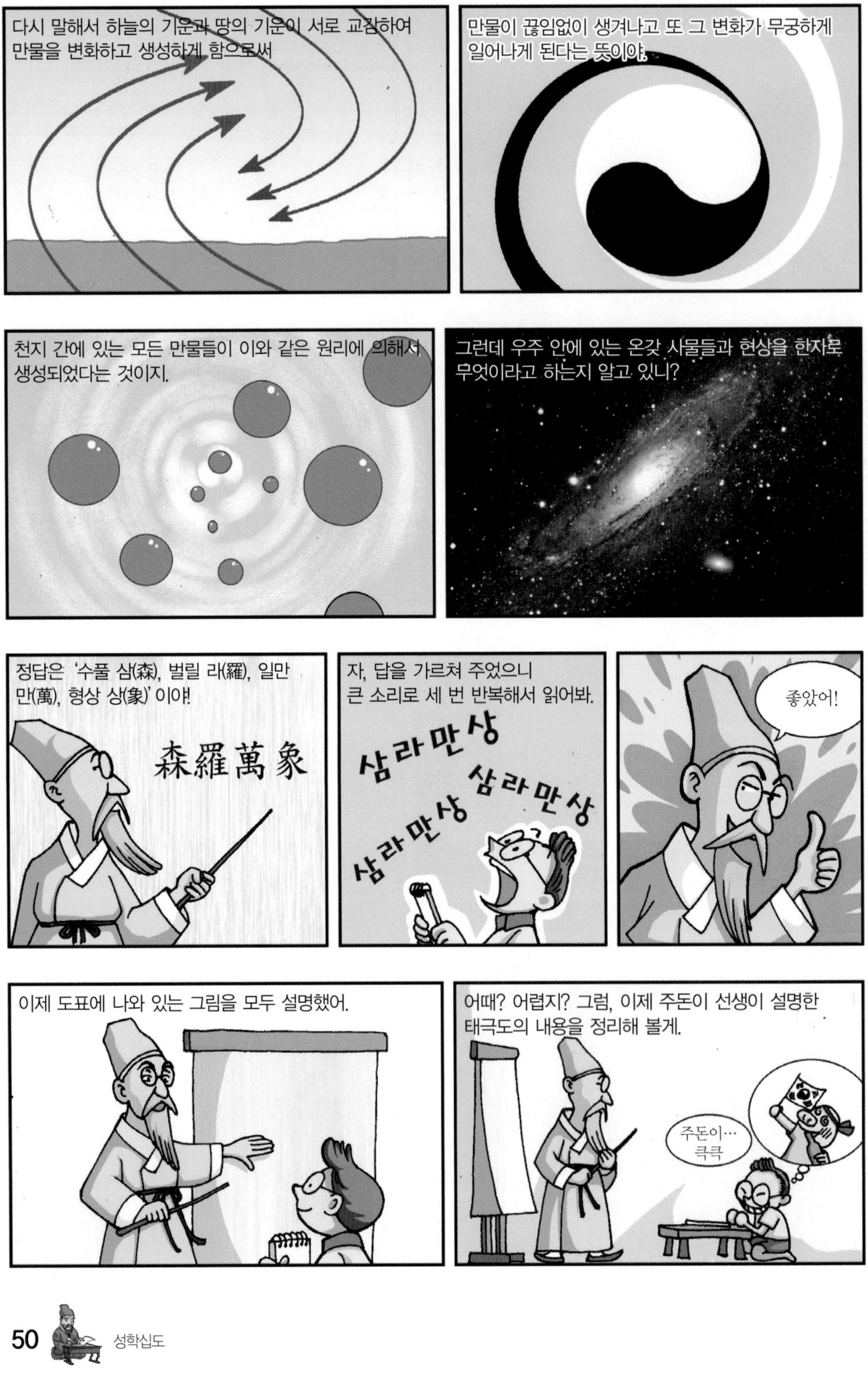

다시 말해서 하늘의 기운과 땅의 기운이 서로 교감하여 만물을 변화하고 생성하게 함으로써
만물이 끊임없이 생겨나고 또 그 변화가 무궁하게 일어나게 된다는 뜻이야.
천지 간에 있는 모든 만물들이 이와 같은 원리에 의해서 생성되었다는 것이지.
그런데 우주 안에 있는 온갖 사물들과 현상을 한자로 무엇이라고 하는지 알고 있니?
정답은 '수풀 삼(森), 벌릴 라(羅), 일만 만(萬), 형상 상(象)' 이야!
森羅萬象
자, 답을 가르쳐 주었으니 큰 소리로 세 번 반복해서 읽어봐.
삼라만상
삼라만상
삼라만상
좋았어!
이제 도표에 나와 있는 그림을 모두 설명했어.
어때? 어렵지? 그럼, 이제 주돈이 선생이 설명한 태극도의 내용을 정리해 볼게.
주돈이…
킥킥

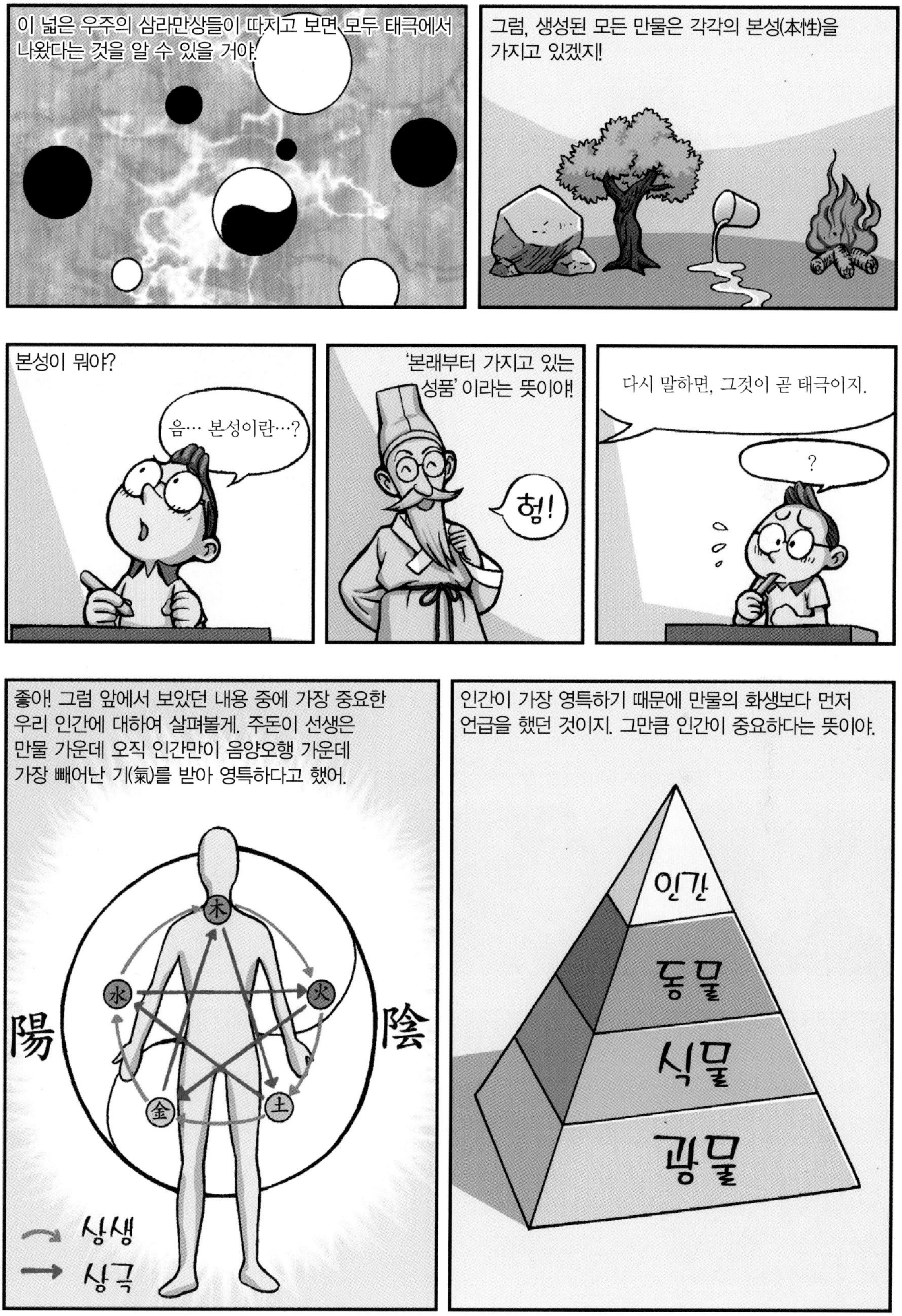
이 넓은 우주의 삼라만상들이 따지고 보면 모두 태극에서 나왔다는 것을 알 수 있을 거야!
그럼, 생성된 모든 만물은 각각의 본성(本性)을 가지고 있겠지!
본성이 뭐야?
음… 본성이란…?
'본래부터 가지고 있는 성품'이라는 뜻이야!
험!
다시 말하면, 그것이 곧 태극이지.
?
좋아! 그럼 앞에서 보았던 내용 중에 가장 중요한 우리 인간에 대하여 살펴볼게. 주돈이 선생은 만물 가운데 오직 인간만이 음양오행 가운데 가장 빼어난 기(氣)를 받아 영특하다고 했어.
木
水
火
金
土
陽
陰
상생
상극
인간이 가장 영특하기 때문에 만물의 화생보다 먼저 언급을 했던 것이지. 그만큼 인간이 중요하다는 뜻이야.
인간
동물
식물
광물

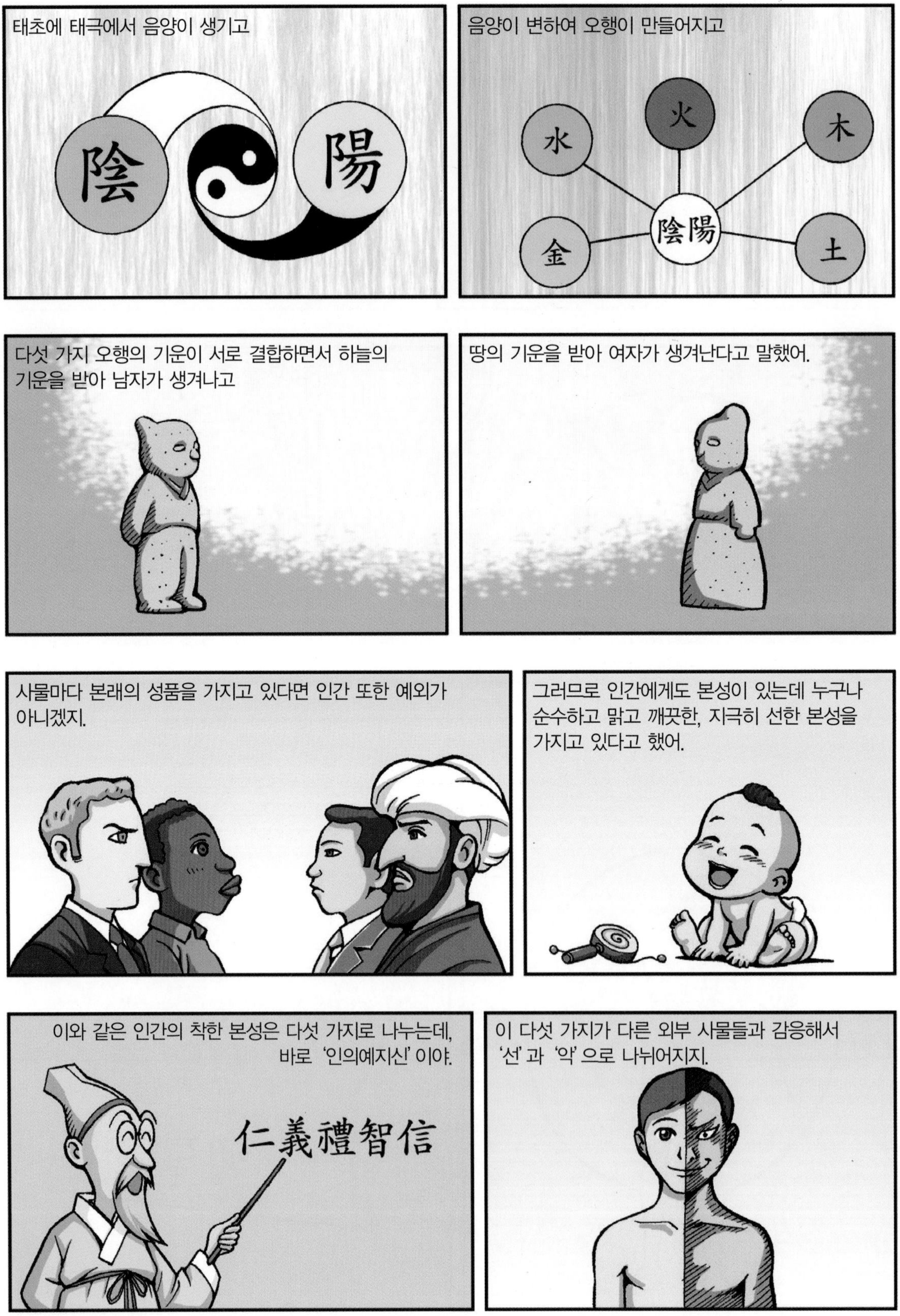
태초에 태극에서 음양이 생기고
陰
陽
음양이 변하여 오행이 만들어지고
水
火
木
陰陽
金
土
다섯 가지 오행의 기운이 서로 결합하면서 하늘의 기운을 받아 남자가 생겨나고
땅의 기운을 받아 여자가 생겨난다고 말했어.
사물마다 본래의 성품을 가지고 있다면 인간 또한 예외가 아니겠지.
그러므로 인간에게도 본성이 있는데 누구나 순수하고 맑고 깨끗한, 지극히 선한 본성을 가지고 있다고 했어.
이와 같은 인간의 착한 본성은 다섯 가지로 나누는데, 바로 '인의예지신' 이야.
仁義禮智信
이 다섯 가지가 다른 외부 사물들과 감응해서 '선' 과 '악' 으로 나뉘어지지.

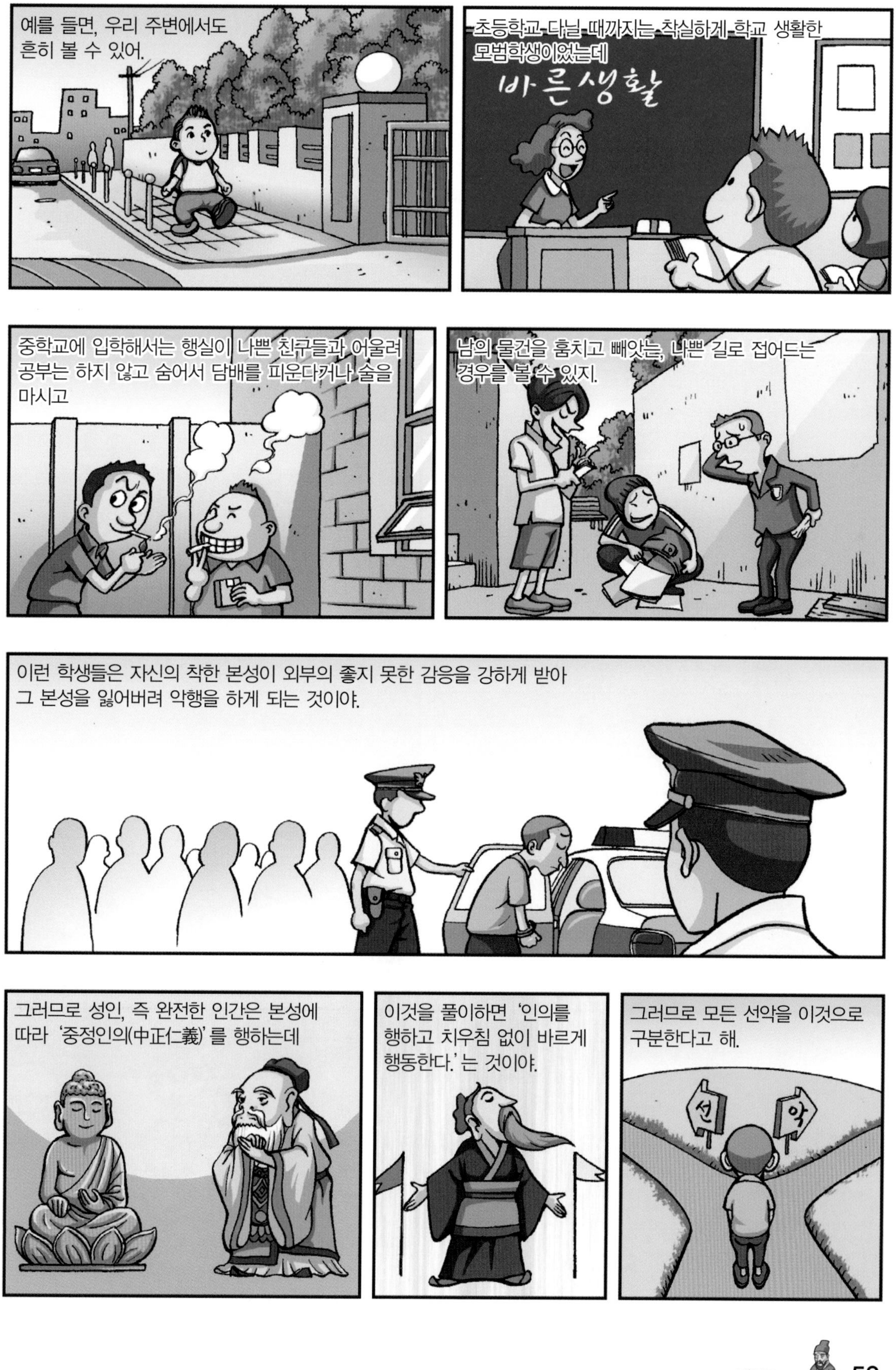
예를 들면, 우리 주변에서도 흔히 볼 수 있어.
초등학교 다닐 때까지는 착실하게 학교 생활한 모범학생이었는데
바른생활
중학교에 입학해서는 행실이 나쁜 친구들과 어울려 공부는 하지 않고 숨어서 담배를 피운다거나 술을 마시고
남의 물건을 훔치고 빼앗는, 나쁜 길로 접어드는 경우를 볼 수 있지.
이런 학생들은 자신의 착한 본성이 외부의 좋지 못한 감응을 강하게 받아 그 본성을 잃어버려 악행을 하게 되는 것이야.
그러므로 성인, 즉 완전한 인간은 본성에 따라 '중정인의(中正仁義)'를 행하는데
이것을 풀이하면 '인의를 행하고 치우침 없이 바르게 행동한다.'는 것이야.
그러므로 모든 선악을 이것으로 구분한다고 해.
선
악

그럼, 인의(仁義)가 뭘까?
?
?
仁義
먼저 인(仁)이란, 일찍이 공자께서 주장한 으뜸사상인데.
'자신의 행동을 부드럽게 하여, 모든 일에 신중을 기하고, 남에게 너그럽게 대하여 믿음을 주며, 예의 바르게 행동하는 성품'을 말하는 거야.
한마디로 말하면 '나를 뒤로 미루고 남을 앞세우려는 마음'이라고 할 수 있지.
그리고 의(義)란, '옳고 그름을 분별해서 그 올바름을 택할 수 있는 성품'을 말하는 거야.
사람은 태어날 때부터 사물을 보고 어떻게 행하는 것이 옳은 것인지를 분별할 수 있는 능력을 가지고 태어났기 때문에
?
앙~
그 행함에 올바른 쪽을 선택하라는 말이야.

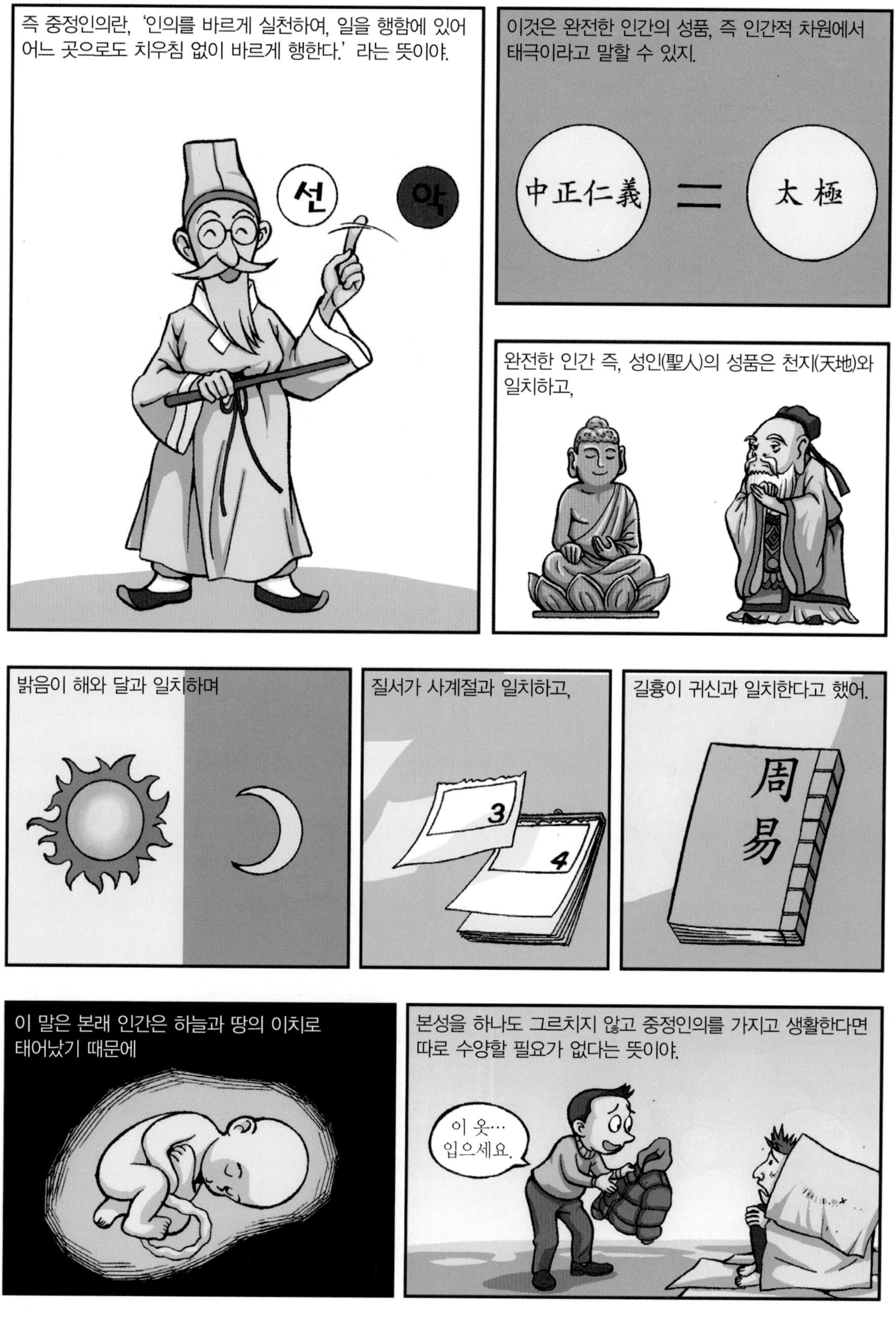
즉 중정인의란, '인의를 바르게 실천하여, 일을 행함에 있어 어느 곳으로도 치우침 없이 바르게 행한다.' 라는 뜻이야.
선
악
이것은 완전한 인간의 성품, 즉 인간적 차원에서 태극이라고 말할 수 있지.
中正仁義
太極
완전한 인간 즉, 성인(聖人)의 성품은 천지(天地)와 일치하고,
밝음이 해와 달과 일치하며
질서가 사계절과 일치하고,
3
4
길흉이 귀신과 일치한다고 했어.
周易
이 말은 본래 인간은 하늘과 땅의 이치로 태어났기 때문에
본성을 하나도 그르치지 않고 중정인의를 가지고 생활한다면 따로 수양할 필요가 없다는 뜻이야.
이 옷… 입으세요.

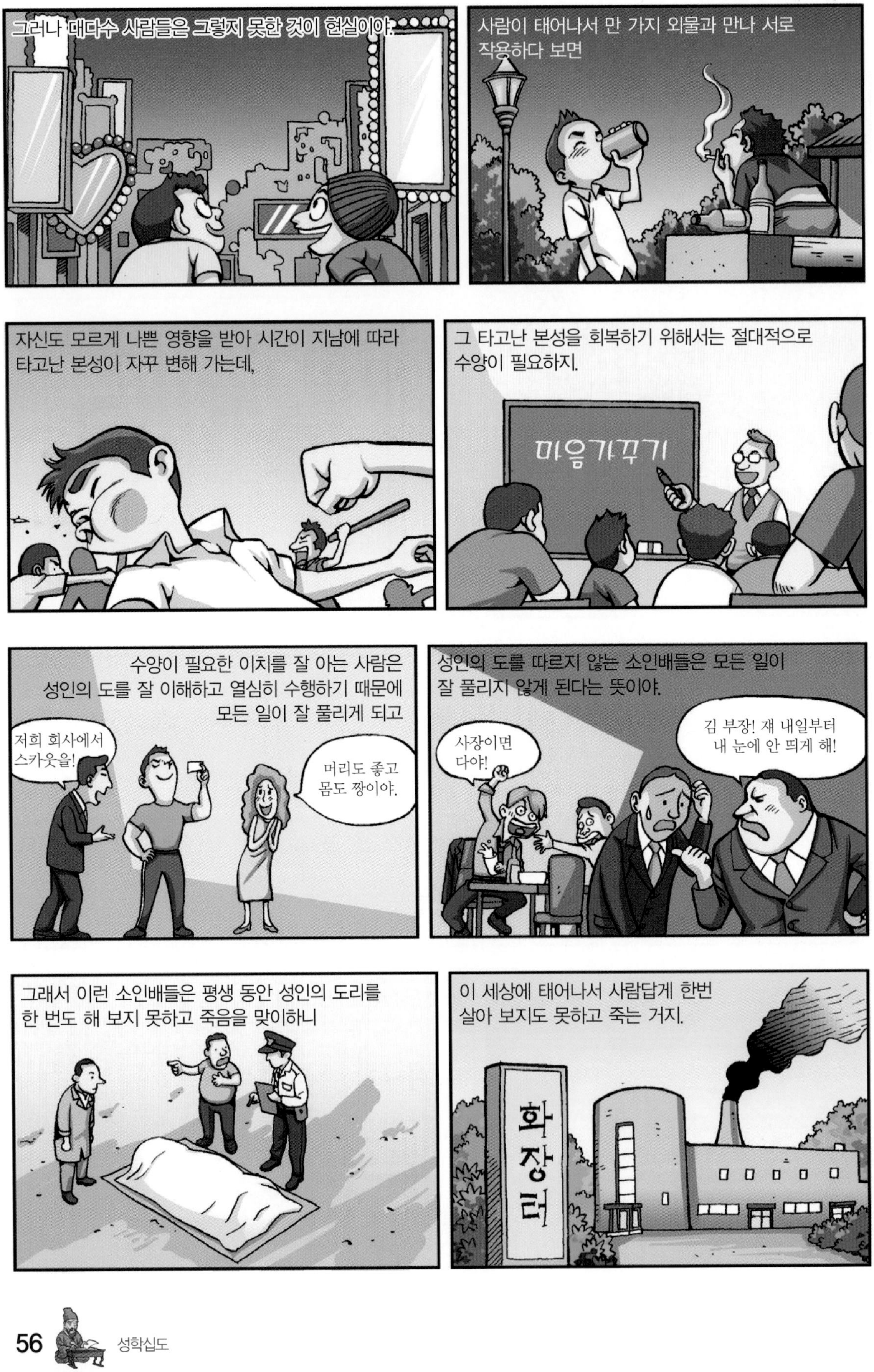
그러나 대다수 사람들은 그렇지 못한 것이 현실이야.
사람이 태어나서 만 가지 외물과 만나 서로 작용하다 보면
자신도 모르게 나쁜 영향을 받아 시간이 지남에 따라 타고난 본성이 자꾸 변해 가는데,
그 타고난 본성을 회복하기 위해서는 절대적으로 수양이 필요하지.
마음가꾸기
수양이 필요한 이치를 잘 아는 사람은 성인의 도를 잘 이해하고 열심히 수행하기 때문에 모든 일이 잘 풀리게 되고
저희 회사에서 스카웃을!
머리도 좋고 몸도 짱이야.
성인의 도를 따르지 않는 소인배들은 모든 일이 잘 풀리지 않게 된다는 뜻이야.
사장이면 다야!
김 부장! 재 내일부터 내 눈에 안 띄게 해!
그래서 이런 소인배들은 평생 동안 성인의 도리를 한 번도 해 보지 못하고 죽음을 맞이하니
이 세상에 태어나서 사람답게 한번 살아 보지도 못하고 죽는 거지.
화장터

결국, 성인의 도를 따르는 군자는 모든 일이 잘 풀리게 되고,
그렇지 못한 소인은 모든 일이 잘 안된다는 뜻이야.
폐업
사람의 모든 일들이 따지고 보면,
평상시에 성인의 도리를 수양하느냐 하지 않느냐에 따라 결정된다는 거지.
다시 말하면 우리가 평상시 생활할 때 늘 공경하는 마음을 가지고 열심히 '성인의 도',
위인전
즉 인의를 바르게 실천하고, 일을 행함에 있어 어느 곳으로도 치우침 없이 행동하느냐
아니면 부정하고 방자한 마음을 가지고 성인의 도를 멀리 하느냐의 차이에 달려 있다는 거야!
희망양로

같은 시대 살았던 주자는 주돈이 선생이 만든 태극도를 보고 "태극도를 통하여 우주 만물의 생성 과정을 설명하였고, 인간의 타고난 성품을 밝혔다."라고 말했어.
第一太極圖
이러한 주자의 말은 주돈이 선생의 태극도설이 인간의 타고난 성품을 밝히는 데 주력하였다는 뜻이야.
인간은 만물의 영장!
주돈이
퇴계 이황 선생이 《성학십도》 중에 '태극도'를 가장 첫 머리에 둔 것도
聖學十圖
바로 학문하고자 하는 모든 분들이 성인의 모습을 본받아 여기에서 그 실마리를 찾고
《소학》이나 《대학》의 공부를 통해 성인의 도를 익혀 점차 학문의 범위를 넓혀가야 한다는 깊은 뜻이 담겨져 있어.
小學
大學

《성학십도》를 올리는 이유

퇴계 이황은 나이 어린 선조에게 심혈을 기울여 만든 《성학십도》를 바치면서 도(道)에 들어가 덕(德)을 쌓고 성군이 되기를 당부하는 서문을 지어 올렸다. 서문의 내용은 《성학십도》 첫머리에 있는데 간단히 요약하면 다음과 같다.

▲ 《성학십도》를 그린 병풍. 선조대왕은 이황의 《성학십도》를 병풍으로 만들게 하여 가까이 두었다고 한다.

과거를 본받아 미래의 유익함을 위하여

옛날 성스러운 임금과 현명한 왕들은 항상 조심하고 두려워하는 마음으로 하루하루를 보내면서도 여전히 부족하다고 생각해서 스승을 두는 관직을 만들었으며, 간쟁하는 직책을 두

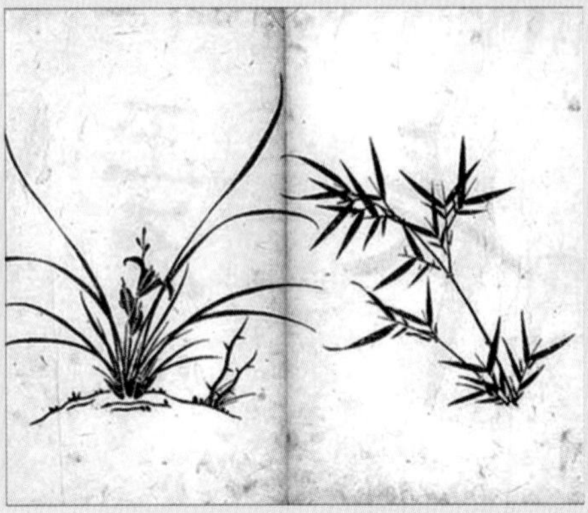
▲ 선조대왕이 그린 난초와 대나무.

어 임금에게 충고를 하였습니다. 수레를 타고 밖으로 나갈 때에는 호위병들이 호위를 하였으며, 아침 조회 때에는 가장 높은 벼슬에 있는 사람의 가르침을 받았습니다.

그러나 후대의 군주들은 천명을 받아서 왕위에 올랐으나 무슨 까닭인지 자신을 수양하지 않습니다. 오히려 불손한 태도로 스스로 성인처럼 행동하고 오만한 태도로 신하와 백성 위에서 마음대로 행동하고 있다면 어찌 나라가 망한다고 해도 이상한 일이겠습니까? 신하가 되어 임금을 도리에 맞게 이끌려는 사람이 있다면 진실로 자신의 마음을 다하지 않을 수 없을 것입니다.

제가 엎드려 생각해보니, 처음에 글을 올려 학문을 논한 것들이 이미 전하의 뜻을 감동시키지 못했고, 후에 직접 말씀 드린 내용 또한 지혜로움을 드리지 못했으므로 부족한 저의 정성으로 어찌해야 좋을지 잘 모르겠습니다. 오로지 옛날 현인과 군자들이 성학으로 마음을 밝히고, 다스렸던 방법을 그림으로 그리고 설명을 붙여놓은 것이 있어 그것을 보고 도에 들어가고 덕을 쌓아 세상을 밝히고 있습니다.

이에 신이 감히 과거를 본받아 미래에 유익함이 있을 것이라고 사료되어 옛것 중에 탁월한 일곱 가지 그림을 선택하였는데, 일곱 가지 그림 중에 정복심이 그린 '심통성정도'는 제가 작은 그림을 덧붙여 설명하였습니다. 그리고 제가 만든 세 개의 그림을 덧붙여 모두 열 개의 그림을 모아 하나로 합쳐《성학십도》를 만들었습니다. 각각의 그림 아래에는 저의 생각을 적어 놓았습니다.

학문은 마음에서 찾는 것

성인의 학문은 마음에서 찾지 않으면 어두워서 깨달을 수 없게 됩니다. 그러므로 반드시 생각해서 작은 부분까지 깨우쳐야 합니다. 그리고 배워서 반드시 실천해야 합니다. 생각하는 것과 학문하는 것은 서로 계발시켜 주고 서로 도움을 주는 것입니다.

하나의 그림에 대해 생각할 때에는 오로지 그 그림에만 정신을 집중하여 마치 다른 그림이 있다는 사실을 모르는 것처럼 해야 합니다. 아침부터 저녁까지 항상 그렇게 해야 하며, 오늘과 내일도 쉼 없이 계속 그렇게 해야 합니다.

처음에는 부자연스럽고 모순되는 근심이 생기기도 하고, 때로는 힘들고 불쾌한 경우도 있을 것입니다. 그러나 이러한 조짐은 옛사람들이 말했던 '앞으로 크게 발전하려는 기색이 나타난 것'이며 좋은 징조이므로 절대로 이것 때문에 멈추어서는 안 됩니다. 참된 것이 많이 쌓이고 오래되면 자연스럽게 마음과 이치가 서로 통하여 자신도 모르는 사이에 이해가 될 것입니다.

전하께서 정신을 가다듬고 의지를 굳건하게 하여 처음부터 끝까지 반복하시고, 하찮게 여기거나 번거롭게 여기지 않으신다면, 이것은 나라에 있어서도 행운이며, 백성들에게도 매우 다행스러운 일입니다. 제가 전하의 생각도 모른 채 글을 올리는 것이 전하를 모독하는 일임을 알면서도 황송하고 송구한 마음으로 이 글을 올립니다.

제4장 서명도

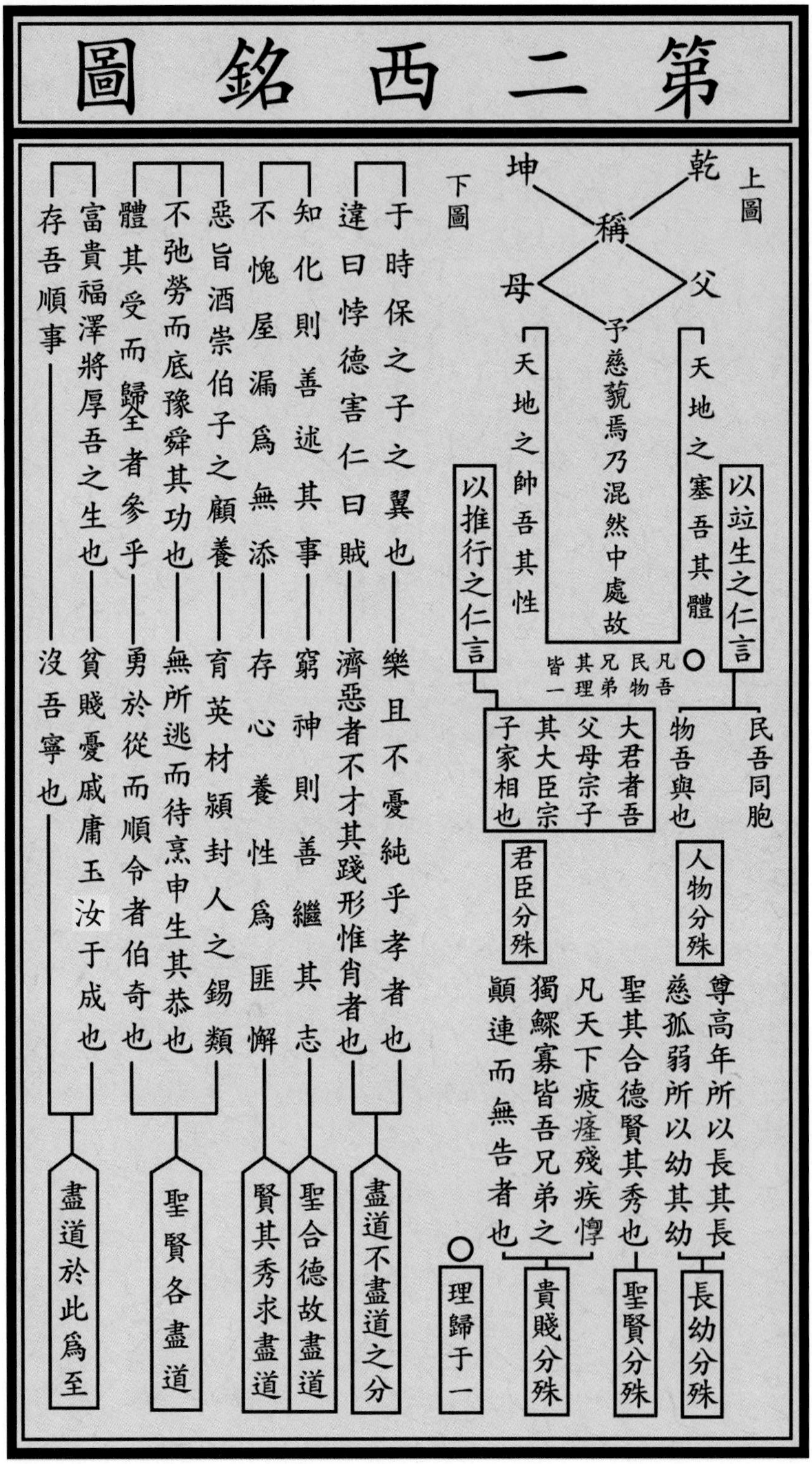
第二西銘圖
上圖
乾
坤
稱
父
母
予玆藐焉乃混然中處故
天地之塞吾其體
天地之帥吾其性
以竝生之仁言
以推行之仁言
凡吾民物兄弟其理皆一
民吾同胞
物吾與也
人物分殊
大君者吾父母宗子
其大臣宗子家相也
君臣分殊
尊高年所以長其長
慈孤弱所以幼其幼
長幼分殊
聖其合德賢其秀也
聖賢分殊
凡天下疲癃殘疾惸獨鰥寡皆吾兄弟之顚連而無告者也
貴賤分殊
理歸于一
下圖
于時保之子之翼也
樂且不憂純乎孝者也
違曰悖德害仁曰賊
濟惡者不才其踐形惟肖者也
盡道不盡道之分
知化則善述其事
窮神則善繼其志
聖合德故盡道
不愧屋漏爲無忝
存心養性爲匪懈
賢其秀求盡道
惡旨酒崇伯子之顧養
育英材潁封人之錫類
不弛勞而底豫舜其功也
無所逃而待烹申生其恭也
體其受而歸全者參乎
勇於從而順令者伯奇也
聖賢各盡道
富貴福澤將厚吾之生也
貧賤憂戚庸玉汝于成也
存吾順事
沒吾寧也
盡道於此爲至

제2도 서명도

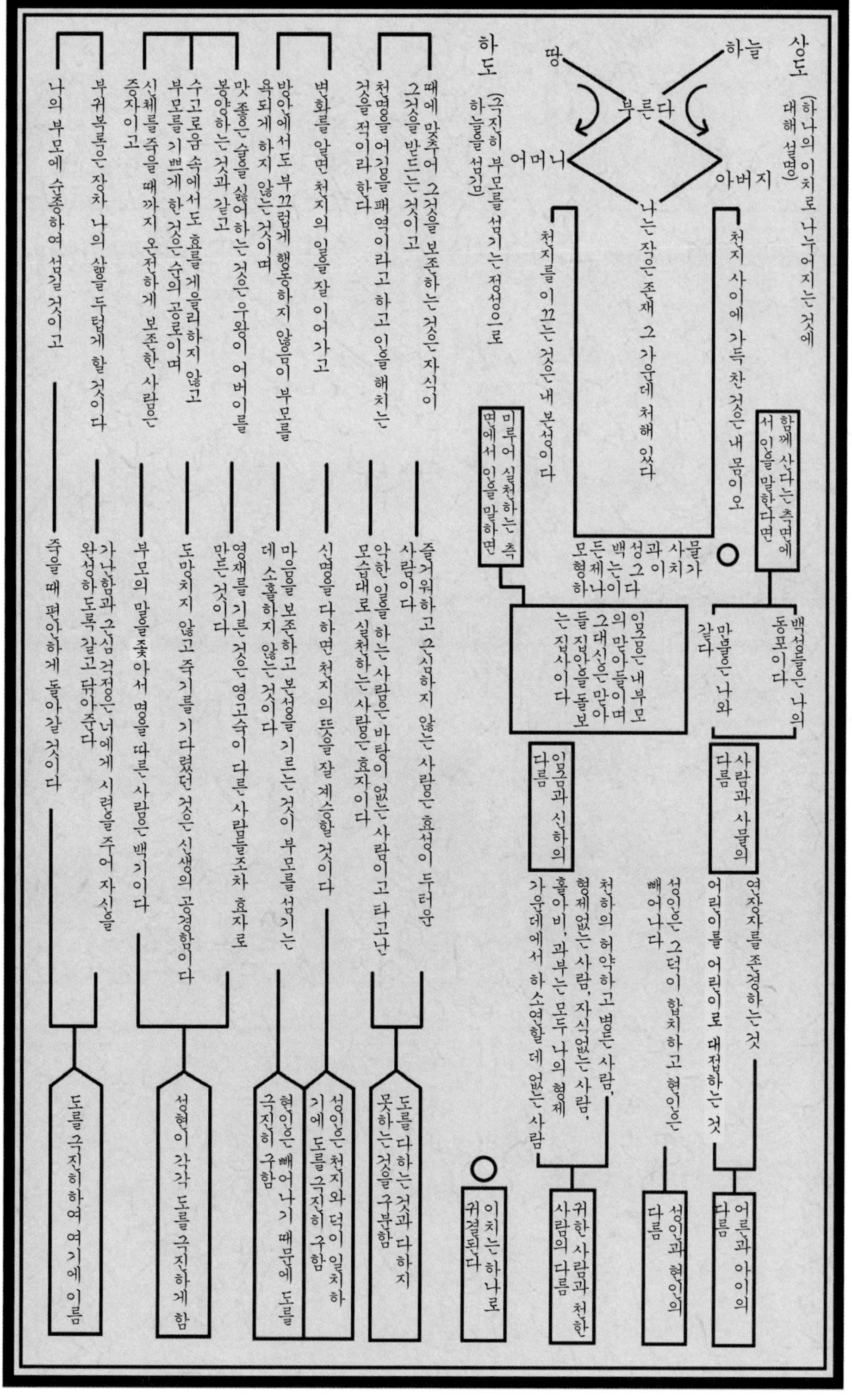
상도 (하나의 이치로 나누어지는 것에 대해 설명)
하늘
땅
부른다
아버지
어머니
나는 작은 존재 그 가운데 처해 있다
천지 사이에 가득 찬 것은 내 몸이오
천지를 이끄는 것은 내 본성이다
함께 산다는 측면에서 인을 말한다면
모든 백성과 사물
형제는 그 이치가
하나이다
백성들은 나의 동포이다
만물은 나와 같다
임금은 내 부모의 맏아들이며 그 대신은 맏아들 집안을 돌보는 집사이다
사람과 사물의 다름
임금과 신하의 다름
연장자를 존경하는 것
어린이를 어린이로 대접하는 것
어른과 아이의 다름
성인은 그 덕이 합치하고 현인은 빼어나다
성인과 현인의 다름
천하의 허약하고 병든 사람, 형제 없는 사람, 자식 없는 사람, 홀아비, 과부는 모두 나의 형제 가운데에서 하소연할 데 없는 사람
귀한 사람과 천한 사람의 다름
하도 (극진히 부모를 섬기는 정성으로 하늘을 섬김)
미루어 실천하는 측면에서 인을 말하면
이치는 하나로 귀결된다
때에 맞추어 그것을 보존하는 것은 자식이 그것을 받드는 것이고
즐거워하고 근심하지 않는 사람은 효성이 두터운 사람이다
천명을 어김을 패역이라고 하고 인을 해치는 것을 적이라 한다
악한 일을 하는 사람은 바탕이 없는 사람이고 타고난 모습대로 실천하는 사람은 효자이다
도를 다하는 것과 다하지 못하는 것을 구분함
변화를 알면 천지의 일을 잘 이어가고
신명을 다하면 천지의 뜻을 잘 계승할 것이다
성인은 천지와 덕이 일치하기에 도를 극진히 구함
방안에서도 부끄럽게 행동하지 않음이 부모를 욕되게 하지 않는 것이며
마음을 보존하고 본성을 기르는 것이 부모를 섬기는 데 소홀하지 않는 것이다
현인은 빼어나기 때문에 도를 극진히 구함
맛 좋은 술을 싫어하는 것은 우왕이 어버이를 봉양하는 것과 같고
영재를 기른 것은 영고숙이 다른 사람들조차 효자로 만든 것이다
수고로움 속에서도 효를 게을리하지 않고 부모를 기쁘게 한 것은 순의 공로이며
도망치지 않고 죽기를 기다렸던 것은 신생의 공경함이다
신체를 죽을 때까지 온전하게 보존한 사람은 증자이고
부모의 말을 좇아서 명을 따른 사람은 백기이다
성현이 각각 도를 극진하게 함
부귀복록은 장차 나의 삶을 두텁게 할 것이다
가난함과 근심 걱정은 너에게 시련을 주어 자신을 완성하도록 갈고 닦아준다
나의 부모에 순종하여 섬길 것이고
죽을 때 편안하게 돌아갈 것이다
도를 극진히하여 여기에 이름

'서명도(西銘圖)'는 원나라 때 정복심이 그린 그림이야.
하지만 내용은 송나라 때 장재라는 사람이 지은 '정완(訂頑)'이라는 글이야.
訂頑
즉, 그림은 정복심이 그렸지만 지은이는 장재라고 할 수 있지.
내가 지은 거야.

장재가 지은 '정완'이란 글은, 풀이하면 '둔함을 바로 잡는다.'라는 뜻인데
訂頑
같은 시대에 살았던 정호*(程顥)라는 분이 '서명(西銘)'이라고 고쳐 불렀어.
내가 서명이라 고쳐 불렀지.

* 정호(程顥) – 중국 송나라 때 유학자로서 성리학의 중심사상인 '이기일원론(理氣一元論)'과 '성즉이설(性則理說)'을 주창함.

아마도 정호 선생은 이 글을 읽어보고 성리학의 학설로 제법 괜찮은 학설이기에 새로운 이름을 붙이지 않았을까 생각해.
'서명'은 '서녘 서(西), 새길 명(銘)' 즉, '서재의 서쪽 창에 걸어놓고 마음에 새기는 글'이라는 뜻이야.

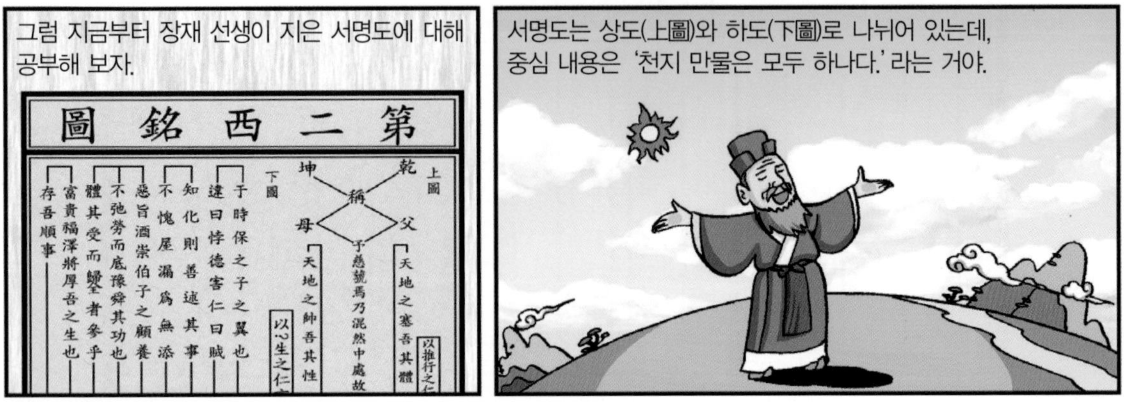
그럼 지금부터 장재 선생이 지은 서명도에 대해 공부해 보자.
第二西銘圖
上圖
乾
父
天地之塞吾其體
下圖
坤
稱
母
予玆藐焉乃混然中處故
天地之帥吾其性
于時保之子之翼也
違曰悖德害仁曰賊
知化則善述其事
不愧屋漏爲無忝
惡旨酒崇伯子之顧養
不弛勞而底豫舜其功也
體其受而歸全者參乎
富貴福澤將厚吾之生也
存吾順事
서명도는 상도(上圖)와 하도(下圖)로 나뉘어 있는데, 중심 내용은 '천지 만물은 모두 하나다.'라는 거야.

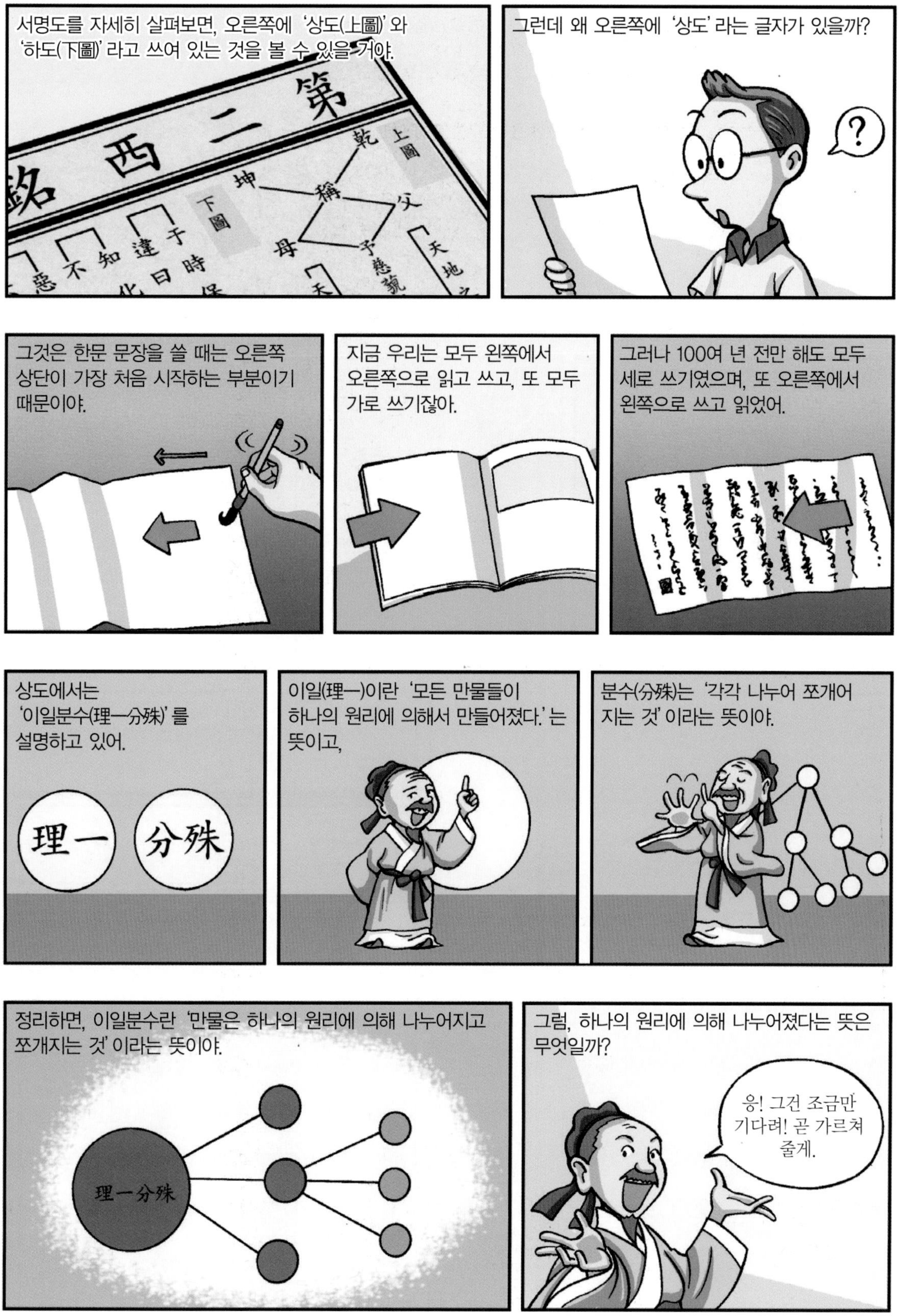

서명도를 자세히 살펴보면, 오른쪽에 '상도(上圖)'와 '하도(下圖)'라고 쓰여 있는 것을 볼 수 있을 거야.
上圖
下圖
그런데 왜 오른쪽에 '상도'라는 글자가 있을까?
?
그것은 한문 문장을 쓸 때는 오른쪽 상단이 가장 처음 시작하는 부분이기 때문이야.
지금 우리는 모두 왼쪽에서 오른쪽으로 읽고 쓰고, 또 모두 가로 쓰기잖아.
그러나 100여 년 전만 해도 모두 세로 쓰기였으며, 또 오른쪽에서 왼쪽으로 쓰고 읽었어.
상도에서는 '이일분수(理一分殊)'를 설명하고 있어.
理一
分殊
이일(理一)이란 '모든 만물들이 하나의 원리에 의해서 만들어졌다.'는 뜻이고,
분수(分殊)는 '각각 나누어 쪼개어 지는 것'이라는 뜻이야.
정리하면, 이일분수란 '만물은 하나의 원리에 의해 나누어지고 쪼개지는 것'이라는 뜻이야.
理一分殊
그럼, 하나의 원리에 의해 나누어졌다는 뜻은 무엇일까?
응! 그건 조금만 기다려! 곧 가르쳐 줄게.

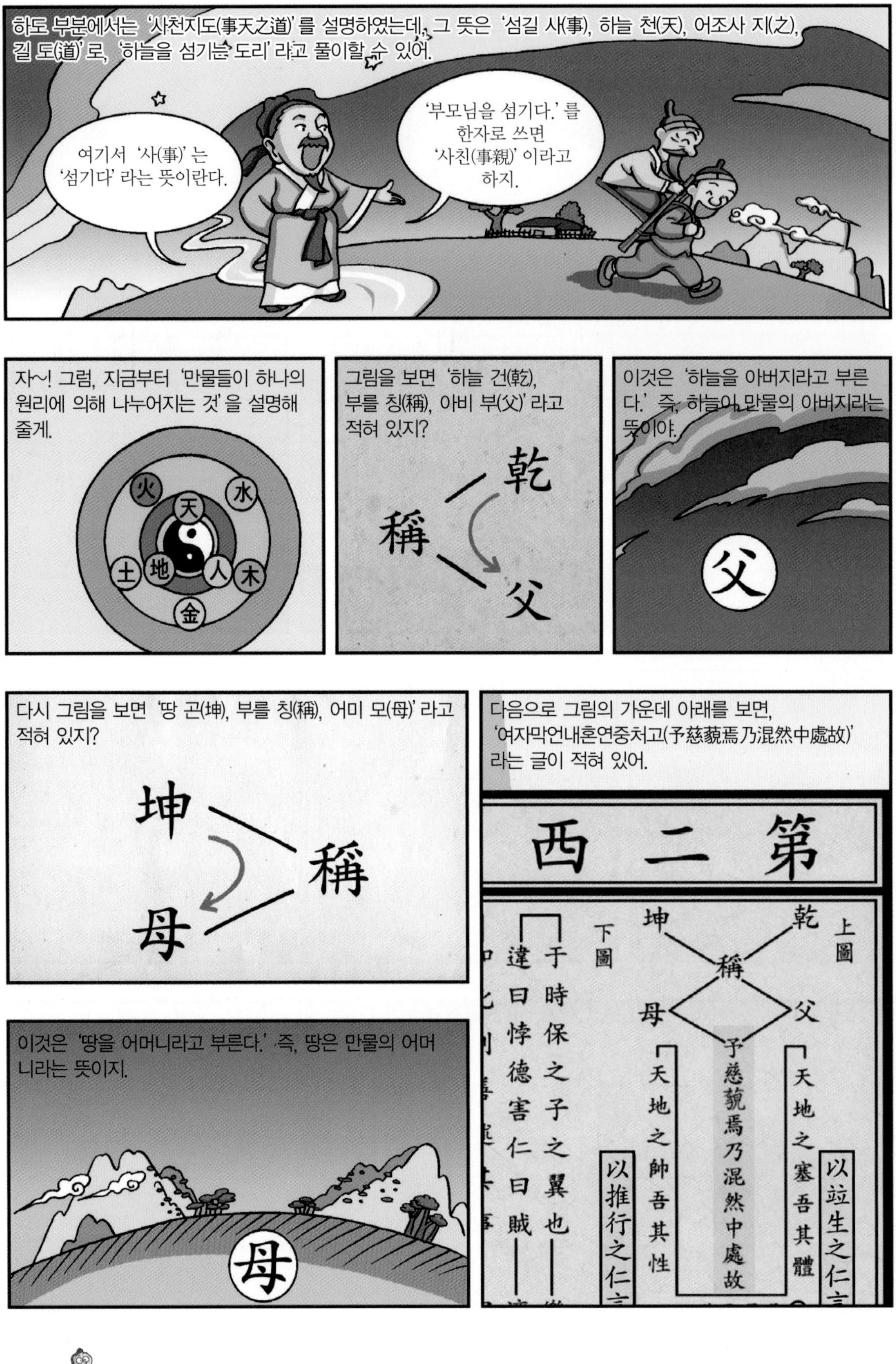
하도 부분에서는 '사천지도(事天之道)'를 설명하였는데, 그 뜻은 '섬길 사(事), 하늘 천(天), 어조사 지(之), 길 도(道)'로, '하늘을 섬기는 도리'라고 풀이할 수 있어.
여기서 '사(事)'는 '섬기다'라는 뜻이란다.
'부모님을 섬기다.'를 한자로 쓰면 '사친(事親)'이라고 하지.
자~! 그럼, 지금부터 '만물들이 하나의 원리에 의해 나누어지는 것'을 설명해 줄게.
火 水 天 土 地 人 木 金
그림을 보면 '하늘 건(乾), 부를 칭(稱), 아비 부(父)'라고 적혀 있지?
乾 稱 父
이것은 '하늘을 아버지라고 부른다.' 즉, 하늘이 만물의 아버지라는 뜻이야.
父
다시 그림을 보면 '땅 곤(坤), 부를 칭(稱), 어미 모(母)'라고 적혀 있지?
坤 稱 母
이것은 '땅을 어머니라고 부른다.' 즉, 땅은 만물의 어머니라는 뜻이지.
母
다음으로 그림의 가운데 아래를 보면, '여자막언내혼연중처고(予慈藐焉乃混然中處故)'라는 글이 적혀 있어.
第二西
上圖
乾 坤 稱 父 母
予慈藐焉乃混然中處故
天地之塞吾其體
以竝生之仁
天地之帥吾其性
以推行之仁
下圖
于時保之子之翼也
違曰悖德害仁曰賊

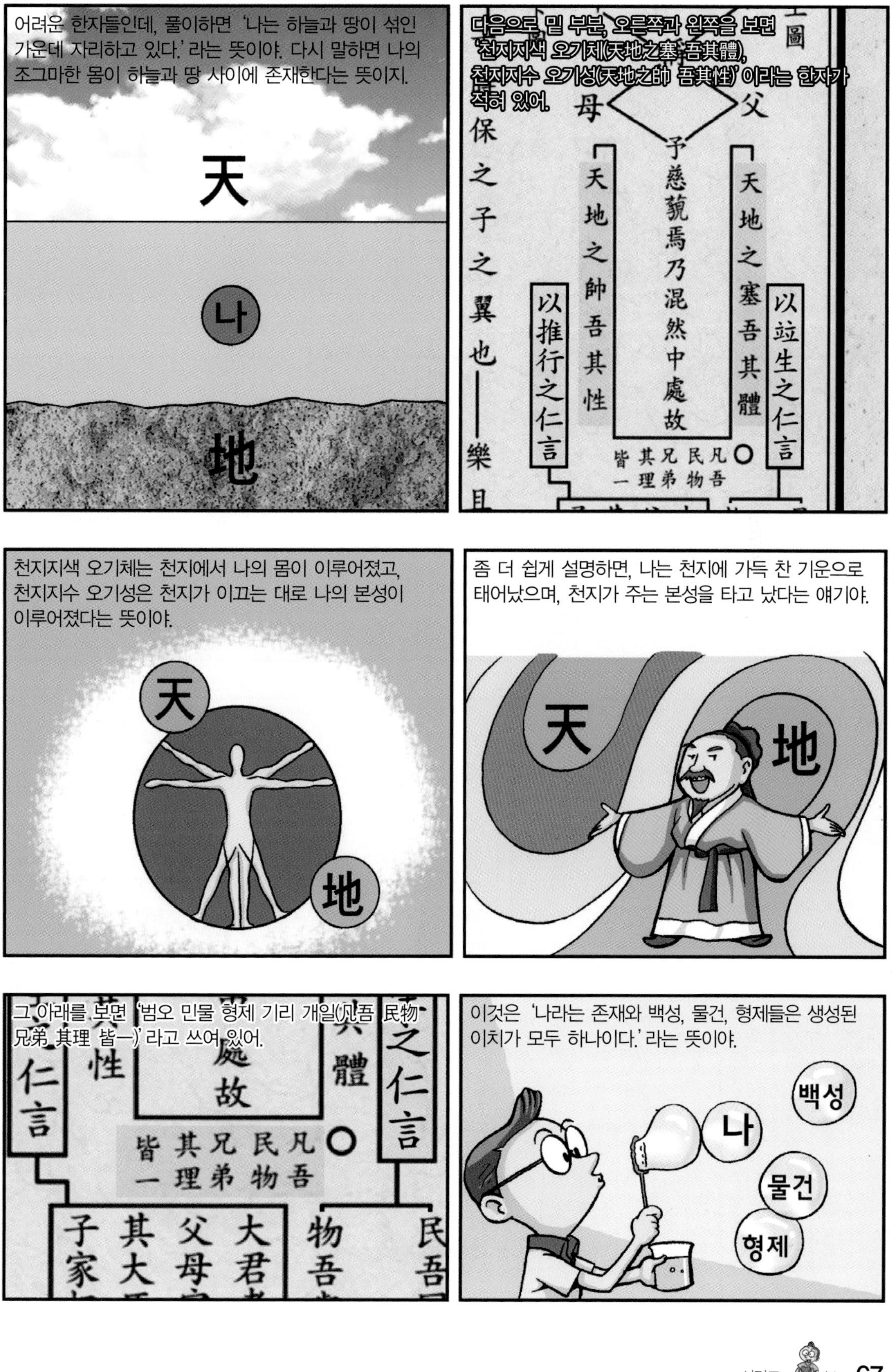
어려운 한자들인데, 풀이하면 '나는 하늘과 땅이 섞인 가운데 자리하고 있다.' 라는 뜻이야. 다시 말하면 나의 조그마한 몸이 하늘과 땅 사이에 존재한다는 뜻이지.
天
나
地
다음으로 밑 부분, 오른쪽과 왼쪽을 보면 '천지지색 오기체(天地之塞 吾其體), 천지지수 오기성(天地之帥 吾其性)' 이라는 한자가 적혀 있어.
천지지색 오기체는 천지에서 나의 몸이 이루어졌고, 천지지수 오기성은 천지가 이끄는 대로 나의 본성이 이루어졌다는 뜻이야.
天
地
좀 더 쉽게 설명하면, 나는 천지에 가득 찬 기운으로 태어났으며, 천지가 주는 본성을 타고 났다는 얘기야.
天
地
그 아래를 보면 '범오 민물 형제 기리 개일(凡吾 民物 兄弟 其理 皆一)' 라고 쓰여 있어.
이것은 '나라는 존재와 백성, 물건, 형제들은 생성된 이치가 모두 하나이다.' 라는 뜻이야.
백성
나
물건
형제

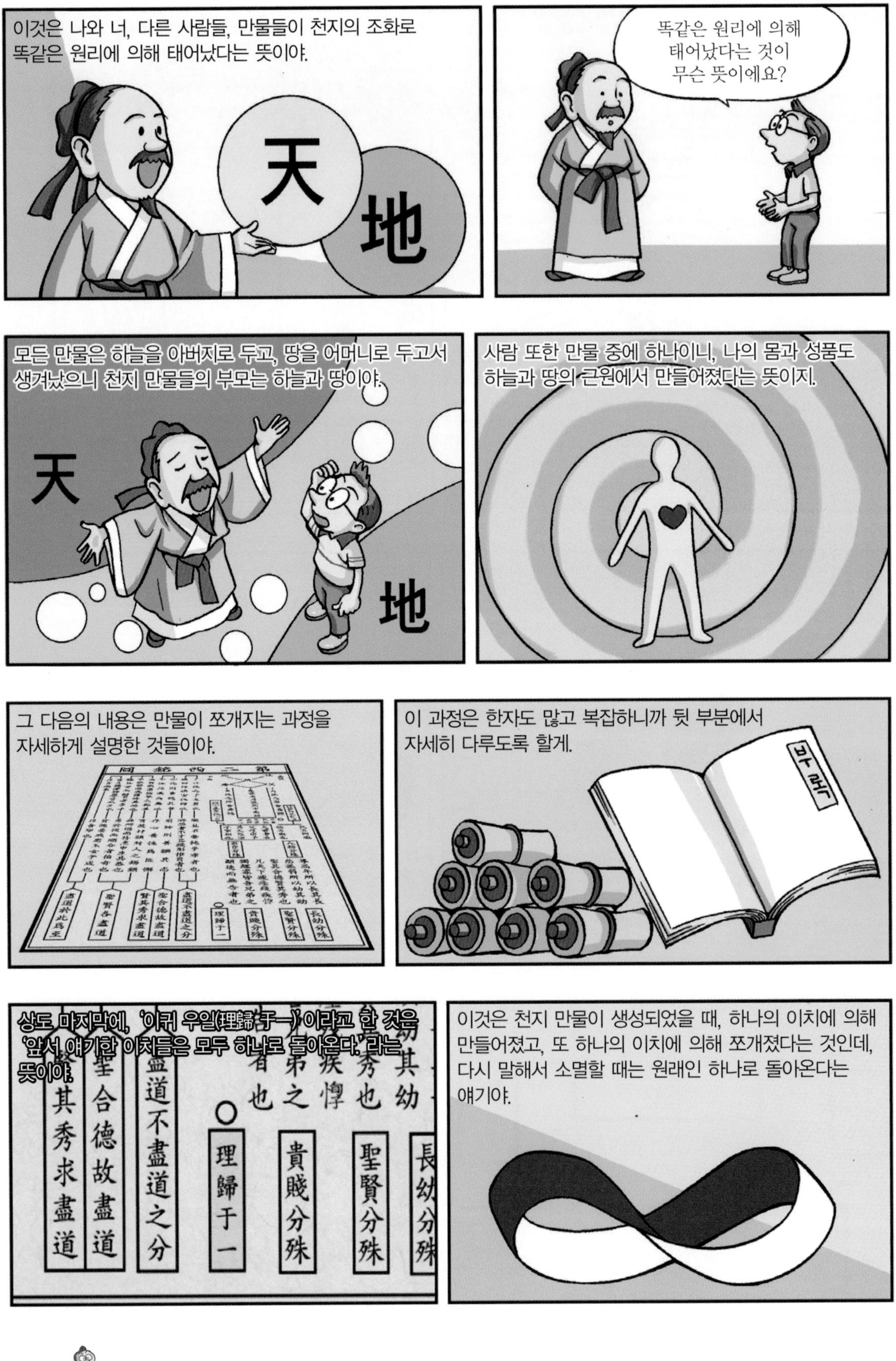
이것은 나와 너, 다른 사람들, 만물들이 천지의 조화로 똑같은 원리에 의해 태어났다는 뜻이야.
天
地
똑같은 원리에 의해 태어났다는 것이 무슨 뜻이에요?
모든 만물은 하늘을 아버지로 두고, 땅을 어머니로 두고서 생겨났으니 천지 만물들의 부모는 하늘과 땅이야.
天
地
사람 또한 만물 중에 하나이니, 나의 몸과 성품도 하늘과 땅의 근원에서 만들어졌다는 뜻이지.
그 다음의 내용은 만물이 쪼개지는 과정을 자세하게 설명한 것들이야.
이 과정은 한자도 많고 복잡하니까 뒷 부분에서 자세히 다루도록 할게.
부록
상도 마지막에, '이귀 우일(理歸 于一)'이라고 한 것은 '앞서 얘기한 이치들은 모두 하나로 돌아온다.'라는 뜻이야.
其秀求盡道
聖合德故盡道
盡道不盡道之分
理歸于一
貴賤分殊
聖賢分殊
이것은 천지 만물이 생성되었을 때, 하나의 이치에 의해 만들어졌고, 또 하나의 이치에 의해 쪼개졌다는 것인데, 다시 말해서 소멸할 때는 원래인 하나로 돌아온다는 얘기야.

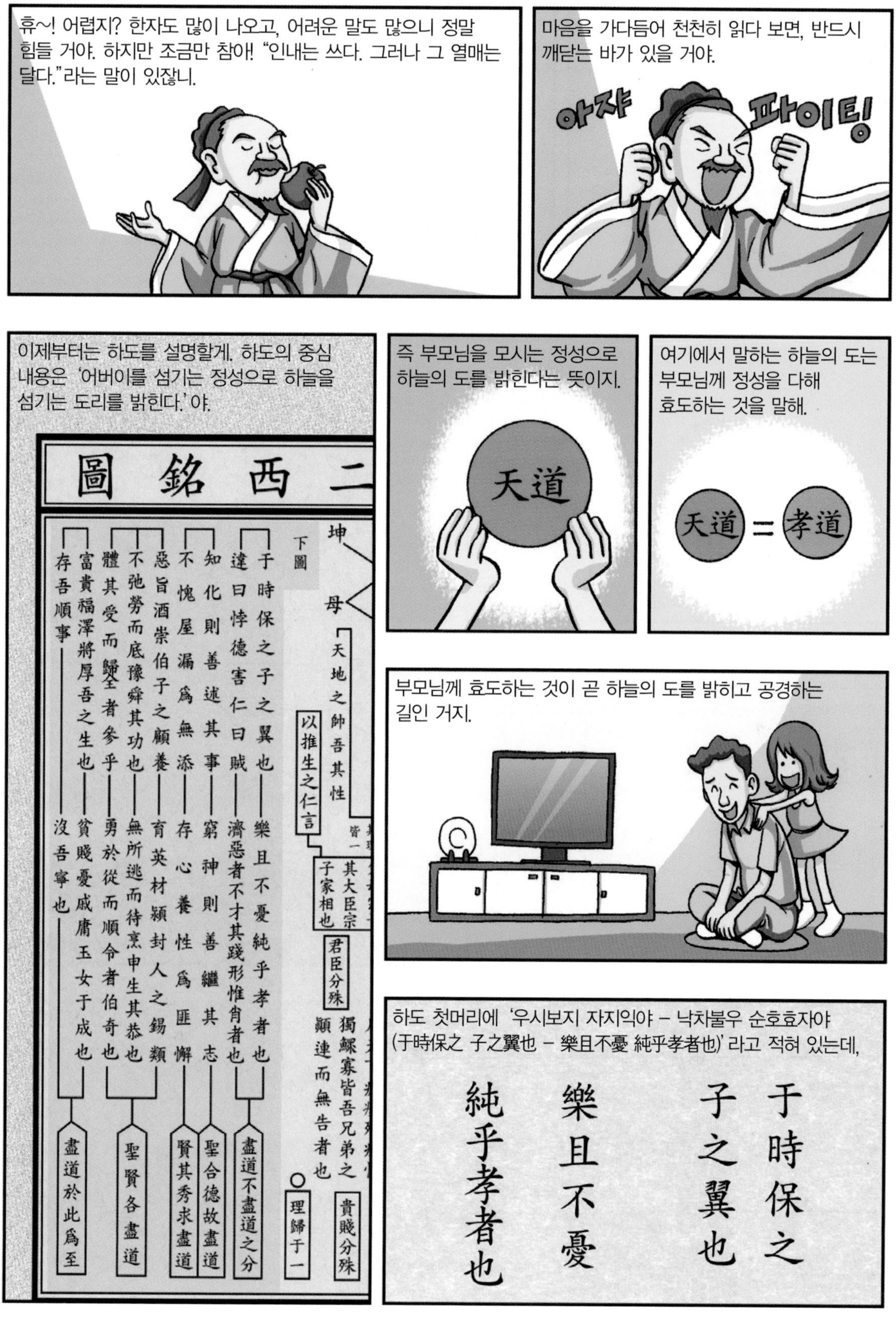
휴~! 어렵지? 한자도 많이 나오고, 어려운 말도 많으니 정말 힘들 거야. 하지만 조금만 참아! "인내는 쓰다. 그러나 그 열매는 달다."라는 말이 있잖니.
마음을 가다듬어 천천히 읽다 보면, 반드시 깨닫는 바가 있을 거야.
아자 파이팅!
이제부터는 하도를 설명할게. 하도의 중심 내용은 '어버이를 섬기는 정성으로 하늘을 섬기는 도리를 밝힌다.'야.
下圖
坤
母
天地之帥吾其性
以推生之仁言
其大臣宗子家相也
君臣分殊
獨鰥寡皆吾兄弟之顚連而無告者也
貴賤分殊
理歸于一
于時保之子之翼也 — 樂且不憂純乎孝者也
違曰悖德害仁曰賊 — 濟惡者不才其踐形惟肖者也
盡道不盡道之分
知化則善述其事 — 窮神則善繼其志
聖合德故盡道
不愧屋漏爲無忝 — 存心養性爲匪懈
賢其秀求盡道
惡旨酒崇伯子之顧養 — 育英材潁封人之錫類
不弛勞而底豫舜其功也 — 無所逃而待烹申生其恭也
體其受而歸全者參乎 — 勇於從而順令者伯奇也
聖賢各盡道
富貴福澤將厚吾之生也 — 貧賤憂戚庸玉女于成也
存吾順事 — 沒吾寧也
盡道於此爲至
즉 부모님을 모시는 정성으로 하늘의 도를 밝힌다는 뜻이지.
天道
여기에서 말하는 하늘의 도는 부모님께 정성을 다해 효도하는 것을 말해.
天道 = 孝道
부모님께 효도하는 것이 곧 하늘의 도를 밝히고 공경하는 길인 거지.
하도 첫머리에 '우시보지 자지익야 – 낙차불우 순호효자야(于時保之 子之翼也 – 樂且不憂 純乎孝者也)'라고 적혀 있는데,
于時保之
子之翼也
樂且不憂
純乎孝者也

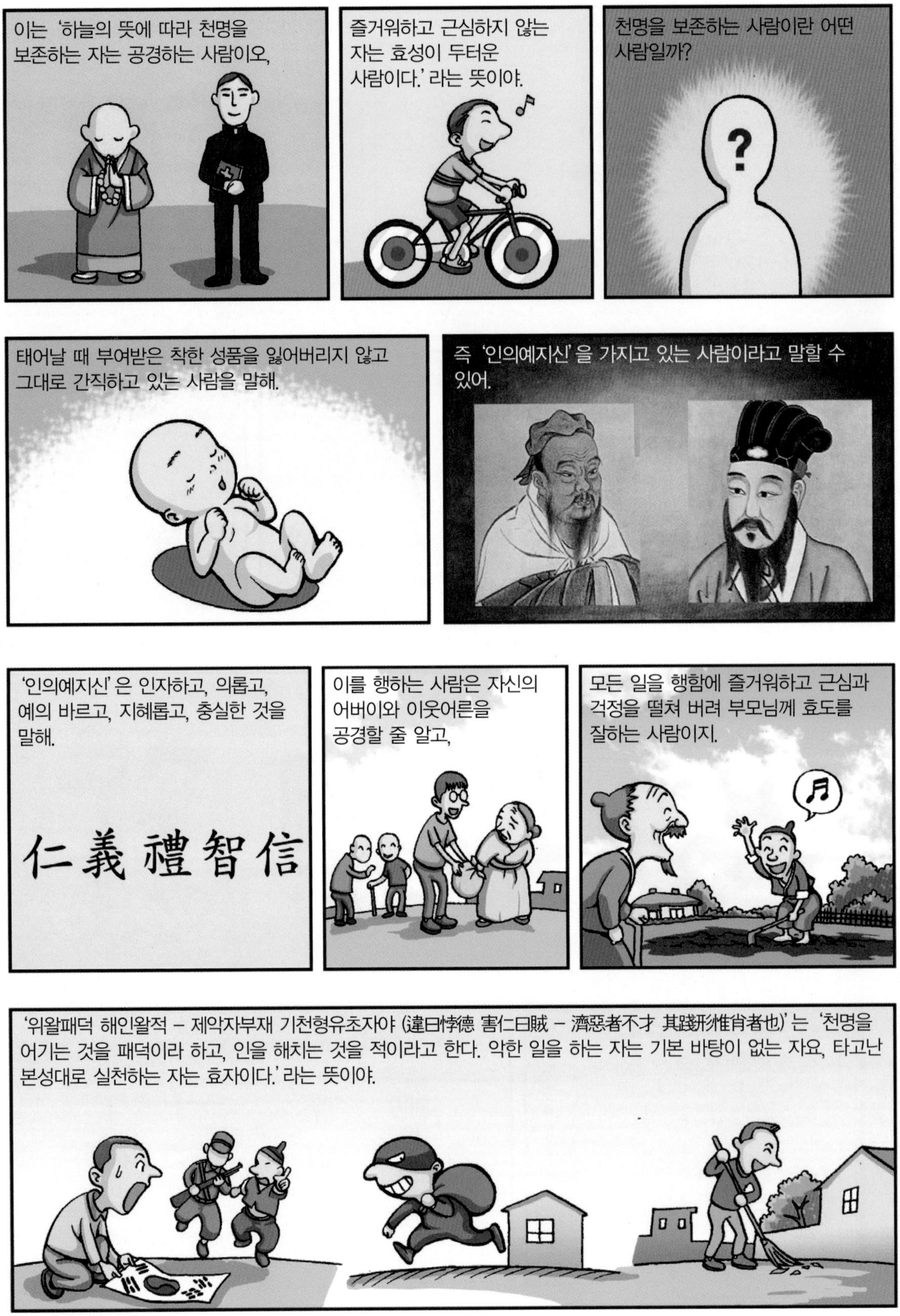
이는 '하늘의 뜻에 따라 천명을 보존하는 자는 공경하는 사람이오,
즐거워하고 근심하지 않는 자는 효성이 두터운 사람이다.' 라는 뜻이야.
천명을 보존하는 사람이란 어떤 사람일까?
?
태어날 때 부여받은 착한 성품을 잃어버리지 않고 그대로 간직하고 있는 사람을 말해.
즉 '인의예지신' 을 가지고 있는 사람이라고 말할 수 있어.
'인의예지신' 은 인자하고, 의롭고, 예의 바르고, 지혜롭고, 충실한 것을 말해.
仁 義 禮 智 信
이를 행하는 사람은 자신의 어버이와 이웃어른을 공경할 줄 알고,
모든 일을 행함에 즐거워하고 근심과 걱정을 떨쳐 버려 부모님께 효도를 잘하는 사람이지.
'위왈패덕 해인왈적 – 제악자부재 기천형유초자야 (違曰悖德 害仁曰賊 – 濟惡者不才 其踐形惟肖者也)' 는 '천명을 어기는 것을 패덕이라 하고, 인을 해치는 것을 적이라고 한다. 악한 일을 하는 자는 기본 바탕이 없는 자요, 타고난 본성대로 실천하는 자는 효자이다.' 라는 뜻이야.

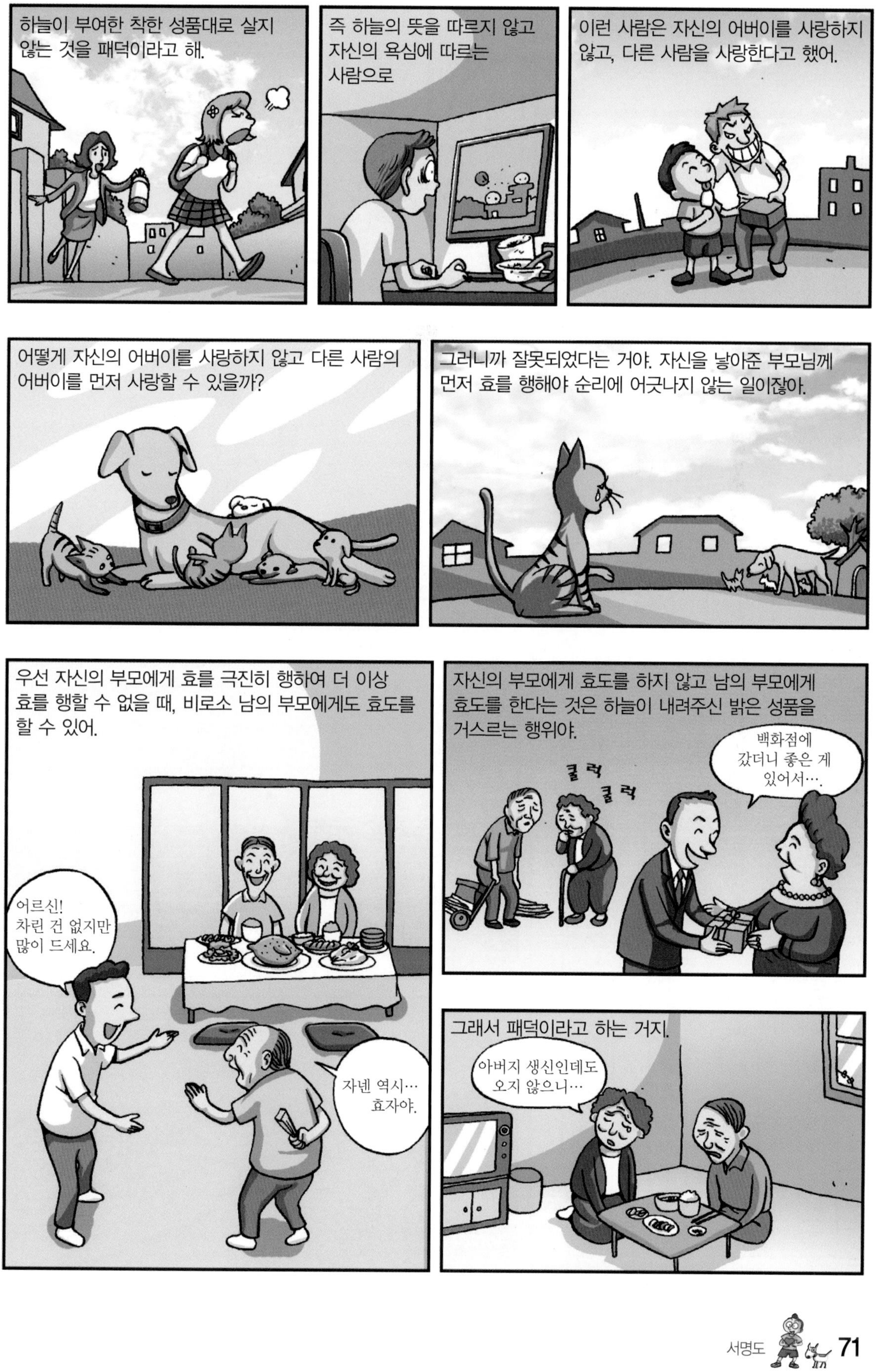
하늘이 부여한 착한 성품대로 살지 않는 것을 패덕이라고 해.
즉 하늘의 뜻을 따르지 않고 자신의 욕심에 따르는 사람으로
이런 사람은 자신의 어버이를 사랑하지 않고, 다른 사람을 사랑한다고 했어.
어떻게 자신의 어버이를 사랑하지 않고 다른 사람의 어버이를 먼저 사랑할 수 있을까?
그러니까 잘못되었다는 거야. 자신을 낳아준 부모님께 먼저 효를 행해야 순리에 어긋나지 않는 일이잖아.
우선 자신의 부모에게 효를 극진히 행하여 더 이상 효를 행할 수 없을 때, 비로소 남의 부모에게도 효도를 할 수 있어.
어르신! 차린 건 없지만 많이 드세요.
자넨 역시… 효자야.
자신의 부모에게 효도를 하지 않고 남의 부모에게 효도를 한다는 것은 하늘이 내려주신 밝은 성품을 거스르는 행위야.
쿨럭 쿨럭
백화점에 갔더니 좋은 게 있어서….
그래서 패덕이라고 하는 거지.
아버지 생신인데도 오지 않으니…

두 번째 글은 '지화즉선술기사 – 궁신즉선계기지 (知化則善述其事 – 窮神則善繼其志)' 인데,

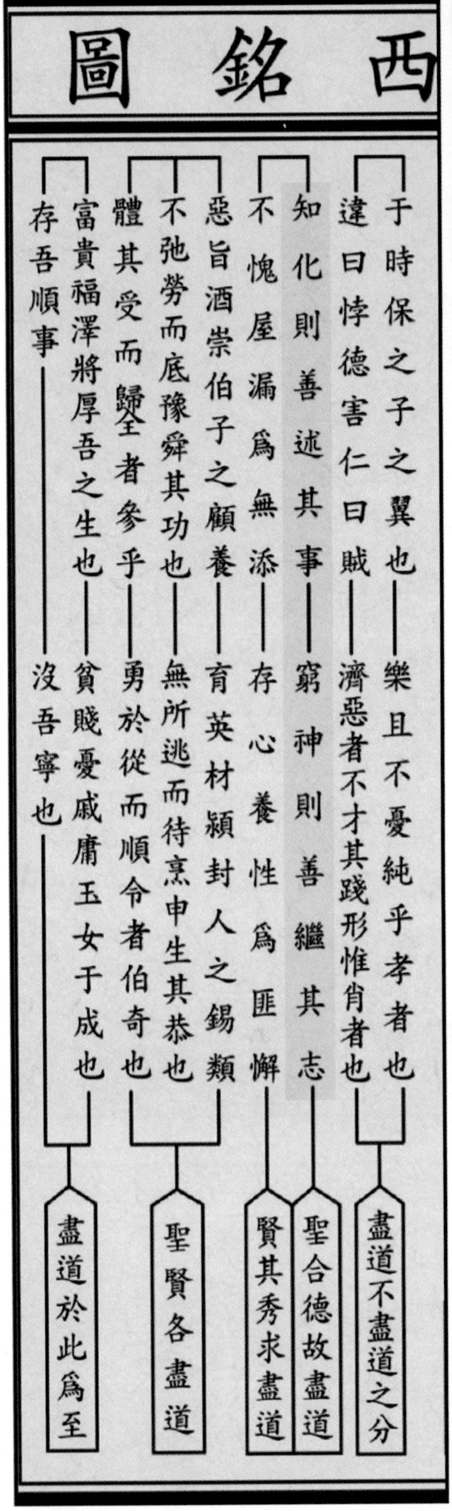
西銘圖
于時保之子之翼也 — 樂且不憂純乎孝者也
違曰悖德害仁曰賊 — 濟惡者不才其踐形惟肖者也
知化則善述其事 — 窮神則善繼其志
不愧屋漏爲無忝 — 存心養性爲匪懈
惡旨酒崇伯子之顧養 — 育英材潁封人之錫類
不弛勞而底豫舜其功也 — 無所逃而待烹申生其恭也
體其受而歸全者參乎 — 勇於從而順令者伯奇也
富貴福澤將厚吾之生也 — 貧賤憂戚庸玉女于成也
存吾順事 — 沒吾寧也
盡道不盡道之分
聖合德故盡道
賢其秀求盡道
聖賢各盡道
盡道於此爲至

이는 '천지의 변화를 알면 천지의 일을 잘 이어가고, 신령스럽고 밝은 이치를 다하면 천지의 뜻을 잘 계승할 수 있다.' 라는 뜻이야.
계승

이 말은 성인은 덕이 천지와 일치하기 때문에, 자신이 하고자 하는 대로 행해도 하늘의 도에 맞다는 거야.
하늘의도

한편 현인*은 성인의 덕을 살펴, 자신이 모자라는 덕을 열심히 배워 따라 실천함으로써 가능할 수 있어.
덕

* 현인(賢人) – 어질고 총명하여 성인에 다음 가는 사람

그런데 부여받은 착한 성품을 잃어버리고 구하려고도 하지 않는 사람들은 어떻게 될까? 당연히 천지의 변화에 적응할 수 없겠지.
성품

'불괴옥루위무첨 – 존심양성위비해 (不愧屋漏爲無忝 – 存心養性爲匪懈)'는 '방 안에서도 부끄럽지 않은 행동을 하는 것은 부모를 욕되지 않게 함이고, 마음을 보존하고 본성을 회복하려는 것은 게으르지 않음이다.' 라는 뜻이야.
현인은 다른 사람들보다 생각함이 빼어나서 힘써 도를 수행하려 노력한다고 했어.
홀로 방 안에 앉아 있을 때조차 부끄럽지 않은 행동을 한다면 부모를 욕되게 하지 않고 효도를 할 수 있다는 뜻이야.
유혹
홀로 방 안에 있으면서 왜 부모님을 욕되게 할까? 그것은 방 안에 홀로 있게 되면 자신도 모르는 사이에 좋지 못한 행동을 하게 되기 때문이야. 방바닥에 드러눕거나, 낮잠을 잔다거나, 괴이한 생각을 한다거나, 나쁜 짓을 할 수 있잖아.
그래서 증자께서 지었다는 《대학》에는 자신의 뜻을 성실하게 하기 위해 "홀로 있을 때를 삼가라."라는 말이 있는데, 모두 이런 이유에서야.
君子必愼其獨也
저도 혼자 있기 싫은데 부모님께서 맞벌이를…

세 번째는 '오지주 숭백자지고양 – 육영재 영봉인지석류(惡旨酒 崇伯子之顧養 – 育英材 潁封人之錫類)' 라는 글이야.

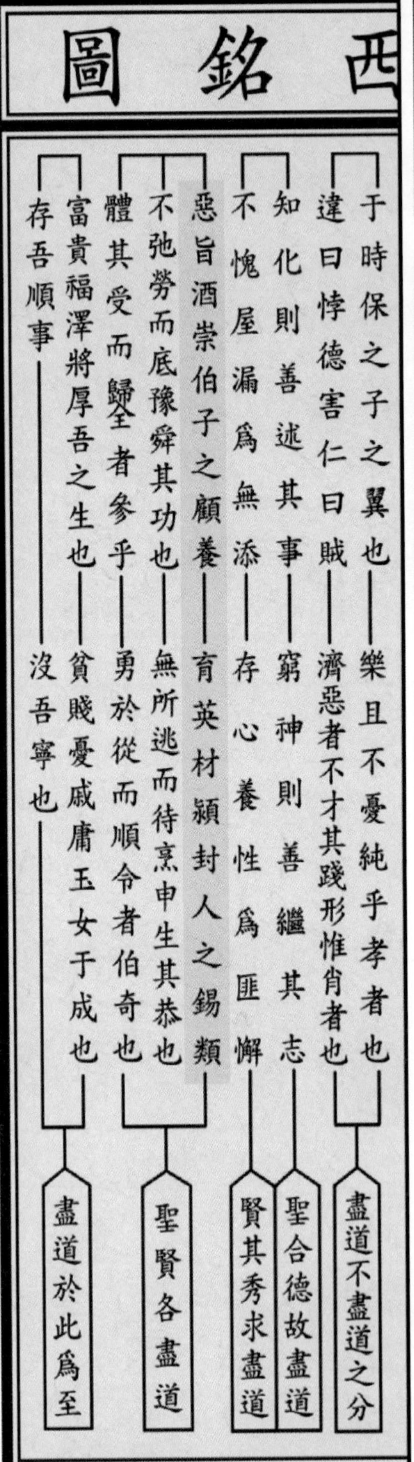
西銘圖
于時保之子之翼也
樂且不憂純乎孝者也
違曰悖德害仁曰賊
濟惡者不才其踐形惟肖者也
知化則善述其事
窮神則善繼其志
不愧屋漏爲無忝
存心養性爲匪懈
惡旨酒崇伯子之顧養
育英材潁封人之錫類
不弛勞而底豫舜其功也
無所逃而待烹申生其恭也
體其受而歸全者參乎
勇於從而順令者伯奇也
富貴福澤將厚吾之生也
貧賤憂戚庸玉女于成也
存吾順事
沒吾寧也
盡道不盡道之分
聖合德故盡道
賢其秀求盡道
聖賢各盡道
盡道於此爲至

이는 '맛있는 술을 싫어하는 것은 우임금이 어버이를 봉양한 행동이요,

영재를 육성하는 것은 영고숙이 다른 사람들을 효자로 만드는 것과 같다.' 라는 뜻이야.

우임금은 어버이를 봉양하기 위해서 잡기나 술을 멀리 했다고 해.
접근금지
우임금

일찍이 맹자는 '바둑과 술 마시기를 좋아하는 사람은 부모 봉양을 돌아보지 않는 사람이다.' 라고도 했지.

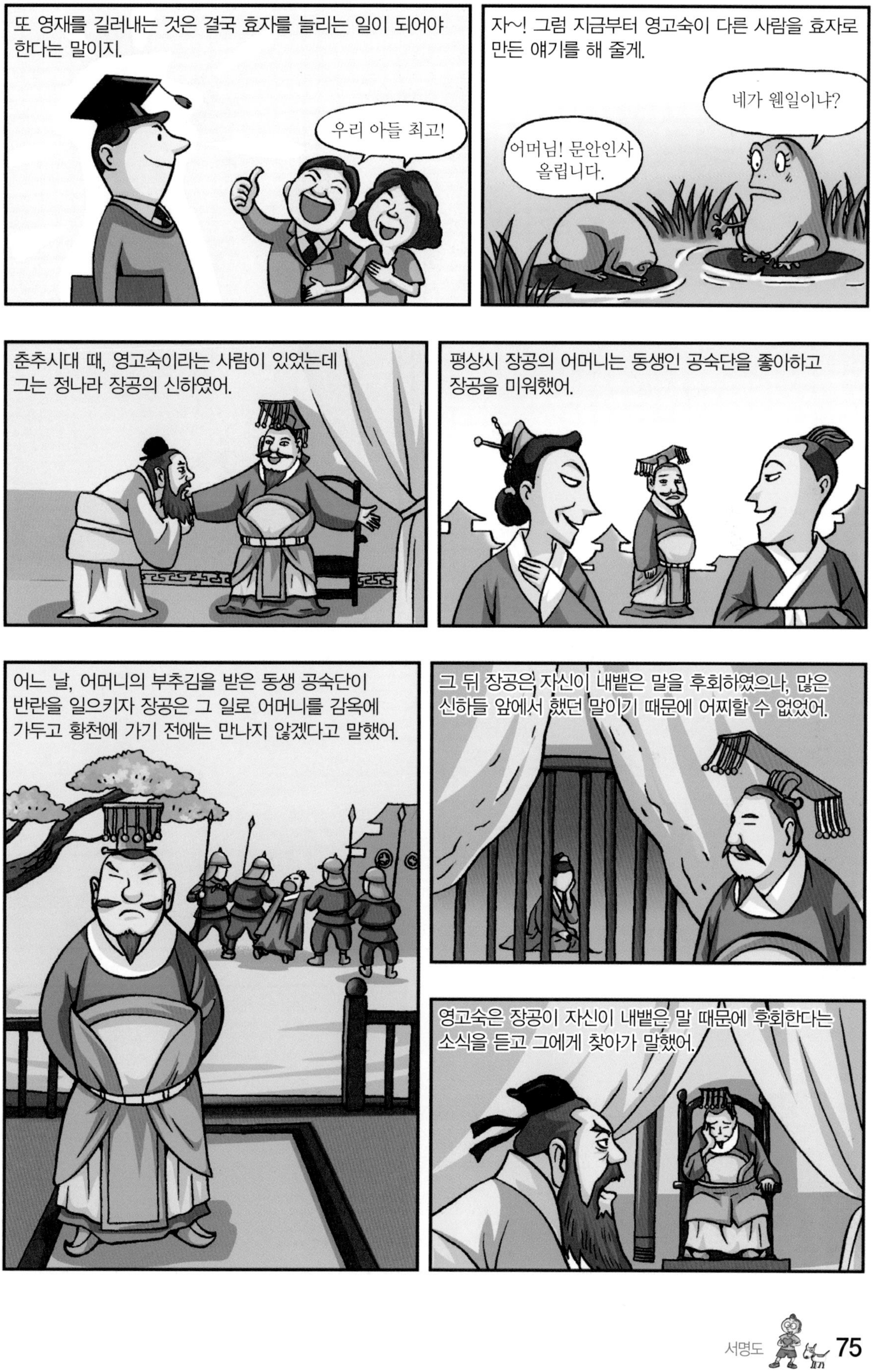

또 영재를 길러내는 것은 결국 효자를 늘리는 일이 되어야 한다는 말이지.
우리 아들 최고!
자~! 그럼 지금부터 영고숙이 다른 사람을 효자로 만든 얘기를 해 줄게.
네가 웬일이냐?
어머님! 문안인사 올립니다.
춘추시대 때, 영고숙이라는 사람이 있었는데 그는 정나라 장공의 신하였어.
평상시 장공의 어머니는 동생인 공숙단을 좋아하고 장공을 미워했어.
어느 날, 어머니의 부추김을 받은 동생 공숙단이 반란을 일으키자 장공은 그 일로 어머니를 감옥에 가두고 황천에 가기 전에는 만나지 않겠다고 말했어.
그 뒤 장공은 자신이 내뱉은 말을 후회하였으나, 많은 신하들 앞에서 했던 말이기 때문에 어찌할 수 없었어.
영고숙은 장공이 자신이 내뱉은 말 때문에 후회한다는 소식을 듣고 그에게 찾아가 말했어.

황천에서 어머니를 만나보겠다는 것은 돌아가신 뒤에 만나겠다는 뜻이 아닙니까?
그렇게 해서야 되겠습니까!
예부터 황천이란 샘물이 나오는 땅밑을 얘기합니다.
지금 땅을 샘물이 나올 때까지 깊이 파고 그 밑에 통로를 내어 아름다운 방을 만들어 감옥에 계신 어머님을 그곳으로 내려가게 하시면 그것이 바로 황천에 계신 것이 아닙니까?
그런 뒤 장공께서 친히 어머님이 계신 그곳으로 내려가 찾아뵙는다면,
신하들이 누가 장공께서 한 입으로 두 말을 한다고 하겠습니까?
장공은 영고숙이 시키는 대로 샘이 나올 때까지 땅을 파서 그 밑에 지하세계를 만들어 어머니를 먼저 그곳으로 내려 보낸 뒤,
자신도 뒤따라 내려가 어머니를 만나 뵙고 자신의 잘못을 사죄하였어.
그 뒤로 어머니에 대한 정이 더욱 두터워져 효를 다해 모셨다는 얘기야.
다음은 '불이로이저예순기공야-무소도이대팽신생기공야(不弛勞而底豫舜其功也-無所逃而待烹申生其恭也)' 라는 글이야.
不弛勞而底
豫舜其功也
—
無所逃而待烹
申生其恭也

이 글은 '힘들어도 효성을 게을리하지 않아 부모님을 기쁘게 한 것은 순의 공적이요, 도망가지 않고 죽음을 기다린 것은 신생의 공손함이다.' 라는 뜻이야.
지금부터 순임금 이야기를 해 줄게.
순은 평범한 농민의 아들로 태어났는데, 그의 아버지 고수는 어리석고 멍청하여 후처와 그녀의 자녀만 좋아하고 순을 좋아하지 않았어.
계모는 속이 좁고 악랄하였으며, 남동생 상도 성격이 거칠고 난폭하였어.
모두가 순을 학대하였으나 순은 원망하지 않았어.
하루는 요임금이 나이가 너무 많아 각 부락의 장들을 불러놓고 새로운 임금을 추천하도록 했어.
여러 부락의 장들은 모두 순을 추천하였어.
순
순
순
순

요임금은 일단 순의 인간됨을 살펴보기로 하고, 자신의 딸 아황과 여영을 순에게 시집보냈어.
저랑 놀아요.
좋긴 한데….
저랑 놀아요.
순의 계모와 남동생은 그가 단번에 부귀영화를 누리게 된 것을 보고 질투가 나서 고수를 설득하여 순을 죽이려고 하였지.
한번은 고수가 순을 불러 창고의 지붕을 수리하게 했어.
순이 지붕에 올라가자 상은 사다리를 치워버리고 불을 질러서 그를 죽이려고 했지.
순은 지붕을 덮어놓은 나뭇잎을 우산처럼 만들어 그것을 펼치고 땅으로 뛰어내려 위기를 벗어났어.
또 하루는 고수가 순을 불러 우물을 청소하게 했어.
순이 밧줄을 몸에 묶고 우물 아래로 내려갔어.
순은 우물을 파다가 만일의 사태를 대비해 옆쪽으로 구멍을 뚫어 놓았어.
똑
그 사실을 모르는 고수와 상은 곧바로 밧줄을 끊어 버리고, 돌과 흙덩이를 퍼부어 우물을 메워버렸어.

그러나 순은 옆쪽으로 파 놓은 구멍으로 숨어들어 위기를 모면했으며, 땅위로 구멍을 뚫어 살아나왔어.

아버지 고수와 남동생이 몹쓸 짓을 하였지만 순은 결코 원한을 가슴에 담아두지 않고 여전히 옛날과 마찬가지로 부모에게 효도를 다하고 동생들을 사랑으로 돌봐주었다고 해.

또 '체기수이귀전자 삼호 – 용어종이순령자 백기야(體其受而歸全者 參乎 – 勇於從而順令者 伯奇也)'는 '부모님이 주신 몸을 온전하게 지킨 사람은 증삼이며, 용감하게 부모님 뜻을 따라 순종한 사람은 백기이다.'라는 뜻이야.
부모에게 물려받은 몸은 소중히 다뤄야 하느니라.
아무리 아버지가 시키더라도 그렇지.

이것은 '성인과 현인이 각각 도를 다한다.'는 설명이지.

공자는 증자에게 '신체발부수지부모 불감훼상 효지시야(身體髮膚受之父母 不敢毁傷 孝之始也)'라고 가르쳤어.

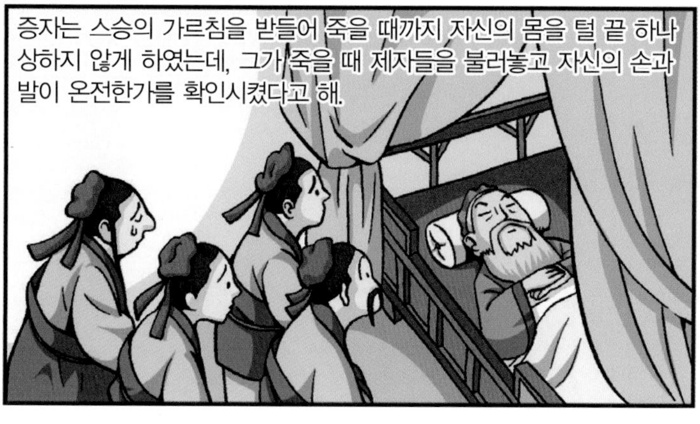
증자는 스승의 가르침을 받들어 죽을 때까지 자신의 몸을 털 끝 하나 상하지 않게 하였는데, 그가 죽을 때 제자들을 불러놓고 자신의 손과 발이 온전한가를 확인시켰다고 해.

하늘에게서 물려받은 육신을 훼손하지 않고 죽는 것이 하늘을 위해 효도하는 것이라는 뜻이야.

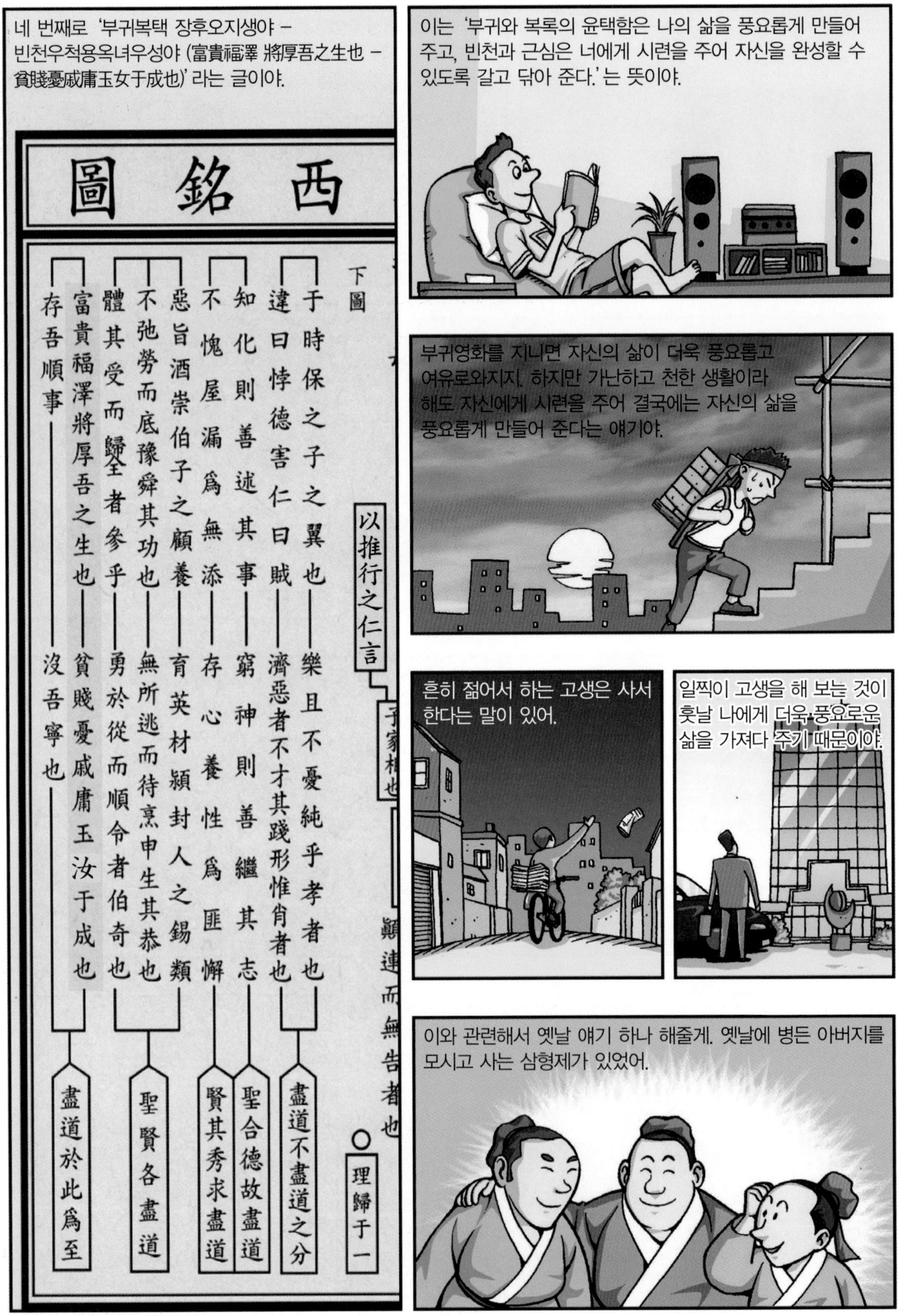
네 번째로 '부귀복택 장후오지생야 – 빈천우척용옥녀우성야 (富貴福澤 將厚吾之生也 – 貧賤憂戚庸玉女于成也)' 라는 글이야.
西銘圖
下圖
以推行之仁言
于時保之子之翼也—樂且不憂純乎孝者也
違曰悖德害仁曰賊—濟惡者不才其踐形惟肖者也
盡道不盡道之分
知化則善述其事—窮神則善繼其志
聖合德故盡道
不愧屋漏爲無添—存心養性爲匪懈
賢其秀求盡道
惡旨酒崇伯子之顧養—育英材潁封人之錫類
不弛勞而底豫舜其功也—無所逃而待烹申生其恭也
體其受而歸全者參乎—勇於從而順令者伯奇也
聖賢各盡道
富貴福澤將厚吾之生也—貧賤憂戚庸玉汝于成也
存吾順事—沒吾寧也
盡道於此爲至
理歸于一
이는 '부귀와 복록의 윤택함은 나의 삶을 풍요롭게 만들어 주고, 빈천과 근심은 너에게 시련을 주어 자신을 완성할 수 있도록 갈고 닦아 준다.' 는 뜻이야.
부귀영화를 지니면 자신의 삶이 더욱 풍요롭고 여유로와지지. 하지만 가난하고 천한 생활이라 해도 자신에게 시련을 주어 결국에는 자신의 삶을 풍요롭게 만들어 준다는 얘기야.
흔히 젊어서 하는 고생은 사서 한다는 말이 있어.
일찍이 고생을 해 보는 것이 훗날 나에게 더욱 풍요로운 삶을 가져다 주기 때문이야.
이와 관련해서 옛날 얘기 하나 해줄게. 옛날에 병든 아버지를 모시고 사는 삼형제가 있었어.

아버지는 재산을 사이좋게 나누어 가지라고 말한 후 임종했어.
하지만 맏형과 둘째는 막내 동생의 재산을 가로채고 노자 돈 조금만 준 뒤 집 밖으로 내쫓아버렸어.
맏형과 둘째는 갑자기 재산이 많아지자 맛있는 음식과 주색잡기로 흥청망청 낭비하기 시작했어.
그러나 막내는 오도가도 할 수 없는 신세가 되어 전전긍긍하다가 남의 집 머슴살이부터 시작하여 재산을 조금씩 모아나갔어.
십 년 후, 막내는 열심히 돈을 모아 땅도 사고 집도 장만해서 남부럽지 않은 생활을 할 수 있게 되었지만
맏형과 둘째형은 부모님이 물려주신 재산을 모두 탕진하고 알거지가 되어 버렸지.
꼬르륵
부모님께서 물려주신 값진 재산을 소중히 생각하지 않은 첫째와 둘째는 결국 막내 동생에게 가서 잘못된 행동에 대해 빌었어.
막내는 부모님께서 물려준 것은 재물이 아니라 부지런히 일하는 몸임을 형들에게 얘기하니, 형들도 반성하여 삼형제가 한 집에서 부지런히 일하며 행복하게 살았다는 얘기야.
마지막의 '존오순사-몰오녕야(存吾順事-沒吾寧也)'는
나는 살아 있는 동안 이치, 즉 하늘의 법도를 어기지 않고,
죽어서는 편안하게 돌아갈 것이다.

즉 '한 점 부끄럼 없이 떳떳하게 살다가 후회 없는 마음으로 세상을 마치겠다.'는 뜻이야.
그러고는 '진도어차위지(盡道於此爲至)', 즉 '도를 다하는 것이 바로 이곳에 도달하게 함이다.'라는 구절로 하도(下圖)를 마무리지었어.
道

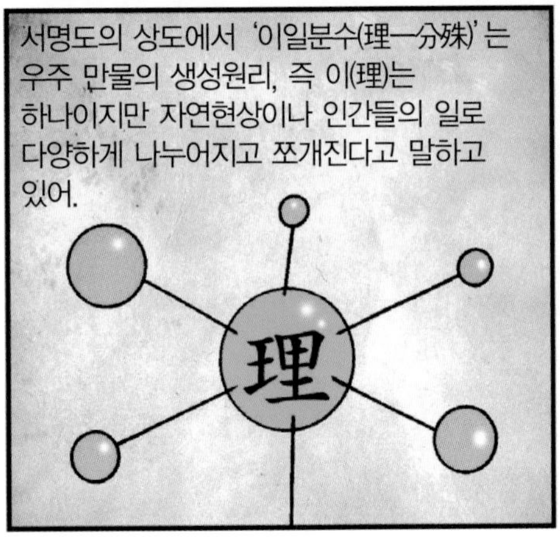
서명도의 상도에서 '이일분수(理一分殊)'는 우주 만물의 생성원리, 즉 이(理)는 하나이지만 자연현상이나 인간들의 일로 다양하게 나누어지고 쪼개진다고 말하고 있어.
理

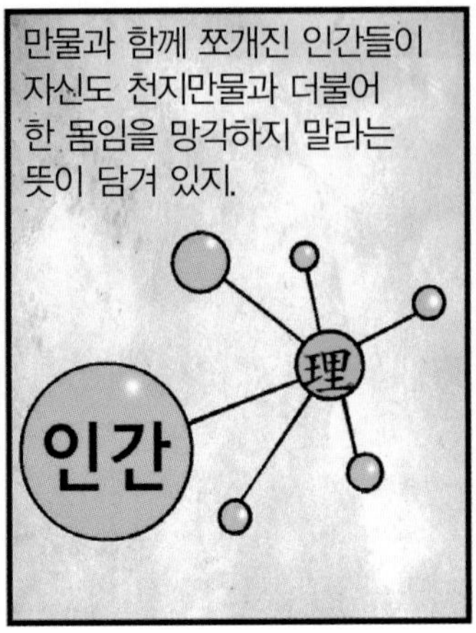
만물과 함께 쪼개진 인간들이 자신도 천지만물과 더불어 한 몸임을 망각하지 말라는 뜻이 담겨 있지.
理
인간

그리고 하도에서는 천지를 어버이처럼 숭상하고 섬김으로 비로소 인을 실천할 수 있다고 하였어.
천지

세상 만물들이 천지를 섬기며 모두 자기 본성을 지키며 살아가는데, 오직 천지의 영특함을 부여받은 인간만이 날이 갈수록 자신의 본성을 잃어가고 있어. 서명도에서는 인간이 하루 빨리 그 본성을 회복하여 완전한 인간, 즉 성인의 경지로 돌아가야 한다는 메시지를 우리에게 전하고 있단다.

만물이 나누어지는 과정

본문에서 “나라는 존재는 천지의 조화로 다른 만물들과 똑같은 원리로 태어났다.”고 했다. 모든 만물은 하늘을 아버지로 두고, 땅을 어머니로 두고서 생겨났으니, 천지 만물들의 부모는 하늘과 땅이라고 설명하였다.

다음은 천하 만물들이 나누어지는 과정이다.

만물이 나누어지는 것은 크게 두 가지이다. 첫째는 태어나는 것으로 나누어진다. 둘째는 태어난 후 행동하는 것으로 나누어진다. 다시 말하면, 사람과 사물은 서로 태어나는 곳이 다르고, 사람은 행동함에 따라 서로 달라진다는 뜻이다.

이병생지인언(以竝生之仁言)이란?

“이병생지인언”은 ‘사람과 사물이 태어나는 것으로 말한다.’는 뜻으로, “민오동포(民吾同胞)”, 즉 나라는 존재는 다른 사람들과 같은 태보에서 태어났기 때문에 같은 존재이며, “물오여야(物吾與也)”, 즉 다른 사물들은 사람과 같은 태보에서 태어난 것이 아니기 때문에 사람과 구분된다는 뜻이다.

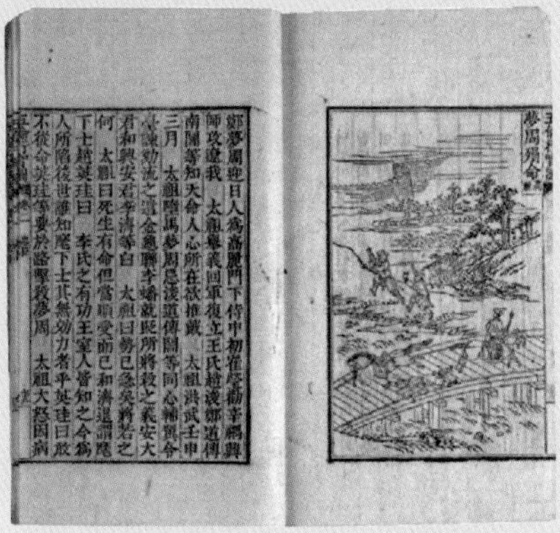

▲ 삼강 중에서도 임금과 신하의 관계는 봉건 시대 가장 중요한 덕목이었다. 《삼강행실도》 중 충신.

이추행지인언(以推行之仁言)이란?

"이추행지인언"은 '타고난 대로 행동하는 것으로 말한다.'는 뜻으로, 사람은 태어나면서부터 서로 행동하는 것이 다르다는 것이다. 예를 들어 "대군자 오부모종자 기대신 종자가상야(大君子 吾父母宗子 其大臣 宗子家相也)"는 '임금은 내 부모의 맏아들이며, 대신은 맏아들 집의 집사이다.'라는 의미이다. 다시 말하면 임금은 하늘의 맏아들이라 가장 큰 사람이고, 신하는 그 집의 집사라고 하여 임금의 아래라는 뜻이다. 그러므로 임금과 신하는 행동이 서로 다르다는 것이다.

그리고 "존고년 소이장기장 자고약 소이유기유(尊高年 所以長其長 慈孤弱 所以幼其

▲ 부모와 자식 간의 관계에서 효도는 국가적으로 장려되어 글은 물론 그림을 통해서도 교육되었다. 《삼강 행실도》 중 효자편.

幼)”는 ‘나이가 많은 사람을 높이는 것은 그 어른을 어른으로 대접하는 일이고, 외롭고 약한 사람을 사랑하는 것은 그 어린이를 어린이로 대접하는 것이다.’ 라는 뜻으로 어른과 아이는 서로 행동하는 것이 다르다는 의미이다. 그리고 “성기합덕 현기수야(聖其合德 賢其秀也)”는 ‘성인은 그 덕이 천지와 일치하고, 현인은 보통사람보다 빼어난 사람이다.’ 라는 뜻으로 성인은 하늘의 법도대로 따르는 사람이고, 현인은 보통사람보다 조금 빼어난 사람이라 서로 행하는 것이 다르다는 말이다. 마지막으로 “범천하피륭잔질경독환과 개오형제지전연 이무고자야(凡天下疲癃殘疾惸獨鰥寡 皆吾兄弟之顚連 而無告者也)”은 ‘천하의 허약하고 병든 사람, 고아, 자식 없는 사람, 홀아비, 과부는 모두 나의 형제 가운데 어려운 처지에 있으면서 하소연할 데 없는 사람들이다.’ 라는 것은 사람 중에는 귀한 사람과 천한 사람이 있어 서로 행동하는 것이 다르다는 뜻이다.

천하 만물들이 나누어지는 과정을 정리해 보면, 사람과 사물은 타고난 이치는 같지만, 서로의 태보가 같지 않기 때문에 다르게 나누어진다는 것이고, 사람은 태어나면서부터 서로 행동하는 것이 달라지는데, 임금과 신하, 어른과 아이, 성인과 현인, 귀한 사람과 천한 사람으로 나누어져 달리 행해진다는 것이다.

제5장 소학도

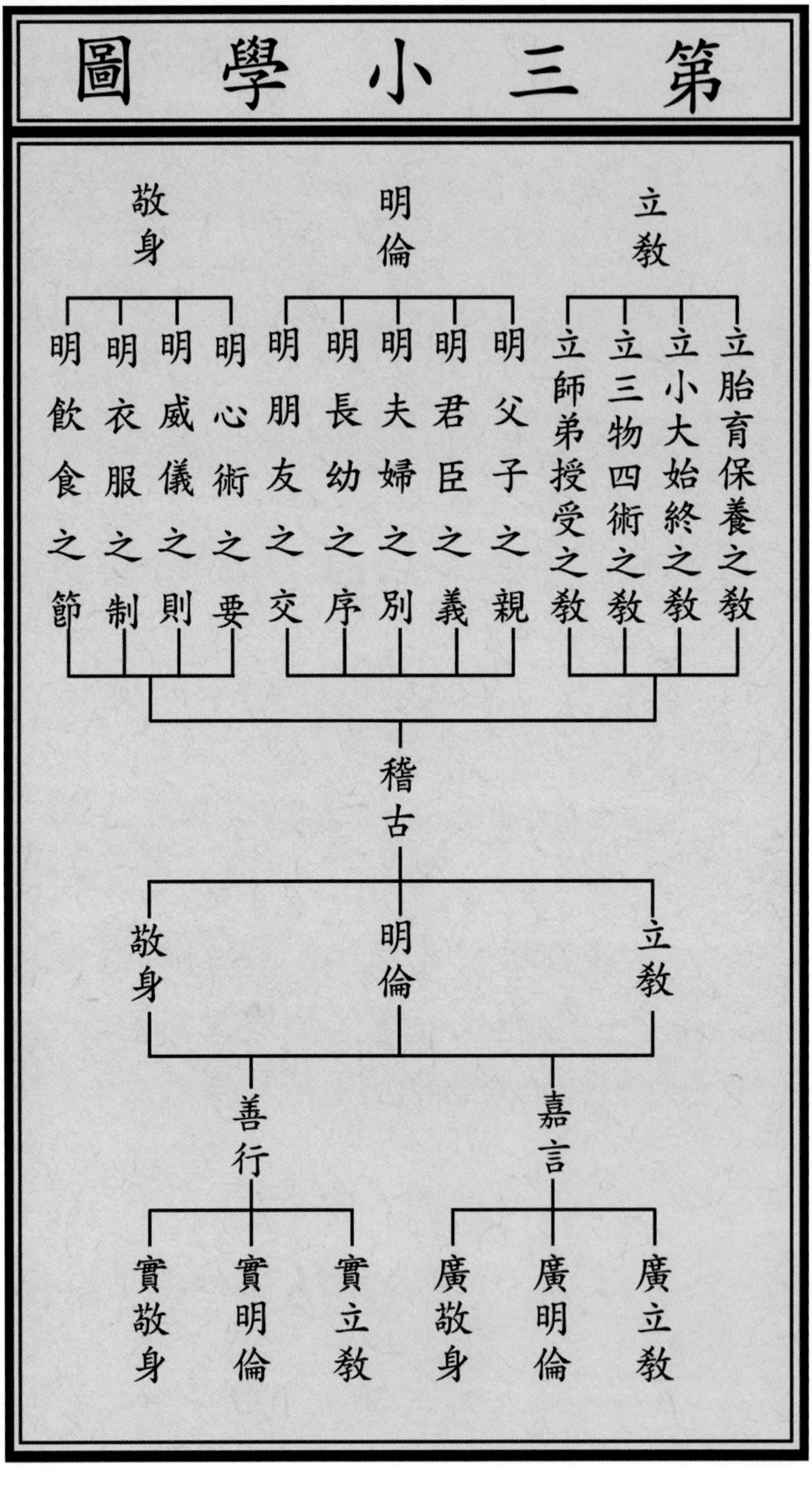

第三小學圖
敬身
明倫
立敎
明飮食之節
明衣服之制
明威儀之則
明心術之要
明朋友之交
明長幼之序
明夫婦之別
明君臣之義
明父子之親
立師弟授受之敎
立三物四術之敎
立小大始終之敎
立胎育保養之敎
稽古
敬身
明倫
立敎
善行
嘉言
實敬身
實明倫
實立敎
廣敬身
廣明倫
廣立敎

제3도 소학도

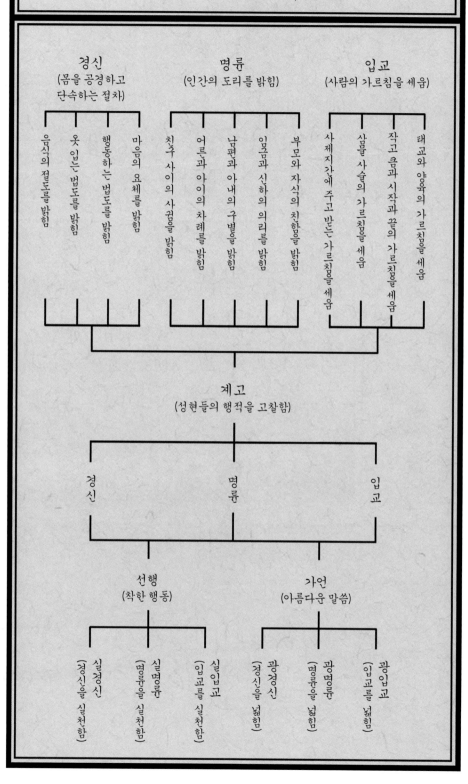

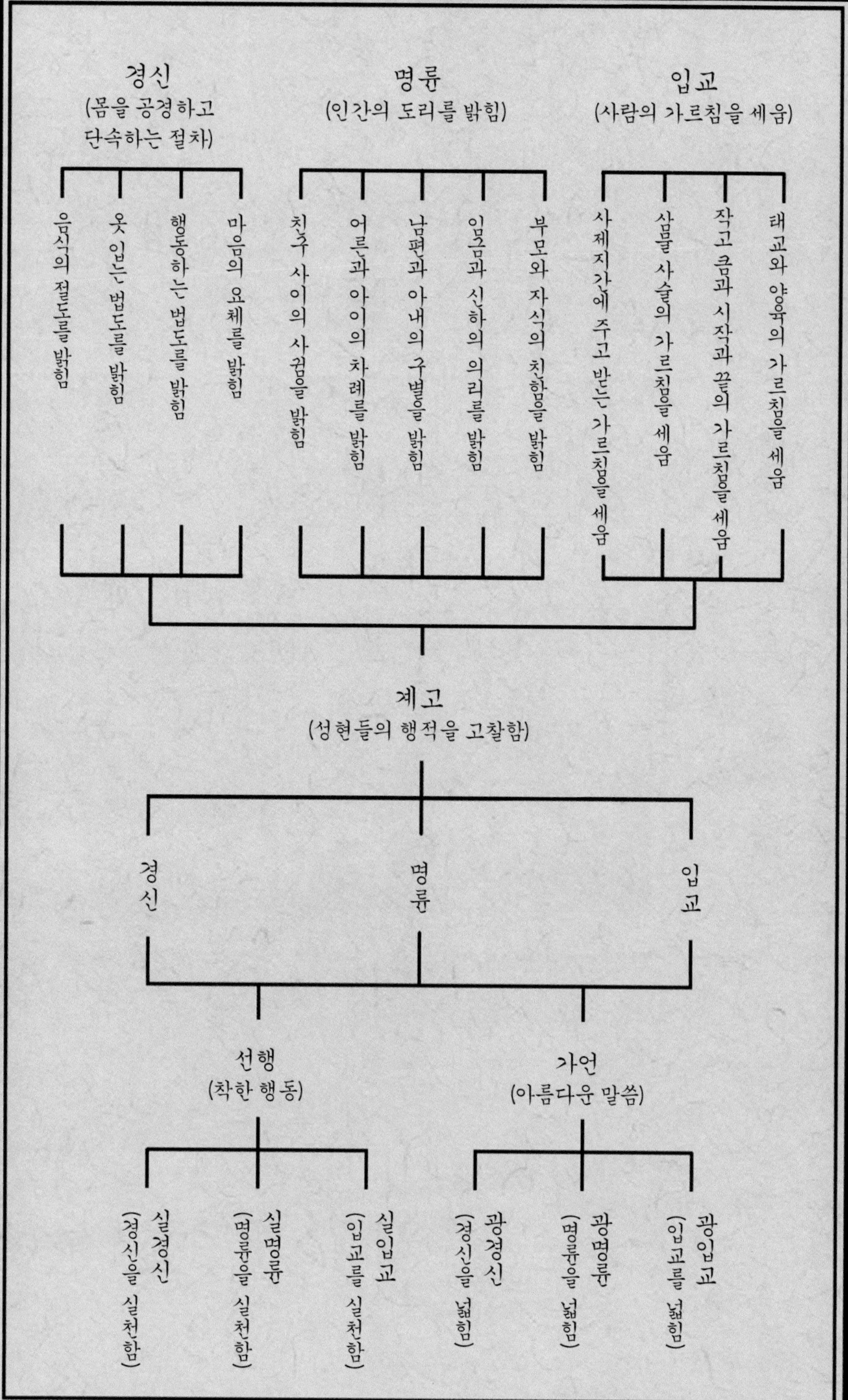
경신
(몸을 공경하고 단속하는 절차)
명륜
(인간의 도리를 밝힘)
입교
(사람의 가르침을 세움)
음식의 절도를 밝힘
옷 입는 법도를 밝힘
행동하는 법도를 밝힘
마음의 요체를 밝힘
친구 사이의 사귐을 밝힘
어른과 아이의 차례를 밝힘
남편과 아내의 구별을 밝힘
임금과 신하의 의리를 밝힘
부모와 자식의 친함을 밝힘
사제지간에 주고 받는 가르침을 세움
삼물 사술의 가르침을 세움
작고 큼과 시작과 끝의 가르침을 세움
태교와 양육의 가르침을 세움
계고
(성현들의 행적을 고찰함)
경신
명륜
입교
선행
(착한 행동)
가언
(아름다운 말씀)
실경신
(경신을 실천함)
실명륜
(명륜을 실천함)
실입교
(입교를 실천함)
광경신
(경신을 넓힘)
광명륜
(명륜을 넓힘)
광입교
(입교를 넓힘)

'소학도(小學圖)' 는 주자가 쓴 《소학》을 퇴계 이황 선생이 그린 그림이야.
퇴계 선생은 아이들이 어렸을 때 《소학》을 익히지 않으면 흩어진 마음을 거두어 《대학》의 기본을 삼을 수 없다는 취지에서 '소학도'를 그렸어.
마음
마음
대학
주자가 편찬했다는 《소학》의 내용은 크게 '내편(內篇)' 과 '외편(外篇)' 으로 구분되는데
내편에서는 입교(立敎; 교육의 세우는 것), 명륜(明倫; 인간의 도리를 밝히는 것), 경신(敬身; 몸을 수양하는 것), 계고(稽古; 옛 성현들의 말씀) 등 4개 항목으로 분류하고 있으며
외편에서는 가언(嘉言; 아름다운 말)과 선행(善行; 착한 행동) 등의 2개 항목으로 분류하여 어린 아이들이 배워야 할 기본 도리와 도덕의 원리를 자세하게 설명해 놓았어.
자~! 그럼, 주자가 쓰고 퇴계 이황 선생이 그린 소학도를 살펴볼까?
第三小學圖
敬身
明倫

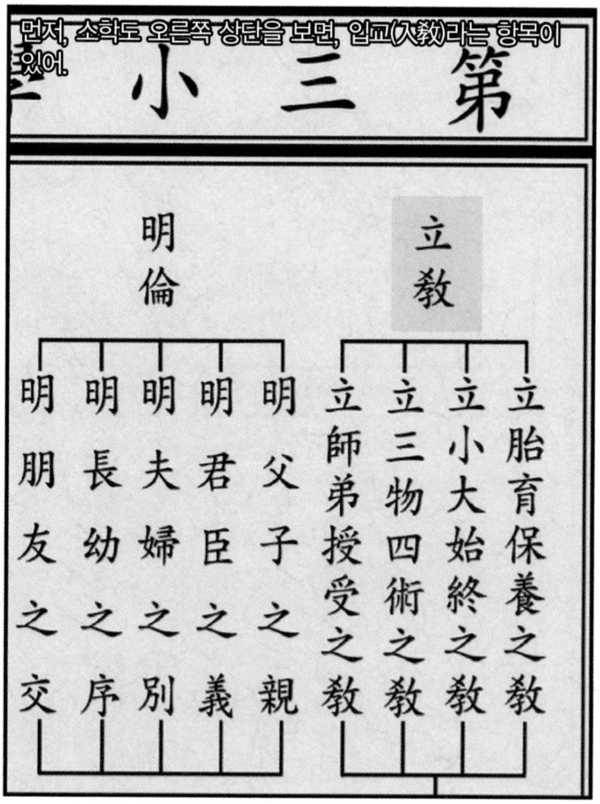

먼저, 소학도 오른쪽 상단을 보면, 입교(入敎)라는 항목이 있어.
第三小
立教
明倫
立胎育保養之教
立小大始終之教
立三物四術之教
立師弟授受之教
明父子之親
明君臣之義
明夫婦之別
明長幼之序
明朋友之交

이것은 가르침에 들어가는 부분으로 교육의 내용과 방법을 설명하는 부분이야.
사용설명서

첫째, '입태육보양지교(立胎育保養之敎)'는 태교와 양육의 가르침에 대한 것이야.

아직 세상에 태어나지 않은 아이를 잉태한 어머니는 앉을 때에도 모서리에 앉지 않으며, 서 있을 때도 비스듬히 서지 않고, 맛있는 음식도 덜 익거나 모양을 갖추지 않았으면 먹지 않으며, 눈으로는 현란한 색을 보지 않고, 귀로는 음란한 소리를 듣지 않는다는 얘기들로 구성되어 있어.

요즈음은 태교를 어떻게 할까?
태교음악

산모는 항상 즐거운 생각을 하고 스트레스를 받지 않도록 하며 신선한 공기와 신선한 음식을 먹고 즐거운 것은 무엇이든지 해.
하는 일은 다르지만 그 정신은 비슷할 거야.

둘째, '입소대시종지교(立小大始終之教)'는 '크고 작음과 시작과 끝의 가르침'에 대한 것이야.
아동 교육의 내용과 순서를 가르치는 부분이라고 할 수 있지.
3
2
1
아이가 자라면 숫자와 동서남북의 방향을 먼저 가르치고, 좀 더 자라면 장유유서를 실천하게 하여 나이든 어른이 먼저 하도록 겸손한 마음을 가르치며, 열 살이 넘어가면 외부 스승을 찾아가 육서와 수를 배우고 초보적인 예절을 실천하도록 가르친다고 했어.
동
남
북
서
13살이 되면 음악과 시를 가르치고,
태산이 높다하되 하늘아래 뫼이로다~
15살이 되면 활 쏘기와 말 타기를 가르치고,
20살이 되면 관례를 치르고,
30살이 되면 아내를 맞이하여 가정을 꾸리게 하지.

40살이면 벼슬길에 올라 자신의 장래에 대한 생각을 밝히고,

50살에 관리가 되어 나라의 중대사를 맡아 70살이면 관직을 그만둔다고 했어.

반면에 여자는 10살이면 바깥 출입을 자제하고, 15살이 되면 비녀를 꽂고, 20살에는 시집을 갔다고 해.

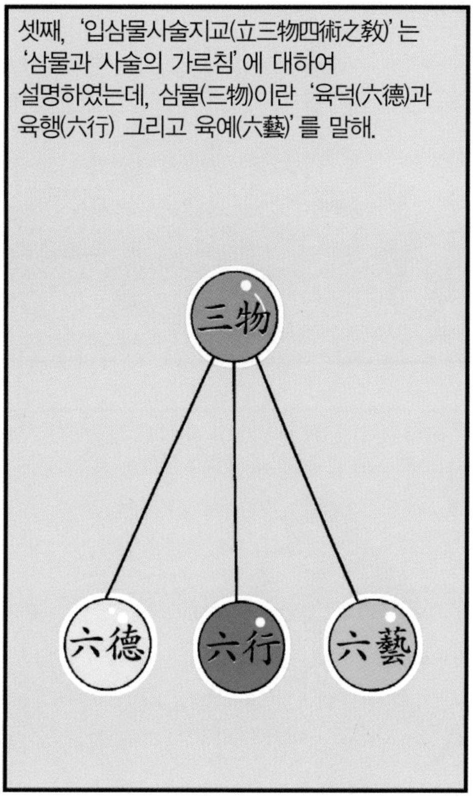
셋째, '입삼물사술지교(立三物四術之敎)'는 '삼물과 사술의 가르침'에 대하여 설명하였는데, 삼물(三物)이란 '육덕(六德)과 육행(六行) 그리고 육예(六藝)'를 말해.
三物
六德
六行
六藝

좀 더 구체적으로 설명하면 다음 표와 같아.

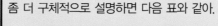

	육덕	육행	육예
①	지혜	효	예절
②	어짊	우정	음악
③	성스러움	화목	활 쏘기
④	정의로움	혼인	말 타기
⑤	정성스러움	책임	글 쓰기
⑥	온화함	동정심	셈하기

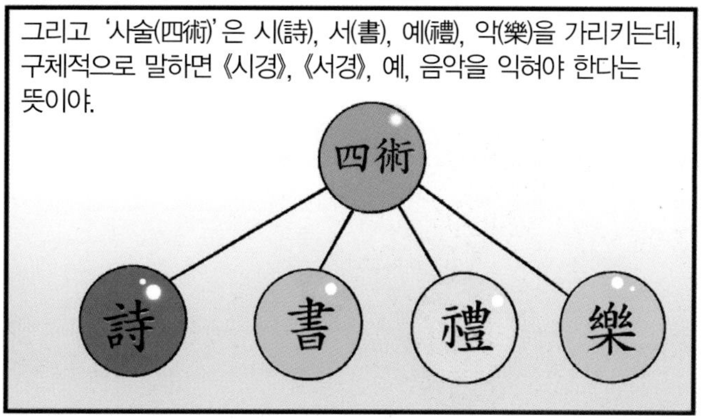
그리고 '사술(四術)'은 시(詩), 서(書), 예(禮), 악(樂)을 가리키는데, 구체적으로 말하면 《시경》, 《서경》, 예, 음악을 익혀야 한다는 뜻이야.
四術
詩
書
禮
樂

넷째, '입사제수수지교(立師弟授受之敎)'는 '스승과 제자 사이 예절을 가르침'에 대한 거야.

선생님이 가르치면 제자는 온화하고 공손한 태도로 이것을 받아들이고 겸허한 마음으로 배운 것을 극진하게 하여

선한 것을 보면 따르고 의로운 것을 들으면 곧바로 실행한다는 내용이지.

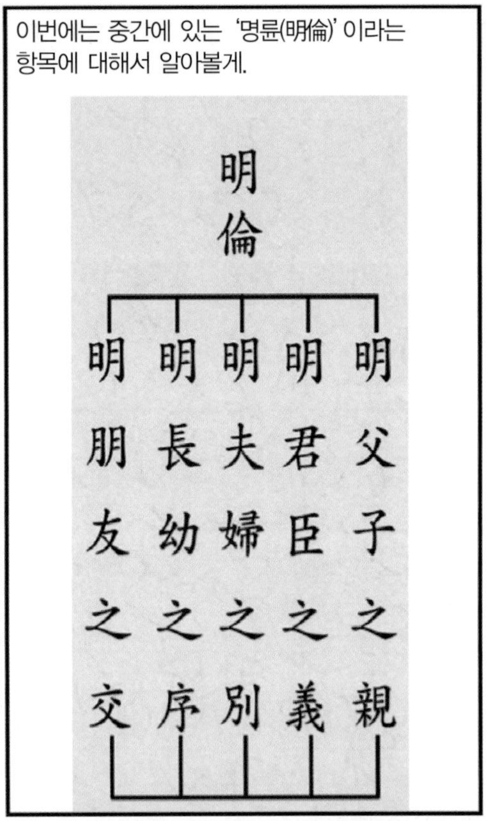
이번에는 중간에 있는 '명륜(明倫)'이라는 항목에 대해서 알아볼게.
明倫
明父子之親
明君臣之義
明夫婦之別
明長幼之序
明朋友之交

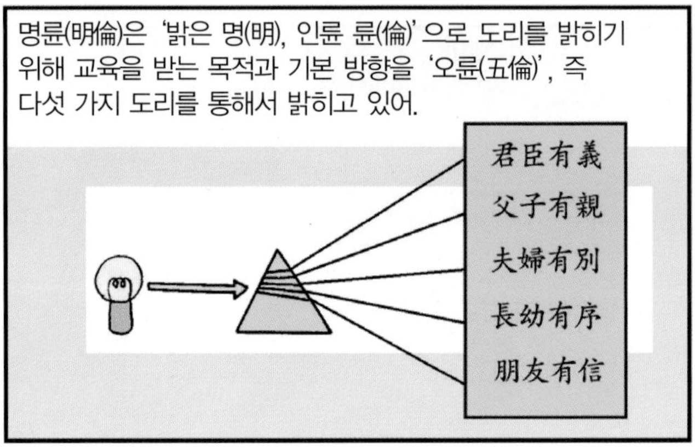
명륜(明倫)은 '밝은 명(明), 인륜 륜(倫)'으로 도리를 밝히기 위해 교육을 받는 목적과 기본 방향을 '오륜(五倫)', 즉 다섯 가지 도리를 통해서 밝히고 있어.
君臣有義
父子有親
夫婦有別
長幼有序
朋友有信

첫째, '명부자지친(明父子之親)'은 '부모와 자식의 친함을 밝히는' 부분이야.

부모는 자식을 사랑하고, 자식은 부모님에게 효도하는 것으로 부모와 자식 간의 친함을 밝혀야 한다는 내용으로, 부모가 자식을 사랑하면 매를 아끼지 말아야 하며, 자식은 부모님을 사모할수록 받들어 봉양해야 한다는 뜻이야.

옛날 중국 당나라에 한유라는 유명한 문장가가 있었어.
그의 어머니는 어렸을 때부터 잘못한 일이 있으면 종아리를 때렸어.
한유는 아픔을 참고 견뎌냈지.
오히려 어머니가 힘이 들까 꼼짝하지 않고 서 있었어.
한유가 성장하여 어른이 되었을 때도 한유가 잘못한 일이 있으면 그의 어머니는 매질을 했는데,
하루는 한유가 매를 맞다가 눈물을 흘렸어.
그의 어머니가 묻기를
이제까지 매를 맞았지만 너는 한 번도 울지 않았다. 그런데 오늘은 왜 우느냐?
그러자 한유는 그 자리에 엎드려 통곡하며 말하였어.
매를 맞아 아파서 우는 것이 아니라, 예전에 어머니께서 때리시던 매는 아팠는데, 지금의 매는 아프지 않습니다. 어머니께서 늙으셨다는 것을 생각하니 저절로 눈물이 나옵니다.
자식이 부모를 향한 마음이 이 정도는 돼야 하지 않겠니?
흑 흑흑

둘째, '명군신지의(明君臣之義)'는 '임금과 신하의 의리를 밝히는' 부분이야. 임금과 신하는 의리와 바른 도이라 있어야 한다는 내용이지.
신하가 임금을 섬길 때는 진실을 속이지 말고, 임금의 얼굴이 변한다고 해도 곧고 바른 말을 해야 한다는 뜻이야.
…….
임금님 귀는 당나귀 귀!
서기 1280년 고려 충렬왕 때 문신 이승휴는 신하의 직분을 다하기 위해 잘못된 왕의 행위에 대해 상소문을 올렸어.
그는 충렬왕에게 "나라의 형편이 매우 곤란하고, 날씨가 가물어 백성이 굶주리니 왕께서는 사냥이나 하며 유흥할 때가 아닙니다."라고 말했어.
화가 난 왕이 이승휴를 파직 시켜버렸어.
관직에서 물러난 이승휴는 삼척 두타산에 머물면서도 여전히 마음속으로 임금을 받들어 모셨어.
비록 관직에서는 물러났을지라도 그는 충렬왕이 정신을 차리고 어진 정치를 해주기 바라는 마음에서 《제왕운기》라는 책을 만들어 바치기도 했지.
셋째, '명부부지별(明夫婦之別)'은 '남편과 아내의 구별을 밝히는' 부분이야. 이것은 부부 사이의 도리를 밝히는 부분으로, 남편의 할 일과 아내가 할 일을 서로 분별해야 한다는 내용이야.

집을 지어도 안채와 바깥채를 지어 아내는 안채에 거처하고, 남편은 바깥채에 거처하도록 하며 아내는 바깥에서 일어나는 일을 말하지 않으며 남편은 안에서 일어나는 일을 말하지 않음으로써 부부지간 도리를 다한다는 뜻이야.
요즈음 생각과 너무나 많이 다르지. 남편이 아내일을 간섭하고 아내가 남편이 할 일을 간섭하고, 또 남편이 할 일을 아내가 하고, 아내가 할 일을 남편이 하는 등 안과 밖이 서로 구분되지 않지?
즉, 우리는 남자와 여자가 할 일이 서로 구분되지 않는 세상에 살아가고 있다는 뜻이야.
그래서 '하늘의 법도'가 없어지지 않았나 싶어.
이 혼
넷째, '명장유지서(明長幼之序)'는 '어른과 아이의 차례를 밝히는' 부분이야.
아이는 어른의 나이를 함부로 묻지 않고
How old are you?
!

어른과 같이 있을 때는 거문고나
비파를 잡지 않으며
이유 없이 손장난을 하지 말고
경박스럽게 무슨 짓이냐!
고기 먹고 싶어!!
깡 깡
덥더라도 부채질을 하면 안 되고,
어른보다 앞서 가지 않고
말세로다.
쯧쯧
시~ 원타
어른이 묻기 전에는 함부로 말해서는 안 된다는
내용이야.
무슨 말이 그렇게 많으냐!
악
가끔 버스를 타려고 정류장에서 줄을 서서 기다리다 보면,
어린 학생이 나이 많은 할머니를 제치고 먼저 차에 오르는
모습을 볼 수 있어.
버스
또 지하철을 타고 가다보면 할아버지와 할머니가 서 있는데, 떡하니 버티고 앉아
눈을 감고 마치 잠을 자는 것처럼 거짓 흉내를 내는 젊은 사람들이 있어.
얼마나 자신에게 부끄러운 일이야. 우리는 그렇게 하지
말아야겠지.
다섯째, '명붕우지교(明朋友之交)'는
'친구 사이의 사귐을 밝히는' 부분이야.

친구 사이는 선을 실천하고 악을 멀리하도록 권유하고, 학문으로 벗을 만나고, 벗을 통해 인을 이루고자 해야 해.
학문
선
또, 벗을 사귈 때는 연장자임을 내세우지 말아야 한다고 했어.
앞으로 형이라 불러. 내가 너희보다 나이 많지?
우… 우리 초등학생 인데요.
맹자는 벗이란 그 사람의 덕, 즉 착한 성품을 보고 사귀는 것이지 그외 다른 어떤 것도 개입시키지 말라고 했어.
이번에는 '경신(敬身)'이라는 항목에 대하여 알아볼게.
敬身
明心術之要
明威儀之則
明衣服之制
明飮食之節
경신은 '공경할 경(敬), 몸 신(身)'으로 몸과 마음을 잘 보존하기 위한 깨달음을 밝히는 부분이야.
첫째, '명심술지요(明心術之要)'는 '마음의 깨달음을 밝히는' 부분이야.
공경하는 마음이 태만한 마음을 이기면 좋은 일이 생기고, 의로운 마음이 욕심을 이기면 모든 일이 순조롭게 된다고 했어.
태만
욕심
공경

즉 만물을 대할 때, 자신의 마음 속에 태만함이 없으면 좋은 일만 생기고,
사사로운 마음을 버리고 남을 위하는 의로운 마음을 가지면 모든 일이 순조롭게 잘 풀린다는 뜻이야.
취업
결혼
머무를 때는 항상 공손한 태도로 임하며, 일을 할 때는 항상 경건한 마음가짐으로 임하고, 교제할 때는 항상 성실한 태도로 임하고, 자신의 욕심대로 해서는 안 되며, 오만한 마음을 가져서는 안 되고, 즐거운 마음이 극도에 이르도록 해서도 안 된다는 내용이야.
공손
공손
경건
성실
오만
욕심
극도
내 자신이 너보다 낫다. 내가 제일이라는 생각으로는 몸과 마음을 잘 보존할 수 없어.
두고 보자.
또 즐거운 마음이 극에 이르도록 해서는 몸과 마음이 다칠 수 있기 때문에 좋지 못하다는 거야.
내 몸과 마음을 잘 보존하기 위해서는 즐거워하는 것도 도를 넘지 말아야겠지.
한 시간이 넘었네. 그만하자.
'과유불급(過猶不及)', 즉 '지나침은 모자람과 같다'라는 말이 있지. 꼭 명심해야 돼.
대~박!

둘째, '명위의지칙(明威儀之則)'은 '몸가짐의 법도를 밝히는' 부분이야.
몸가짐에 무슨 법도가 있다는 거지?
법도
그냥 편하면 그만이지.
예를 들면 사람이 사람다운 행동을 하려면 먼저 신체의 몸가짐을 바로 해야 한다는 내용이야.
얼굴빛은 온화하게 하고, 말을 공손하게 하며, 곁눈질을 하지 않고, 거만하게 걷지 않고, 더워도 옷을 함부로 벗지 말아야 해.
슈퍼
또 발걸음은 신중하고, 손은 공손하며, 눈은 단정하고, 입은 다물고 있고, 말할 때는 조용조용하게 하며, 머리를 곧게 하여 항상 덕스러운 표정을 지어야 한다고 말하고 있지.
완전 내 이상형이야.
셋째, '명의복지제(明衣服之制)'는 '옷차림의 법도를 밝히는' 부분이야.
부모가 살아 계실 때에는 의복과 모자에 흰색 선을 두르지 않으며,
필승
이것도 안 될까?
돌아가신 뒤에는 의복과 모자에 빛깔 있는 색으로 선을 두르면 안 되지.
옷 갈아 입어!
아빠~!
공자께서는 검은 가죽 옷이나 검은 모자 차림으로는 조문하지 않았다고 해.
장례식장에 이런 복장으로 갈 순 없지.
공자님, 언제 바이크 동호회 가입하셨어요?
옛날에는 검은 옷은 좋은 일이 있을 때 입는 옷이고, 흰 옷은 안 좋은 일이 있을 때 입는 옷이었기 때문이야.
서양이랑 완전 반대잖아.

요즈음 우리 주위를 돌아보면 부모님이 돌아가셨는데도 슬퍼하지 않는 사람이 있는가 하면, 색깔 있는 옷을 입고, 장례식장에서 돌아다니는 사람이 있어.
그것은 낳아주시고 길러주신 부모님에 대한 예의가 아냐.
…….
넷째, '명음식지절(明飮食之節)'은 '음식의 절제를 밝히는' 부분이야.
음식을 먹을 때는 배부르게 먹지 말고, 밥을 많이 뜨지 말고, 물을 마시듯 음식을 함부로 들이마시지 말며, 입에 넣은 음식은 밖으로 뱉지 말아야 해. 국은 국물만 먹거나 따로 간을 맞추어서는 안 되며, 이를 쑤셔서도 안 되고, 구운 고기를 한 입에 넣어도 안 되지.
오물
오물
답답하다.
공자께서는 음식의 빛깔이 나쁘면 먹지 않았고, 제대로 요리가 되지 않으면 먹지 않았으며, 제철에 나는 음식이 아니면 먹지 않았고, 고기가 많아도 배부를 정도로 먹지 않았으며, 술은 취할 때까지 마시지 않았다고 해.
너무 까다로우셔. 헝…

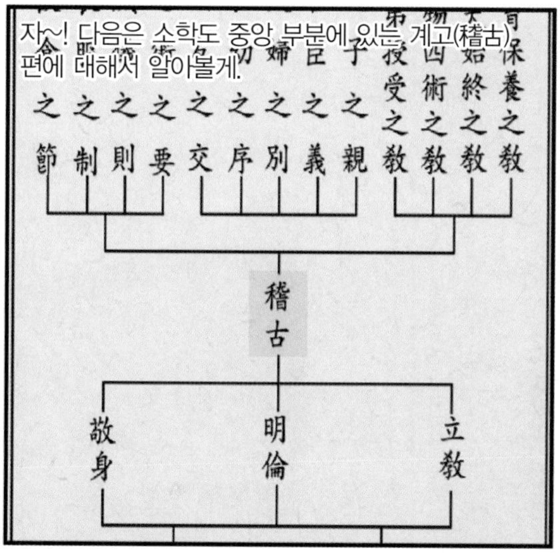
자~! 다음은 소학도 중앙 부분에 있는 계고(稽古)편에 대해서 알아볼게.
稽古
敬身
明倫
立教

'계고(稽古)'란, '머무를 계(稽), 옛 고(古)', 즉 고대 중국의 하은주 시대 때 성현들의 행적을 근거로, 앞에서 설명한 입교편, 명륜편, 경신편의 내용을 증명하는 부분이야.

계고편에서 증명하려고 하는 재미있는 얘기는 뒤에 담을 테니 참고해 줘.
別面原稿

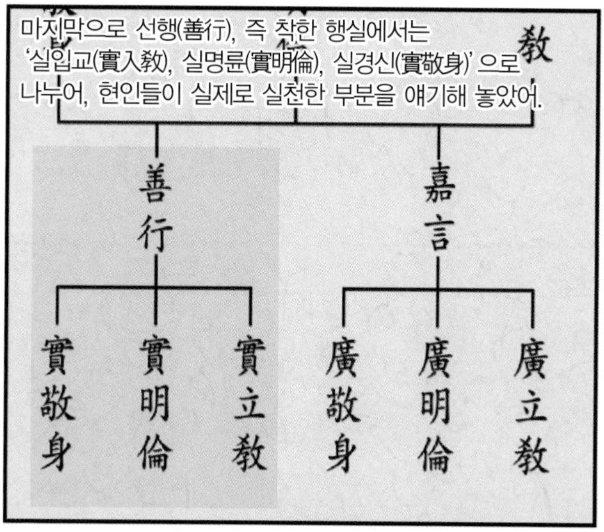
마지막으로 선행(善行), 즉 착한 행실에서는 '실입교(實入敎), 실명륜(實明倫), 실경신(實敬身)'으로 나누어, 현인들이 실제로 실천한 부분을 얘기해 놓았어.
教
善行
嘉言
實敬身
實明倫
實立教
廣敬身
廣明倫
廣立教

《소학》에는 모두 81편이 소개되어 있는데, 여기에서는 간략하게 한 편씩만 소개할게.

'실입교(實入敎)' 편에는 송나라 때 신나라 정헌공의 맏아들 여형공에 관한 이야기가 기록되어 있어.

정헌공의 아내 신국부인은 아들을 몹시 사랑하였지만, 엄격하게 가르쳤어.

그 결과 여형공은 겨우 10살이 되었을 때, 부모를 모시고 온 종일 서 있으면서도 춥거나 덥거나 비가 와도 부모님께서 앉으라고 명령하기 전에는 결코 앉지 않았고, 매일 의관을 쓰고 허리에 띠를 매고 옷차림을 가지런하게 하였는데 부모님과 어른이 옆에 계실 때에는 날씨가 더워도 옷을 벗지 않았고, 다방과 주막에 가지 않았으며, 비속한 말과 음란한 음악을 듣지 않았고, 바르지 않은 글은 가까이 하지 않았어.
후에 초천지라는 스승의 가르침을 받으니 여형공의 덕행이 다른 사람과 달랐어.
다음은 '실명륜(實明倫)' 편이야.
實明倫
강혁은 홀어머니와 살았는데, 세상이 어지러워 도적들이 많아지자 그는 어머니를 등에 업고 난리를 피해 도망 다녔어.
먹을 것이 없어 풀뿌리를 캐고 나무 열매를 따서 어머니를 봉양했어.
여러 차례 도적을 만났지만 그의 효성이 도적을 감동시켜 목숨을 구할 수 있었다고 해.
그는 너무나 가난해서 걸인 같은 행색을 하였지만, 품을 팔아 번 돈으로 어머니를 남 부끄럽지 않게 봉양했지.

또 왕상이란 사람은 성품이 효성스러웠는데, 어느 날 어머니가 살아 있는 물고기를 먹고 싶어 하였어.
때는 마침 겨울이라 강이 모두 얼어붙어 살아 있는 물고기를 구할 수 없었어.
이에 왕상은 옷을 벗고 얼음을 깨 물고기를 잡으려고 하니, 얼음이 저절로 깨지면서 잉어 두 마리가 튀어 올라 그것을 잡아서 어머니께 드렸어.
그 후에 어머니가 참새구이를 먹고 싶어 하셔서 왕상이 참새를 잡으러 나가려고 하니 참새무리들이 절로 방 안으로 날아들었어.
왕상은 그것을 잡아서 어머니께 드렸지. 평상시 왕상의 효성이 하늘을 감동시켜서 그렇게 된 것이야.
다음은 '실경신(實敬身)' 편에 담긴 이야기야.
實敬身
왕밀은 양진의 천거로 창읍 고을의 수령이 되었어.
왕밀은 양진에게 감사의 인사로 황금 열 근을 바쳤지.

그러자 양진은 “나는 그대를 아는데 그대는 왜 나를 모르는가?” 했어. 왕밀이 “늦은 밤이고 둘밖에 없으니 아무도 모를 겁니다. 일단 받아주세요!”라고 하니 양진이 “하늘이 알고 귀신이 알고 내가 알고 그대가 아는데 어찌 아무도 모른단 말인가?”하고 물리치니 왕밀이 부끄러워하며 물러갔어.
일찍이 사마온공은 이렇게 말했어.
나는 남보다 뛰어난 점이 없다. 단지 평생토록 내가 한 일 중에 남에게 말하지 못할 일이 없을 뿐이다.
또 맹자는 “모든 사람들이 태어났을 때, 선하지 않은 사람이 없다.”라고 했어.
다만 아이들이 어렸을 때부터 올바른 가르침을 받지 못하니, 성장하여 더욱 천박해지고 사람의 도리를 하지 못하는 것이지.
소학도에서는 《소학》의 교육 방법을 물 뿌리고 청소하고 부름에 응대하며, 들어와서는 효도하고 나가서는 공경하여 사람의 도리에 어긋남이 없게 하는 것이라고 일목요연하게 정리하고 있어.
第三小學圖

소학도 계고(稽古) 편

'계고(稽古)'란, '머무를 계(稽), 옛 고(古)', 즉 '옛일을 상고하여 살핀다.'라는 뜻이다. 지면 관계상 본문에서 설명을 다 못한 《소학》의 '계고(稽古)' 편에 담긴 성현들의 일화를 소개한다.

입교(入敎) - 자식을 가르침

▲ 어진 군주의 표상인 주 문왕.

주나라 문왕의 어머니 태임은 성품이 단정하고 한결같았다. 오직 덕 있는 행동만 하였는데, 문왕을 임신하고서는 나쁜 색깔과 음란한 소리를 보고 듣지 않았으며, 오만한 말도 하지 않았다. 후에 문왕을 낳았는데 총명하기가 하나를 가르치면 백을 알았다.(《열녀전》)

맹자의 어머니는 맹자의 교육을 위해 세 번이나 이사를 하였다. 맹자가 어렸을 때 공동묘지 주위에 살았는데, 맹자가 슬퍼하고 애통해 하며 매장하는 일을 하며 놀자, 그 어머니는 저잣거리로 가서 살았다. 맹자는 그곳에서도 물건 팔고 흥정하는 것을 흉내 내며 놀자, 그의 어머니는 학교 근처로 이사를 하였다. 이에 맹자가 제기를 차려놓고 제사를 지내며 예를 갖추는 모습을 흉내내며 놀았다.(《열녀전》)

※당시의 학교는 성현을 제사 지내는 문묘(文廟)의 기능을 함께 담당하였다.

하루는 공자가 그의 아들 리(鯉)에게 물었다. "시를 배웠느냐?", 아들이 대답하길 "아직 배우지 못했습니다."라고 하자, 공자가 말하기를 "시를 배우지 않으면 남과 이야기를 할 수 없다."라고 하였다. 어느 날, 아들 리가 뜰 앞을 지나가자 공자께서 물었다. "예를 배웠느냐?" 아들이 대답하길 "아직 배우지 못했습니다."라고 하니, 공자가 말하기를 "예를 배우지 않으면 몸을 바로 세울 수 없다."라고 하자 리가 물러나와 예를 배웠다.(《논어》 계시 편)

▲ 맹자는 덕에 의한 통치인 왕도정치를 주장했다.

명륜(明倫) - 도리를 밝힘

제자 만장(萬章)이 스승 맹자에게 물었다. "순임금께서 밭에 나가 하늘을 보고 슬피 울었다고 하는데 무슨 까닭입니까?" 맹자가 대답하였다. "사랑을 얻지 못함을 원망하고, 어버이를 사모했기 때문이다.", "왜 그렇습니까?", "순임금이 요임금의 두 딸을 아내로 맞아 행복하게 지냈으나 근심을 풀지 못했고, 온 천하의 백성들이 그를 따랐으나 근심을 풀지 못했다. 사람이 어릴 때 부모를 사모하다가 여자를 좋아하게 되면 여자만을 사모하고 처자가 있으면 처자를 사모하고 벼슬을 하면 임금을 사모한다. 그러나 가장 큰 것은 끊임없이 부모를 사모하는 것인데, 나는 순임금에게서 그것을 느낄 수 있었다."(《맹자》 만장 편)

만장이 묻기를 "순임금의 이복동생인 상은 날마다 순임금을 죽이려고 했는데, 순임금은 그를 처벌하지 않고 먼 곳으로 내쫓은 까닭은 무엇입니까?"하고 하니, 맹자께서 대답하길 "순임금이 동생 상을 제후로 봉해 주었는데, 어떤 사람들은 그를 내쫓았다고 말한다. 어진 사람은 동생에 대한 분노를 감춰두지 않으며 원한을 묵혀두지 않는다. 오직 동생을 친하게 여기고 사랑할 뿐이다."라고 하였다.(《맹자》 만장 편)

주나라 문왕이 병이 나자 아들 무왕이 관과 띠를 벗지 않고 곁에서 봉양하였다. 문왕이

입맛이 없어 밥을 한 끼만 먹자, 아들 무왕도 한 끼만 먹었다고 한다.(《예기》 문왕세자 편)

무왕과 주공은 형제지간으로 모든 사람들에게 효자로 칭찬을 받았다. 효란 선왕의 뜻을 잘 계승해서 이루고, 선왕이 이룬 일을 잘 따라서 행하는 것이다. 선왕의 자리를 이어 받아 선왕의 예를 행하고 선왕의 음악을 연주하며, 선왕이 존경하던 이를 존경하고 선왕이 가깝게 대하였던 사람들을 가깝게 대하며, 죽은 사람을 살아 있는 사람처럼 모시고, 없는 사람을 있는 사람처럼 섬기는 것을 지극한 효도라고 한다.(《중용》)

경신(敬身) - 몸을 삼감

공자의 제자 자유가 무성읍의 수령이 되자, 공자가 그에게 물었다. "인재를 얻었느냐?" 자유가 대답하길 "담대멸명(澹臺滅明)이라는 사람을 얻었습니다. 그는 길을 걸어 다닐 때는 지름길로 가지 않으며, 공적인 일이 아니면 저의 집에 온 적이 없습니다."라고 했다.(《논어》 옹야 편)

※담대멸명(澹臺滅明)은 노나라 무성 사람임. 후에 공자의 제자가 되었음.

남용은 공자의 제자로 남궁이라 불렸다. 그는 《시경》 '백규장'을 날마다 세 번 외우는 것을 반복했다. 공자께서 형의 딸자식을 그에게 시집을 보냈다.(《논어》 선진 편)

※《시경》 백규장에 나오는 시구는 "흰 옥의 티는 갈아서 없앨 수 있지만, 말의 잘못은 없앨 수 없다(백규지점 상가마야 사언지점 불가위야(白珪之玷 尙可磨也 斯言之玷 不可爲也))."라는 내용임.

공자가 말하였다. "어질도다. 안회여! 밥 한 그릇과 국 한 그릇으로 누추한 골목에서 살면서도 남들은 근심하며 견디어 내기 힘들어 하는데, 어찌 그 속에서도 도를 즐기는 즐거움을 바꾸지 않는구나! 어질도다. 안회여!"(《논어》 옹야 편)

※안회(顔回)는 공자가 가장 신임했던 제자였음.

▲ 안회는 공자가 가장 총애한 제자이나 요절하였다.

제6장 대학도

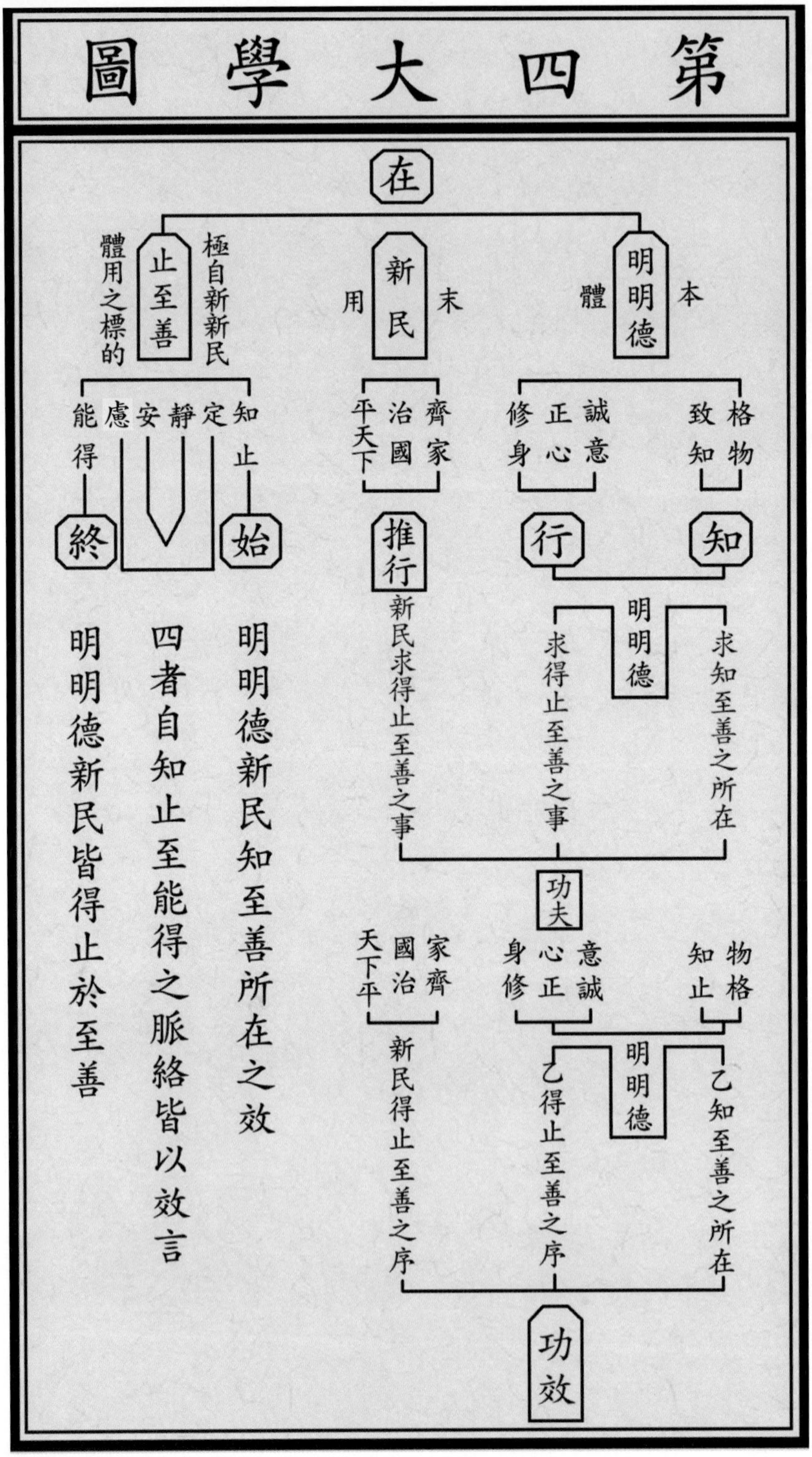
第四大學圖
在
明明德
本
體
新民
末
用
止至善
極自新新民
體用之標的
格物
致知
誠意
正心
修身
齊家
治國
平天下
知止
定
靜
安
慮
能得
知
行
推行
始
終
明明德
求知至善之所在
求得止至善之事
新民求得止至善之事
功夫
物格
知止
意誠
心正
身修
家齊
國治
天下平
明明德
乙知至善之所在
乙得止至善之序
新民得止至善之序
功效
明明德新民知至善所在之效
四者自知止至能得之脈絡皆以效言
明明德新民皆得止於至善

제4도 대학도

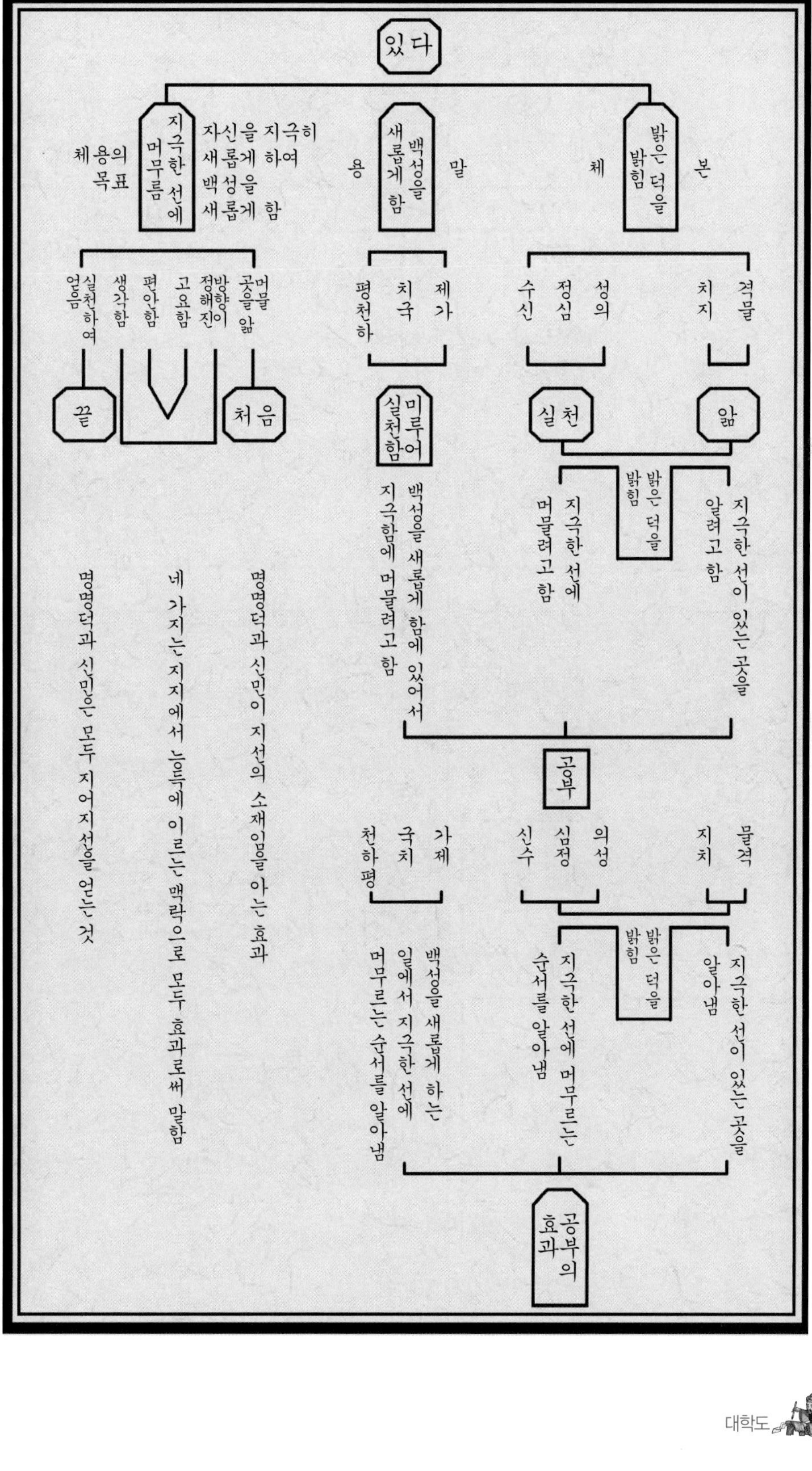

있다
지극한 선에 머무름
체용의 목표
자신을 지극히 새롭게 하여 백성을 새롭게 함
백성을 새롭게 함
용
말
밝은 덕을 밝힘
체
본
머물 곳을 앎
방향이 정해진
고요함
편안함
생각함
실천하여 얻음
제가
치국
평천하
성의
정심
수신
격물
치지
처음
끝
미루어 실천함
실천
앎
밝은 덕을 밝힘
지극한 선이 있는 곳을 알려고 함
지극한 선에 머물려고 함
백성을 새롭게 함에 있어서 지극함에 머물려고 함
명명덕과 신민이 지선의 소재임을 아는 효과
네 가지는 지지에서 능득에 이르는 맥락으로 모두 효과로써 말함
명명덕과 신민은 모두 지어지선을 얻는 것
공부
가제
국치
천하평
의성
심정
신수
물격
지치
밝은 덕을 밝힘
지극한 선이 있는 곳을 알아냄
지극한 선에 머무르는 순서를 알아냄
백성을 새롭게 하는 일에서 지극한 선에 머무르는 순서를 알아냄
공부의 효과

'대학도(大學圖)'는 《대학》의 내용을 토대로 고려 말, 조선 초의 문인 양촌 권근 선생이 그린 그림이야.
'대학도'를 설명하기 전에 《대학》이 무엇인지 간략하게 알아볼까?
대학?
대학하면 무엇이 생각나니? 서울대학, 경기대학, 강원대학 등등 학교들이 생각나니?
경기대학교
강원
하하! 여기에서 말하는 대학은 그런 대학이 아니라, 바로 책 이름이야.
유학의 기본사상들을 책 한 권에 요약한 것이라고 생각하면 돼!
大學
다시 말하면, 자신이 가지고 있는 착한 마음을 밝혀 다른 모든 사람에게 베풂으로써, 나의 착함이 남에게 미치게 하는 인(仁)의 정신, 즉 사랑의 정신이 담겨 있는 책이지.
《대학》은 유가의 주요 사상인 수기치인(修己治人)을 체계적으로 설명해 놓았어.
수기치인이란 자신을 수양한 뒤 남을 다스림을 말함이니라.

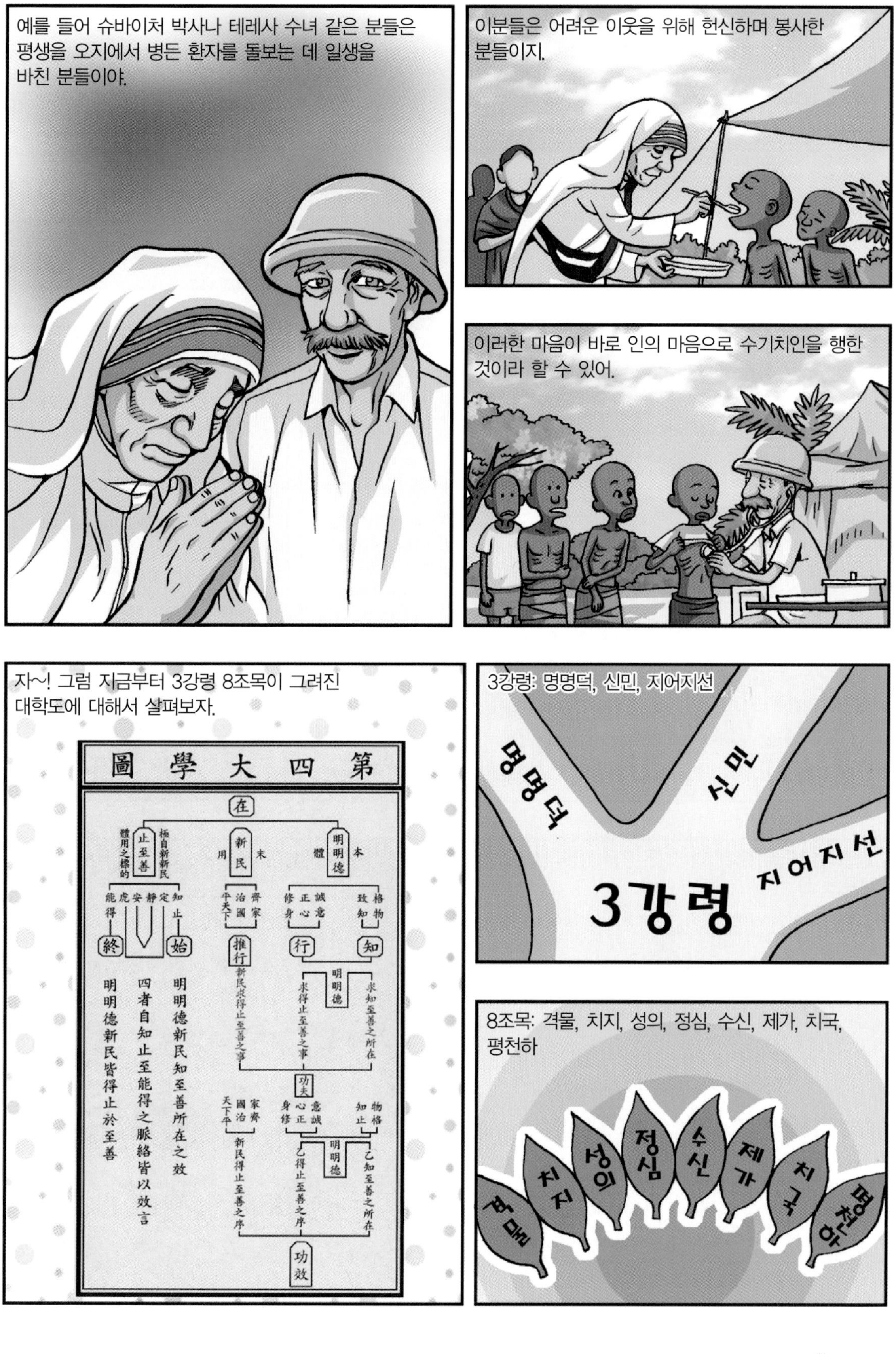
예를 들어 슈바이처 박사나 테레사 수녀 같은 분들은 평생을 오지에서 병든 환자를 돌보는 데 일생을 바친 분들이야.
이분들은 어려운 이웃을 위해 헌신하며 봉사한 분들이지.
이러한 마음이 바로 인의 마음으로 수기치인을 행한 것이라 할 수 있어.
자~! 그럼 지금부터 3강령 8조목이 그려진 대학도에 대해서 살펴보자.
第四大學圖
在
明明德
新民
止至善
知
行
推行
始
終
功夫
功效
明明德新民知至善所在之效
四者自知止至能得之脈絡皆以效言
明明德新民皆得止於至善
3강령: 명명덕, 신민, 지어지선
명명덕
신민
지어지선
3강령
8조목: 격물, 치지, 성의, 정심, 수신, 제가, 치국, 평천하
격물
치지
성의
정심
수신
제가
치국
평천하

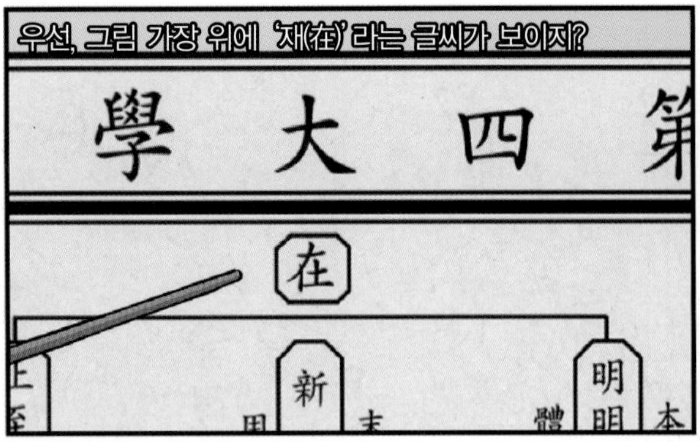
우선, 그림 가장 위에 '재(在)'라는 글씨가 보이지?
學 大 四 第
在
新
明

이것은 '~있다 재(在)'야.
즉, 대학의 도가 아래의 것에 있다로 풀이할 수 있어.

원문을 보면 "대학지도 재명명덕 재신민 재지어지선(大學之道 在明明德 在新民 在止於至善)"이라고 하여 '대학의 도는 명명덕, 신민, 지어지선에 있다.' 라고 하였어.
明明德
밝은 덕을 밝힌다.
新民
백성을 새롭게 한다.
止於至善
지극한 선에 머무르다.
德

정리하면 '대학의 도는 밝은 덕을 밝히고, 백성을 새롭게 하고, 지극한 선에 머무르게 하는 데 있다.' 라고 할 수 있어.
대학의 도

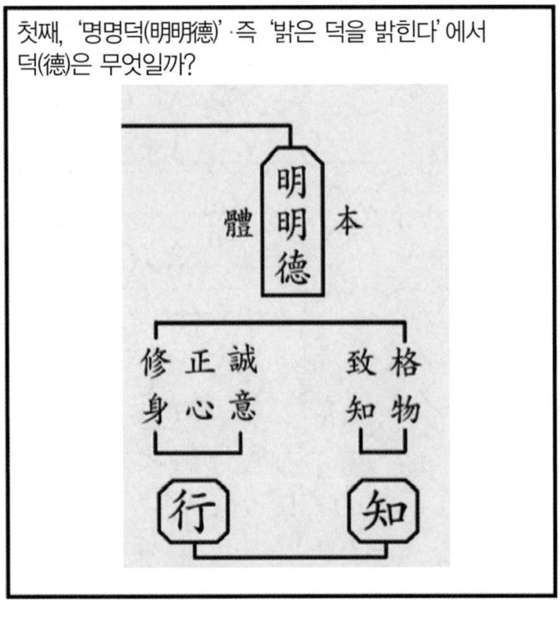
첫째, '명명덕(明明德)' 즉 '밝은 덕을 밝힌다' 에서 덕(德)은 무엇일까?
明明德
體
本
誠意
正心
修身
格物
致知
行
知

덕이란 말은 사람들이 흔히 쓰는 말인데 과연 그 의미가 뭘까?
사전을 찾아보면 덕이란 '밝고, 크고, 옳고, 빛나고, 착하고, 아름답고, 부드럽고, 따뜻하게 행동하는 마음가짐이나 그런 행동을 말한다.' 고 돼 있어.
나는 인터넷 검색이 편해요.
사전

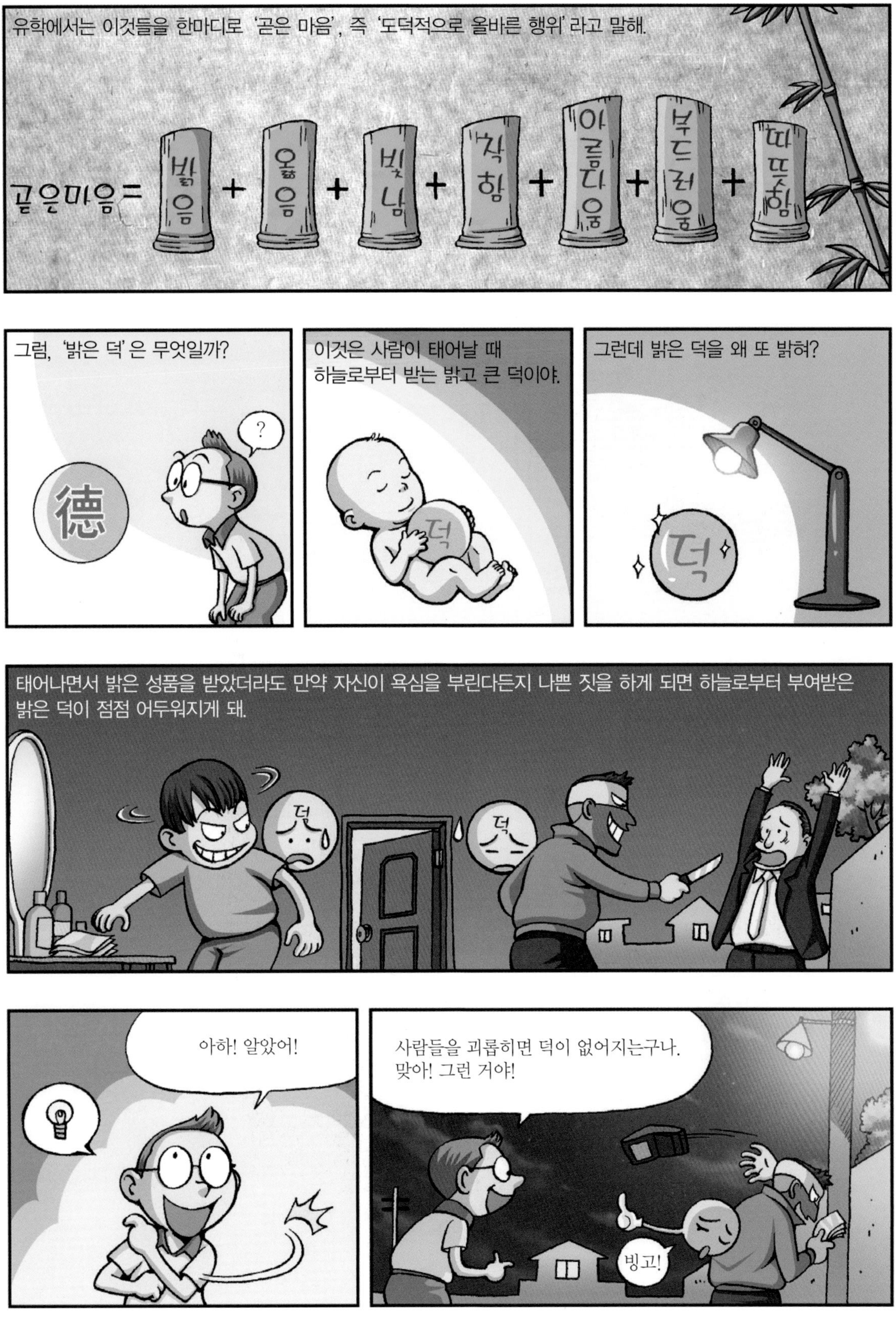
유학에서는 이것들을 한마디로 '곧은 마음', 즉 '도덕적으로 올바른 행위' 라고 말해.
곧은마음 = 밝음 + 옳음 + 빛남 + 착함 + 아름다움 + 부드러움 + 따뜻함
그럼, '밝은 덕' 은 무엇일까?
?
德
이것은 사람이 태어날 때
하늘로부터 받는 밝고 큰 덕이야.
덕
그런데 밝은 덕을 왜 또 밝혀?
덕
태어나면서 밝은 성품을 받았더라도 만약 자신이 욕심을 부린다든지 나쁜 짓을 하게 되면 하늘로부터 부여받은 밝은 덕이 점점 어두워지게 돼.
덕
덕
아하! 알았어!
사람들을 괴롭히면 덕이 없어지는구나.
맞아! 그런 거야!
빙고!

그래서 우리들의 마음속에 어두워진 덕이 있으면 밝혀야 하는데 이것이 '명명덕' 즉 '밝은 덕을 밝히는' 거야!
德
덕을 거울에 비교해 보자.
거울에 먼지가 앉으면 어떻게 하니?
깨끗한 수건으로 닦아내야 하잖아!
거울의 먼지를 한 번 닦았다고 해서 다시 닦지 않아도 돼?
아직 괜찮은데 뭐….
거울에 먼지는 닦아내도 얼마 지나지 않으면 또 뿌옇게 앉게 되잖아. 그러면 또 깨끗한 수건으로 먼지를 닦아내야 하지.
익! 언제 먼지가 이렇게…
이렇게 거울에 먼지가 앉을 때마다 계속 닦아내는 것과 같이 자신의 덕을 계속해서 밝혀나가야 된다는 것이지.
마치 내가 둘인 것 같잖아.

그 방법은 '격물(格物)' 즉, 사물의 이치를 연구하여, '치지(治知)' 그 지식을 끝까지 파헤치고, '성의(誠意)' 뜻을 정성스럽게 하여 '정심(正心)' 마음을 바르게 하고, '수신(修身)' 자신의 몸을 닦음으로써 명명덕이 가능하지.
명명덕
치 기
성의
정심
수신
좀 더 구체적으로 설명하면 격물의 '격(格)'은 '바르게 하다, 바로잡다'라는 뜻이고, '물(物)'은 만물로 풀이할 수 있어. 그러므로 풀이하면 '모든 사물에 대하여 바르게 알다.'라는 뜻이야.
다시 말해 사물의 이치를 철저히 그리고 끝까지 연구해서 한 점 의혹도 없게 한다는 뜻이야.
격물
만물
만약 어떤 사물에 대하여 20%, 30%만을 연구하였다면 이것은 격물이 아니야. 반드시 100% 철저히 그 이치를 파헤쳐야 비로소 그것이 격물이 될 수 있는 거야.
만물
'치지(治知)'의 '치(治)'는 '끝까지 다하다, 궁구하다'라는 뜻이고,
'지(知)'는 '안다'는 뜻이야.
170
치약
풀이하면 '모르는 것이 없을 때까지 끝까지 구하다'라는 뜻이야.
무게, 성분 그리고 향… 또…. 하나도 빠트리지 않고 기록해야지.

예를 들어 어떤 사람이 껍데기만을 공부하고 속은 전혀 아는 것이 없다면, 또 반대로 속은 공부를 많이 했으나 실제 사물의 껍데기는 전혀 알지 못한다면 두 경우 모두 치지를 하지 못한 것이야!
동물의왕국
아프리카
아프리카라는 곳은 말이야… 인구… 기후… 면적…
그런 곳이야.
아프리카에 직접 가봤냐고!
그래서 '대학도'를 그린 권근 선생은 명명덕에서 격물치지는 '지(知)', 즉 앎을 구하는 부분이라고 표시해 두셨어.
知
格物致知
다음으로 '성의(誠意)'는 '뜻을 성실하게 하다.'라는 것으로, 악함을 버리고 착함을 행하며 모든 일을 성실하게 해서 스스로를 속이지 말아야 한다는 뜻이야.
예를 들어 한 덩어리 물건이 바깥은 은인데 속은 쇠라면, 이는 스스로를 속인 거야.
은
쇠
반드시 겉과 속이 한결 같아야 스스로를 속이지 않는 것이라고 말할 수 있어.
통
통
사람들은 때때로 자신을 속이는 경우가 있어.
…….
안 다쳐서 다행이야.
이런 사람들은 곧 반만 알고 반은 모르는 사람이라고 할 수 있어.
내가 제일 아끼는 건데
왜 자꾸 신경이 쓰이지?
대개 사람들은 마땅히 착하게 행동해야 한다고 알고 있지만 그렇게 하지 않고, 또 나쁜 짓을 하면 안 된다는 것을 알지만 쉽게 고치지 못하지.
에이~ 귀찮아.

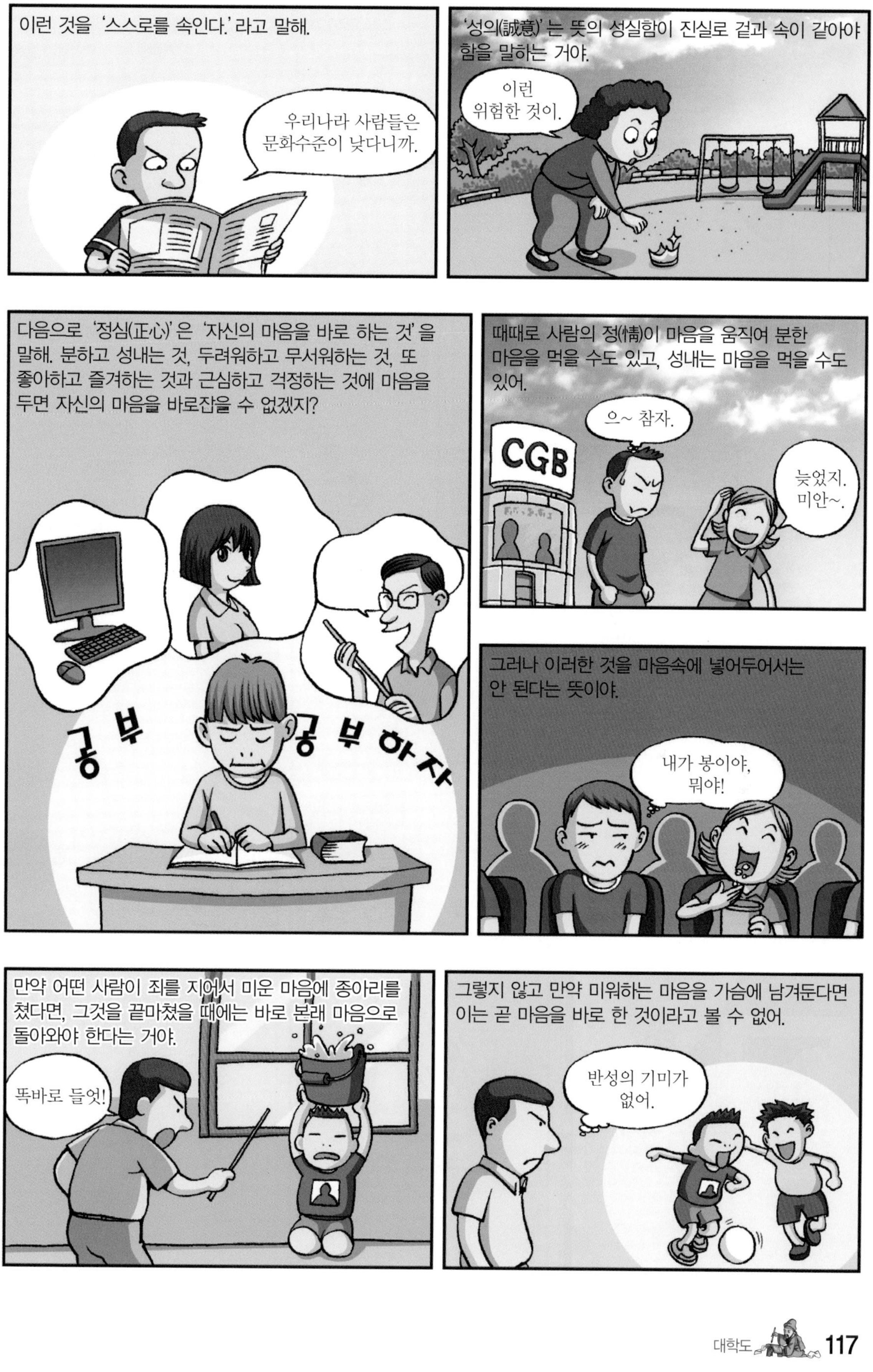
이런 것을 '스스로를 속인다.'라고 말해.
우리나라 사람들은 문화수준이 낮다니까.
'성의(誠意)'는 뜻의 성실함이 진실로 겉과 속이 같아야 함을 말하는 거야.
이런 위험한 것이.
다음으로 '정심(正心)'은 '자신의 마음을 바로 하는 것'을 말해. 분하고 성내는 것, 두려워하고 무서워하는 것, 또 좋아하고 즐겨하는 것과 근심하고 걱정하는 것에 마음을 두면 자신의 마음을 바로잡을 수 없겠지?
공부
공부하자
때때로 사람의 정(情)이 마음을 움직여 분한 마음을 먹을 수도 있고, 성내는 마음을 먹을 수도 있어.
으~ 참자.
CGB
늦었지. 미안~.
그러나 이러한 것을 마음속에 넣어두어서는 안 된다는 뜻이야.
내가 봉이야, 뭐야!
만약 어떤 사람이 죄를 지어서 미운 마음에 종아리를 쳤다면, 그것을 끝마쳤을 때에는 바로 본래 마음으로 돌아와야 한다는 거야.
똑바로 들엇!
그렇지 않고 만약 미워하는 마음을 가슴에 남겨둔다면 이는 곧 마음을 바로 한 것이라고 볼 수 없어.
반성의 기미가 없어.

마지막으로 '수신(修身)'은 '자신의 몸을 닦는 것'을 말해. 앞서 얘기한 성의와 정심, 즉 뜻을 성실하게 하고, 마음을 바로 해야 비로소 몸을 닦을 수 있다는 뜻이야.
수신
정심
성의
만약에 불우한 이웃을 보고 도와주려는 마음이 생겨났다면 자신의 뜻이 성실해진 거야.
그리고 분수에 맞게 도와주었다면 뜻에 치우침이 없는 거지.
그러나 자신이 실행한 일에 대하여, 혹시 남들이 하지 못한 일을 했다는 우쭐하는 마음이나 자랑스럽게 느끼는 마음을 가졌다면 이는 마음속을 다 비우지 못해서 그런 거야.
거만 떨기는…. 공부는 꼴찌인 주제에….
마음이 바르지 못하면 몸을 닦을 수 없지. 몸을 닦는 것은 반드시 마음이 발라야 할 수 있기 때문에 몸을 닦으려면 먼저 마음을 바르게 해야 해.
요즘 같은 바쁜 세상에 무슨 도를 찾는다고,
지겨워 죽겠네.
긁적
긁적
권근 선생은 성의, 정심, 수신 부분을 명명덕에서 '행(行)', 즉 행동으로 실천하는 부분이라고 했어.
성의
정심
行
수신

지금까지 내용을 간략하게 정리하면, 사물에 대하여 연구하여 의혹됨이 없도록 하고, 뜻을 성실하게 하여 그 마음을 바로잡아 자신의 몸을 열심히 닦으면, 명명덕, 즉 밝은 덕을 밝힐 수 있다는 내용이야.
미움
분노
욕심
德
德
明德
자~! 그럼 두 번째로 넘어갈게.
新民
用
末
齊家
治國
平天下
推行
'신민(新民)', 즉 '백성을 새롭게 한다.'는 것은 무슨 의미일까?
?
?
백성을 새롭게 한다는 것은 '스스로 자신의 덕을 밝힌 후에는 반드시 내 이웃도 새로운 곳에 이르게 한다.'는 뜻이야.
다시 말하면, 자신이 덕을 밝혔으면, 아직 덕을 밝히지 못한 내 이웃도 측은히 여겨 그들도 덕을 밝힐 수 있도록 도와주어야 한다는 뜻이야.
× 곱
÷ 나누기
예를 들어 학급에서 공부 잘하고 선생님 말씀 잘 듣는 착한 학생이 있다고 생각해 봐.
이 문제 풀 수 있는 사람?

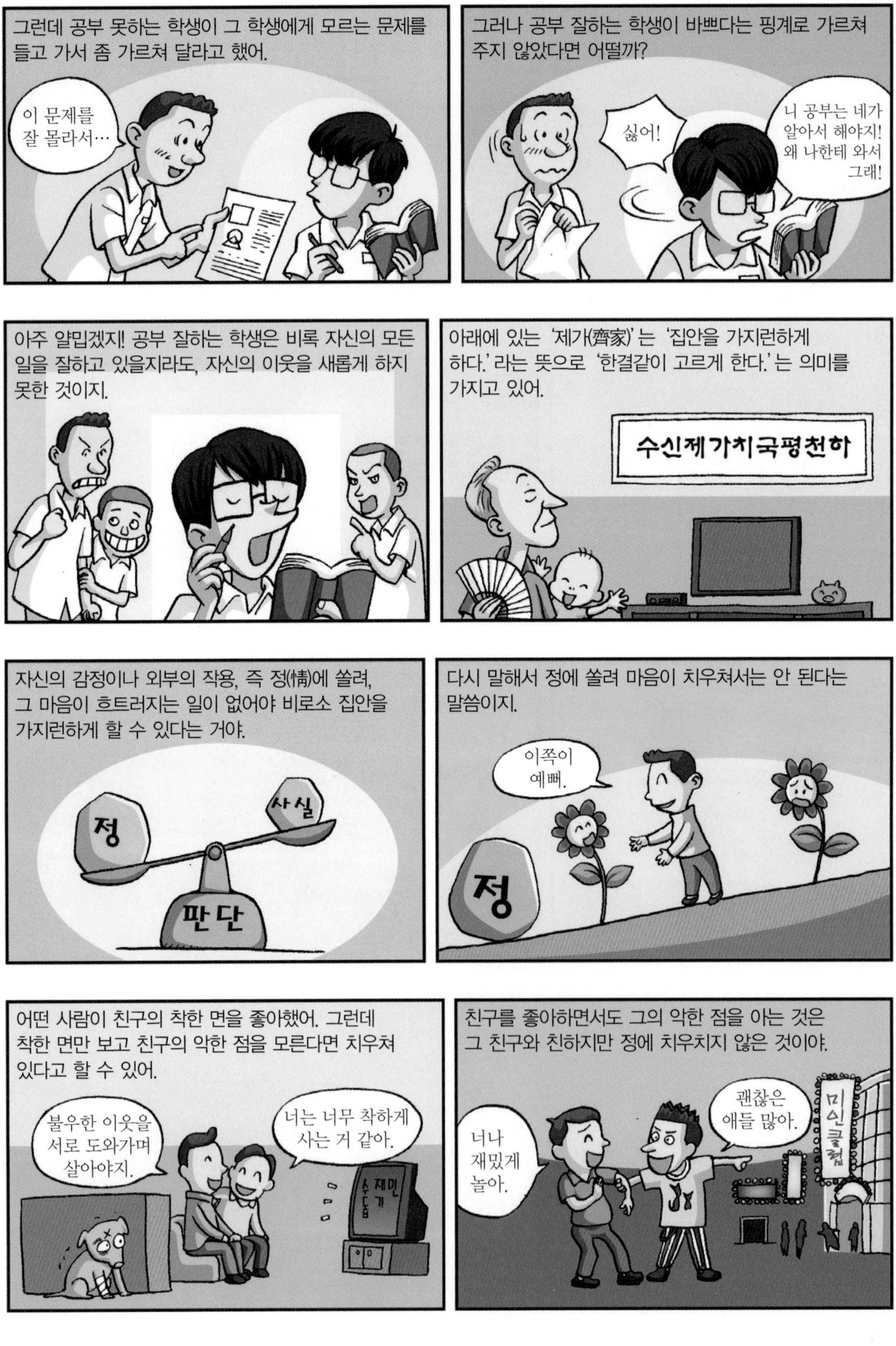
그런데 공부 못하는 학생이 그 학생에게 모르는 문제를 들고 가서 좀 가르쳐 달라고 했어.
이 문제를 잘 몰라서…
그러나 공부 잘하는 학생이 바쁘다는 핑계로 가르쳐 주지 않았다면 어떨까?
싫어!
니 공부는 네가 알아서 해야지! 왜 나한테 와서 그래!
아주 얄밉겠지! 공부 잘하는 학생은 비록 자신의 모든 일을 잘하고 있을지라도, 자신의 이웃을 새롭게 하지 못한 것이지.
아래에 있는 '제가(齊家)'는 '집안을 가지런하게 하다.'라는 뜻으로 '한결같이 고르게 한다.'는 의미를 가지고 있어.
수신제가치국평천하
자신의 감정이나 외부의 작용, 즉 정(情)에 쏠려, 그 마음이 흐트러지는 일이 없어야 비로소 집안을 가지런하게 할 수 있다는 거야.
정
사실
판단
다시 말해서 정에 쏠려 마음이 치우쳐서는 안 된다는 말씀이지.
이쪽이 예뻐.
정
어떤 사람이 친구의 착한 면을 좋아했어. 그런데 착한 면만 보고 친구의 악한 점을 모른다면 치우쳐 있다고 할 수 있어.
불우한 이웃을 서로 도와가며 살아야지.
너는 너무 착하게 사는 거 같아.
재민기 수도검
친구를 좋아하면서도 그의 악한 점을 아는 것은 그 친구와 친하지만 정에 치우치지 않은 것이야.
너나 재밌게 놀아.
괜찮은 애들 많아.
미인클럽

반대로 그 친구를 미워하면서도 그의 아름다운 점을 안다면 미워함에 치우치지 않은 것이야.
적이지만 실력 하나는 예술이군!
이와 같이 한쪽으로 치우치지 않으면 집안을 가지런하게 할 수 있고, 집안 사람들을 한결같이 고르게 다스릴 수 있어.
'치국(治國)'은 '나라를 잘 다스리다.'라는 뜻으로 집안에 계신 부모님을 섬기는 효도로 내 이웃 어른을 섬기고, 집안 사람들에게 공손한 것처럼 백성들에게 공손히 하면 나라 또한 잘 다스릴 수 있다는 거야.
자신의 집안을 가르치지 못하면서 남을 가르칠 수 있는 사람은 없다고 했어.
집안 꼴 하고는.
부모를 섬기는 효도로 임금을 섬기고, 형을 섬기는 공손함으로 어른을 섬기며, 자기 자식을 사랑하는 것과 같이 무리를 다스리면 나라 또한 저절로 다스려지겠지?
태평성대
그러므로 효도(孝)와 공손함(弟), 사랑(慈)의 세 가지는 덕을 밝히는 인륜의 가장 큰 뼈대가 되는 거야.
효도
德
공손
사랑

조선 시대 우암 송시열 선생은 나라를 다스리는 것에 대하여 이렇게 말했어.
임금이 백성 보기를 자기의 자식처럼 여겨서 측은한 마음을 갖는다면, 어찌 백성들의 고혈을 짜고, 백성들의 목숨을 끊어서 스스로 자신만의 만족을 찾을 것인가? 또 어떻게 방종하고 권세와 호기를 부려서 백성들을 각박하게 대하고 죽일 수 있을 것이며, 폐단이 있는 법을 가지고 백성들을 악독하게 대하고 포악하게 대할 수 있겠는가? 만약 임금이 진실하게 백성을 근심하고 염려하여 아파하는 마음을 가지고 있다면 밥을 먹을 겨를도 없을 것이다.

“그러므로 나라의 쌀 한 톨이라도 망령되게 사용하는 것을 내 자식의 살을 베는 것과 같이 해야 하고, 실오라기 하나라도 헛되이 허비함을 내 자식의 머리카락과 털을 끊어버리는 것과 같이 해야 한다. 그런 뒤에야, 임금의 실질적인 혜택이 아래로 백성에게 모두 미치고, 임금의 사랑이 백성의 가슴에 맺히게 되어, 나라의 근본이 굳건하게 될 것이다.”

다음으로 ‘평천하(平天下)’는 ‘세상을 평화롭게 한다.’는 뜻으로 백성을 먼저 섬기고, 받들고, 구휼해서 그 백성들을 받드는 모습을 모든 백성들이 본받고 또 전해짐이 그림자와 메아리처럼 빠르게 번져서 온 천하가 화평하게 지낼 수 있도록 한다는 뜻이야.
구휼(救恤)이란, 재난을 당한 백성들에게 식량이나 금품을 주어 구제하는 것을 말해.

요임금과 순임금은 천하를 어짊(仁)으로 다스려 모든 백성들이 따랐고, 걸임금과 주임금*은 천하를 포악하게 다스렸기 때문에 백성들이 등을 돌렸어.

* 걸(桀)·주(紂) – 각각 하나라과 은나라의 마지막 왕. 역사상 폭군으로 유명하다.

백성들의 어질고 포악함은 오직 위에서 어떻게 백성을 다스리는가에 달렸으니, 백성들이 좋아하는 것으로 다스리면 백성이 따르게 되고, 만일 백성들이 싫어하는 것으로 다스리면 백성들이 따르지 않게 돼.

은나라 마지막 왕이었던 폭군 주왕의 이야기를 한번 해 볼까? 주왕은 본래 총명하고 재치가 있으며 재능도 뛰어났다고 해.
그러나 나이가 들어 주색에 빠지게 된 후부터는 미녀인 달기를 총애하여 하루 종일 궁중에서 주연을 열어 유희를 즐겼다고 해.

그는 궁중에 연못을 파서 술을 가득 부어두고, 연못 사방에는 나뭇가지에 고기를 매달아 두었어.
'주지육림(酒池肉林)' 이란 고사가 여기에서 나온 거지.
아하! 술로 된 연못과 고기로 된 숲이란 뜻이군!
주왕은 백성들을 돌보는 정치를 하지 않고 총애하는 달기와 배를 타고 다니면서 즐겁게 놀다가 술을 퍼 마시고 고기를 따 먹었다고 해.

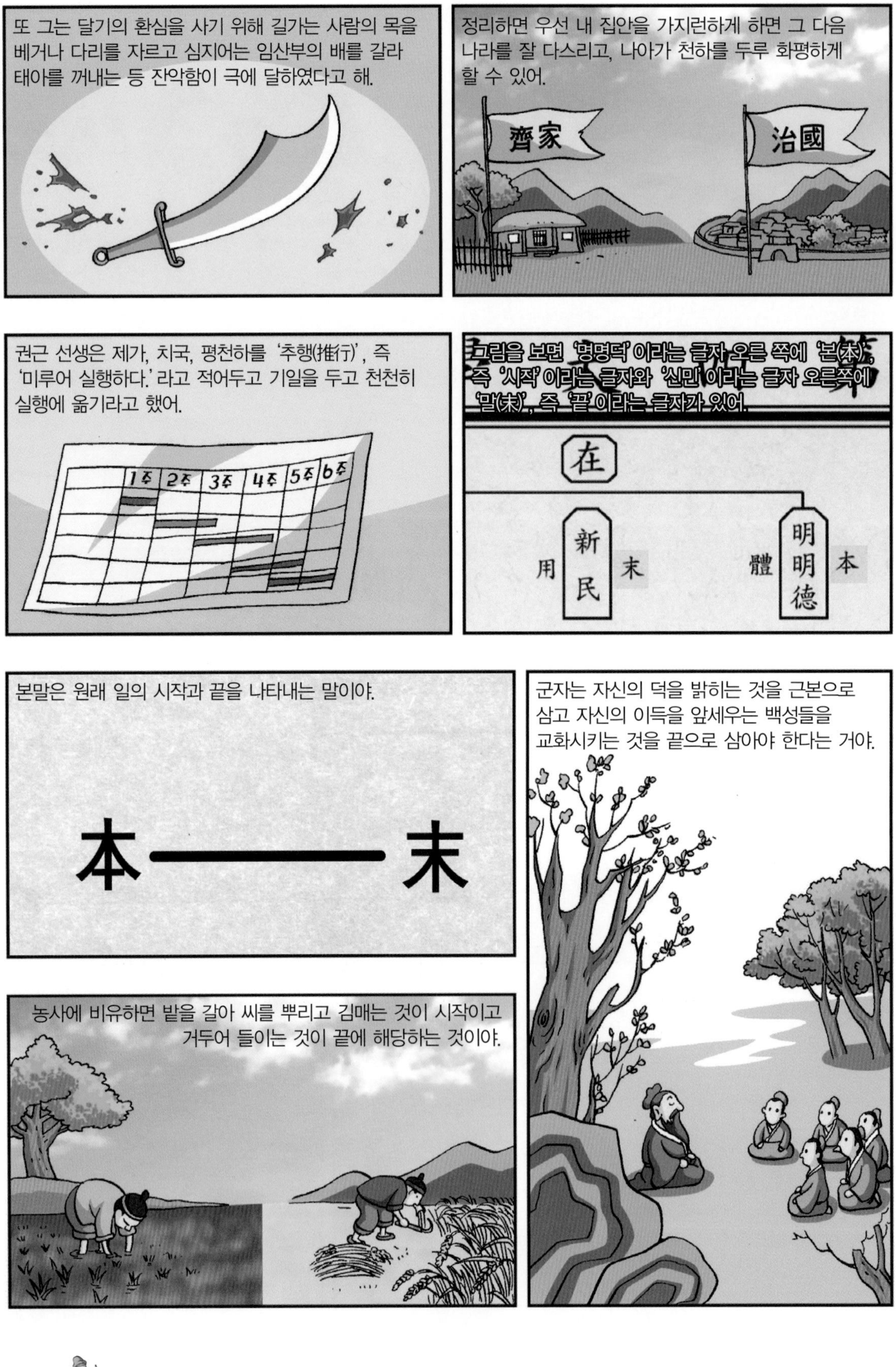
또 그는 달기의 환심을 사기 위해 길가는 사람의 목을 베거나 다리를 자르고 심지어는 임산부의 배를 갈라 태아를 꺼내는 등 잔악함이 극에 달하였다고 해.
정리하면 우선 내 집안을 가지런하게 하면 그 다음 나라를 잘 다스리고, 나아가 천하를 두루 화평하게 할 수 있어.
齊家
治國
권근 선생은 제가, 치국, 평천하를 '추행(推行)', 즉 '미루어 실행하다.' 라고 적어두고 기일을 두고 천천히 실행에 옮기라고 했어.
1주 2주 3주 4주 5주 6주
그림을 보면 '명명덕' 이라는 글자 오른 쪽에 '본(本)', 즉 '시작' 이라는 글자와 '신민' 이라는 글자 오른쪽에 '말(末)', 즉 '끝' 이라는 글자가 있어.
在
用
新民
末
體
明明德
本
본말은 원래 일의 시작과 끝을 나타내는 말이야.
本 — 末
농사에 비유하면 밭을 갈아 씨를 뿌리고 김매는 것이 시작이고 거두어 들이는 것이 끝에 해당하는 것이야.
군자는 자신의 덕을 밝히는 것을 근본으로 삼고 자신의 이득을 앞세우는 백성들을 교화시키는 것을 끝으로 삼아야 한다는 거야.

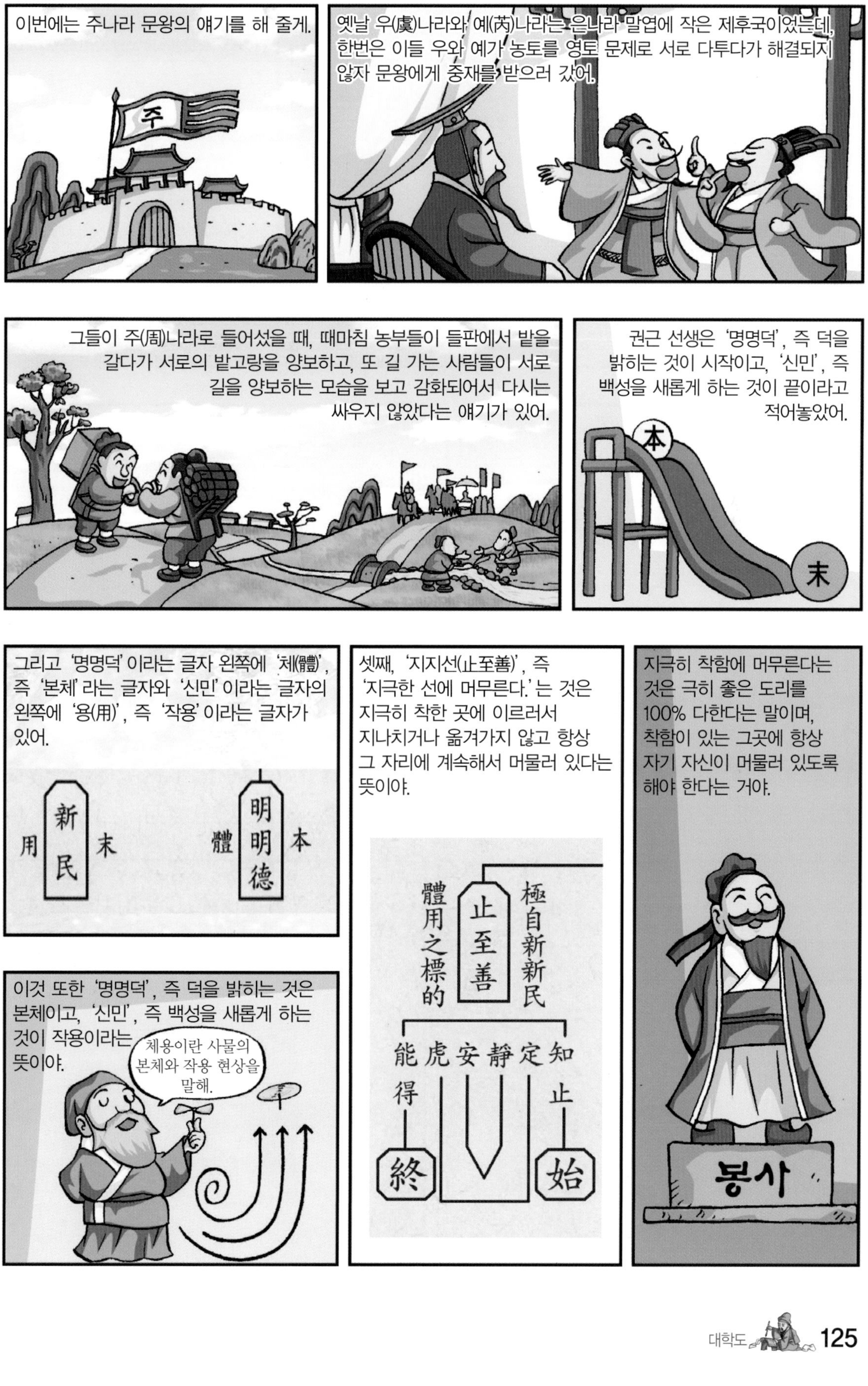
이번에는 주나라 문왕의 얘기를 해 줄게.
주
옛날 우(虞)나라와 예(芮)나라는 은나라 말엽에 작은 제후국이었는데, 한번은 이들 우와 예가 농토를 영토 문제로 서로 다투다가 해결되지 않자 문왕에게 중재를 받으러 갔어.
그들이 주(周)나라로 들어섰을 때, 때마침 농부들이 들판에서 밭을 갈다가 서로의 밭고랑을 양보하고, 또 길 가는 사람들이 서로 길을 양보하는 모습을 보고 감화되어서 다시는 싸우지 않았다는 얘기가 있어.
권근 선생은 '명명덕', 즉 덕을 밝히는 것이 시작이고, '신민', 즉 백성을 새롭게 하는 것이 끝이라고 적어놓았어.
本
末
그리고 '명명덕'이라는 글자 왼쪽에 '체(體)', 즉 '본체'라는 글자와 '신민'이라는 글자의 왼쪽에 '용(用)', 즉 '작용'이라는 글자가 있어.
用 新民 末
體 明明德 本
셋째, '지지선(止至善)', 즉 '지극한 선에 머무른다.'는 것은 지극히 착한 곳에 이르러서 지나치거나 옮겨가지 않고 항상 그 자리에 계속해서 머물러 있다는 뜻이야.
體用之標的 止至善 極自新新民
能得 虎 安 靜 定 知止
終 始
지극히 착함에 머무른다는 것은 극히 좋은 도리를 100% 다한다는 말이며, 착함이 있는 그곳에 항상 자기 자신이 머물러 있도록 해야 한다는 거야.
봉사
이것 또한 '명명덕', 즉 덕을 밝히는 것은 본체이고, '신민', 즉 백성을 새롭게 하는 것이 작용이라는 뜻이야.
체용이란 사물의 본체와 작용 현상을 말해.

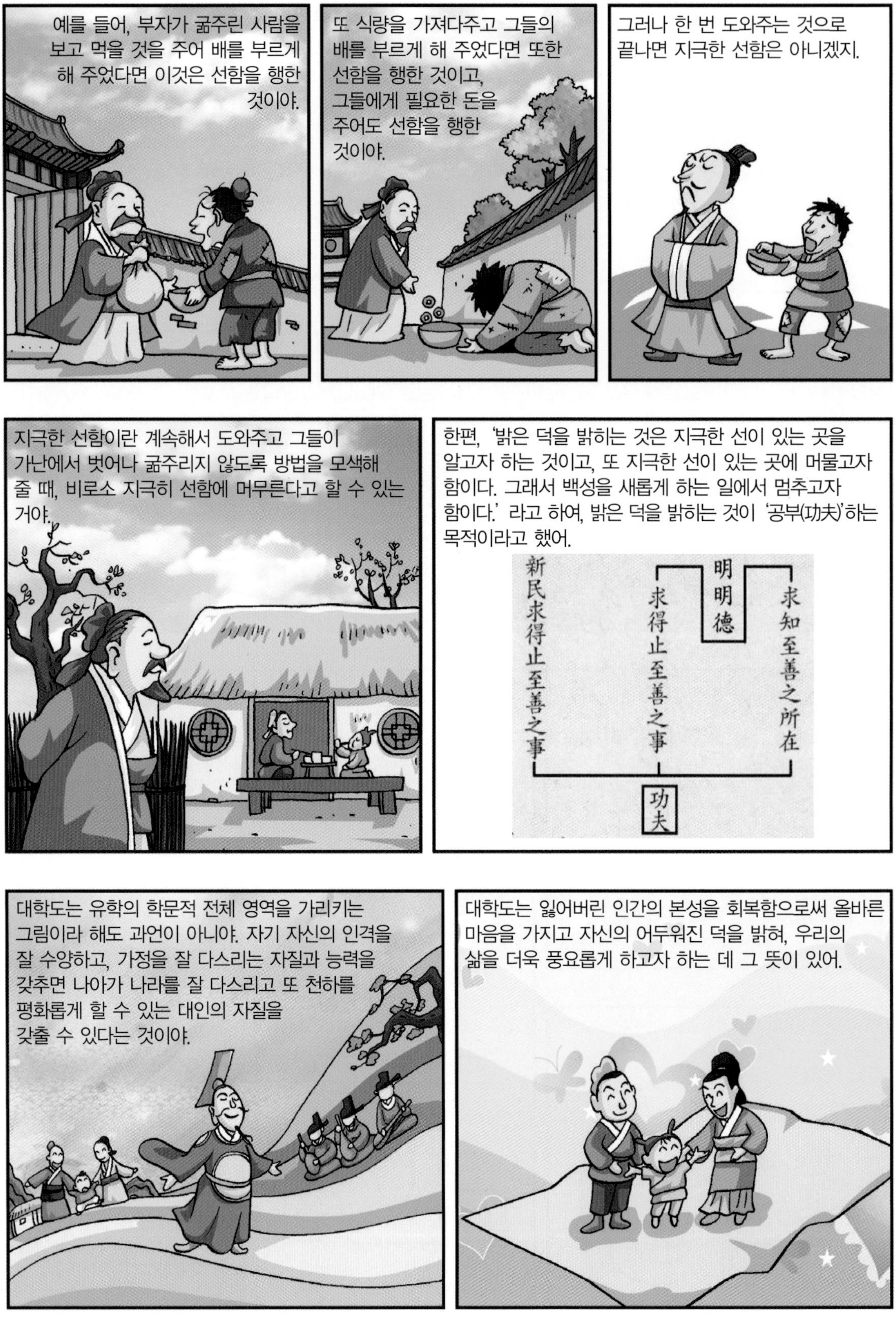
예를 들어, 부자가 굶주린 사람을 보고 먹을 것을 주어 배를 부르게 해 주었다면 이것은 선함을 행한 것이야.
또 식량을 가져다주고 그들의 배를 부르게 해 주었다면 또한 선함을 행한 것이고, 그들에게 필요한 돈을 주어도 선함을 행한 것이야.
그러나 한 번 도와주는 것으로 끝나면 지극한 선함은 아니겠지.
지극한 선함이란 계속해서 도와주고 그들이 가난에서 벗어나 굶주리지 않도록 방법을 모색해 줄 때, 비로소 지극히 선함에 머무른다고 할 수 있는 거야.
한편, '밝은 덕을 밝히는 것은 지극한 선이 있는 곳을 알고자 하는 것이고, 또 지극한 선이 있는 곳에 머물고자 함이다. 그래서 백성을 새롭게 하는 일에서 멈추고자 함이다.' 라고 하여, 밝은 덕을 밝히는 것이 '공부(功夫)'하는 목적이라고 했어.
明明德
求知至善之所在
求得止至善之事
新民求得止至善之事
功夫
대학도는 유학의 학문적 전체 영역을 가리키는 그림이라 해도 과언이 아니야. 자기 자신의 인격을 잘 수양하고, 가정을 잘 다스리는 자질과 능력을 갖추면 나아가 나라를 잘 다스리고 또 천하를 평화롭게 할 수 있는 대인의 자질을 갖출 수 있다는 것이야.
대학도는 잃어버린 인간의 본성을 회복함으로써 올바른 마음을 가지고 자신의 어두워진 덕을 밝혀, 우리의 삶을 더욱 풍요롭게 하고자 하는 데 그 뜻이 있어.

소수서원(紹修書院)과 도산서원(陶山書院)

신유학이라고 부르는 주자학이 우리나라에 들어온 것은 고려 충렬왕 때 안향(安珦)에 의해서였다. 안향은 서기 1289년 11월에 원나라로 가서 《주자서(朱子書)》를 손수 베끼고 공자와 주자의 화상(畵像)을 그려 고려로 돌아왔다. 그를 기리는 서원이 바로 소수서원이다. 소수서원과 함께 대표적인 서원인 도산서원에 대해 알아보자.

▲ 안향은 우리나라에 처음으로 주자학을 소개했다.

소수서원(紹修書院)

서기 1542년, 조선 중종 37년에 풍기군수였던 주세붕이 고려 시대 때 이 고장 출신 유학자인 안향의 업적을 기리고 제사를 지내기 위해 사당을 세웠다. 이듬해 이곳에서 지방 유생들을 교육하면서 백운동서원이라 명명하였다.

서기 1546년, 명종 1년에 경상도 관찰사로 부임한 안현(安玹)은 서원의 기반을 확충하는 데 주력하였다. 서기 1550년, 명종 5년에 풍기군수로 부임했던 이황이 명종에게 요청하여 조정에서 '소수서원' 이라고 사액(현판)을 받았다. 소수(紹修)의 뜻은 '선현의 뜻을 이어서 닦

▲ 우리나라 최초의 사액서원인 소수서원.

는다.' 이다. 조선 최초로 임금이 이름을 지어 내린 사액서원이자 사학(私學)기관이 된 소수서원은 후에 다른 서원들의 건립에 커다란 영향을 주었다. 서원의 건물은 강당인 명륜당(明倫堂)·일신재(日新齋)·직방재(直方齋)·영정각(影幀閣)·전사청(典祀廳)·지락재(至樂齋)·학구재(學求齋)·서장각(書藏閣)·경렴정(景濂亭) 등으로 이루어져 있다. 경상북도 영주시 순흥면 내죽리에 위치해 있으며, 사적 제55호로 지정되어 있다.

※회헌(晦軒) 안향(安珦)은 서기 1260년 고려 원종 때 주자학자.

※사액서원(賜額書院)은 조선 시대 왕으로부터 현판, 서적이나 토지 그리고 노비 등을 하사받아 그 권위를 인정받은 서원.

▲ 도산서원 전경. 오른쪽에 대청마루가 딸린 건물이 도산서당.

도산서원(陶山書院)

도산서원은 퇴계 선생이 죽은후, 그의 학덕을 추모하기 위하여 서기 1574년 선조 7년에 그의 문인(門人)과 유림(儒林)들이 세웠다. 이듬해인 1575년에 조정으로부터 '도산서원(陶山書院)' 이라는 한석봉이 쓴 편액(현판)을 하사 받음으로써 명실공히 사액서원이 되었다.

도산서원 내에는 퇴계 선생의 위패가 모셔진 사당과 서원이 배치되어 있다. 서원은 동서재(東西齋), 전교당(典敎堂), 상덕사(尙德祠) 등으로 구성되어 있으며, 서원 안에는 약 400종, 4,000권이 넘는 장서와 장판(藏板) 및 이황의 유품이 남아 있다. 조선 말 흥선대원군(興宣大院君)이 서원 철폐를 할 때도 소수서원(紹修書院), 숭양서원(崧陽書院) 등과 함께 철폐 대상에서 제외되었다고 한다. 경상북도 안동시 도산면 토계리에 자리잡고 있으며, 1969년 문화체육부에서 해체하여 새로운 모습으로 복원하였다.

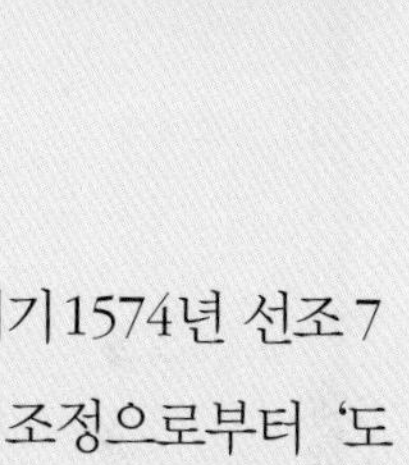

제7장 백록동규도

第五白鹿洞規圖

父子有親
君臣有義
夫婦有別
長幼有序
朋友有信

右五教之目

堯舜使契爲司徒敬敷五教卽此是也學者學此而已其所以學之之序亦有五焉

博學
審問
愼思
明辨

窮理之要

篤行

言忠信行篤敬
懲忿窒慾遷善改過

修身之要

正其意不謀其利
明其道不計其功

處事之要

己所不欲勿施於人
行有不得反求諸己

接物之要

제5도 백록동규도

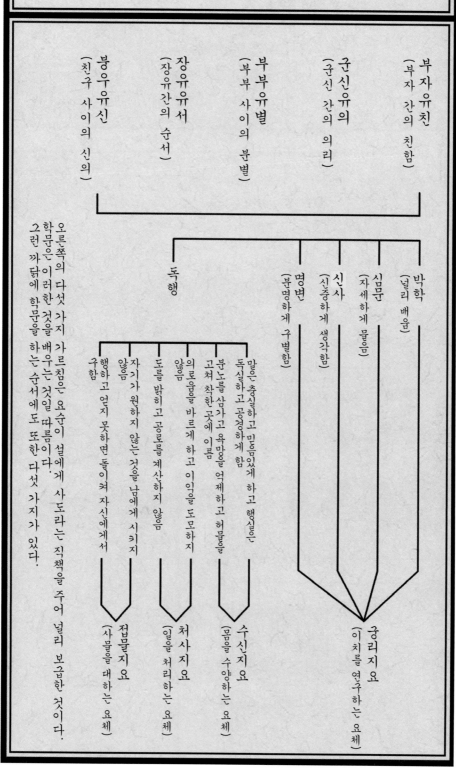

- 부자유친 (부자 간의 친함)
- 군신유의 (군신 간의 의리)
- 부부유별 (부부 사이의 분별)
- 장유유서 (장유간의 순서)
- 붕우유신 (친구 사이의 신의)

- 박학 (널리 배움)
- 심문 (자세하게 물음)
- 신사 (신중하게 생각함)
- 명변 (분명하게 구별함)
  - 궁리지요 (이치를 연구하는 요체)

- 독행
  - 말은 충실하고 믿음있게 하고 행실은 독실하고 공경하게 함
  - 분노를 삼가고 욕망을 억제하고 허물을 고쳐 착한 곳에 이름
    - 수신지요 (몸을 수양하는 요체)
  - 의로움을 바르게 하고 이익을 도모하지 않음
  - 도를 밝히고 공로를 계산하지 않음
    - 처사지요 (일을 처리하는 요체)
  - 자기가 원하지 않는 것을 남에게 시키지 않음
  - 행하고 얻지 못하면 돌이켜 자신에게서 구함
    - 접물지요 (사물을 대하는 요체)

오른쪽의 다섯 가지 가르침은 요순이 설에게 사도라는 직책을 주어 널리 보급한 것이다. 학문은 이러한 것을 배우는 것일 따름이다. 그런 까닭에 학문을 하는 순서에도 또한 다섯 가지가 있다.

'백록동규도(白鹿洞規圖)'는 주자가 백록동서원에서 제자들을 가르치기 위해서 만든 규범으로, 퇴계 선생이 그 목차를 뽑아 그림으로 그린 것이야.
다시 말하면 백록동규는 백록동서원의 규칙이라는 뜻으로, 주자가 삼강오륜에서 특히 오륜을 강조하여 인간의 타고난 본성을 밝히는 데 주안점을 둔 내용이야.
백록동서원은 중국 당나라 때부터 송나라 때에 이르기까지 있었던 서원 가운데 하나였어. 당나라 때 이발(李渤)이 이곳에 은거하면서 흰 사슴을 길렀더니 항상 그의 곁에 머물러서 그를 백록 선생이라 부르게 되어, 지명이 백록동이 되었다고 해.
사슴이 백 마리니 백록동이라고 부르자고.
그러세.
퇴계 선생은 백록동규도에서 진정한 학문이란 바로 인간이 되기 위한 학문이라는 것을 밝히고자 했어.
인간이 될 수 있다고?
백록동규도는 두 부분으로 나누어져 있어. 윗부분은 오륜에 대하여, 아랫부분은 사물의 이치를 궁리하는 내용으로 되어 있지.
第五白鹿洞規圖
父子有親
君臣有義
夫婦有別
長幼有序
朋友有信
右五敎之目
堯舜使契爲司徒敬敷五敎卽此是也學者學此而已其所以學之之序亦有五焉
博學
審問
愼思
明辨
窮理之要
篤行
言忠信行篤敬
懲忿窒慾遷善改過
修身之要
正其意不謀其利
明其道不計其功
處事之要
己所不欲勿施於人
行有不得反求諸己
接物之要
자, 그럼 본격적으로 알아볼까?
?

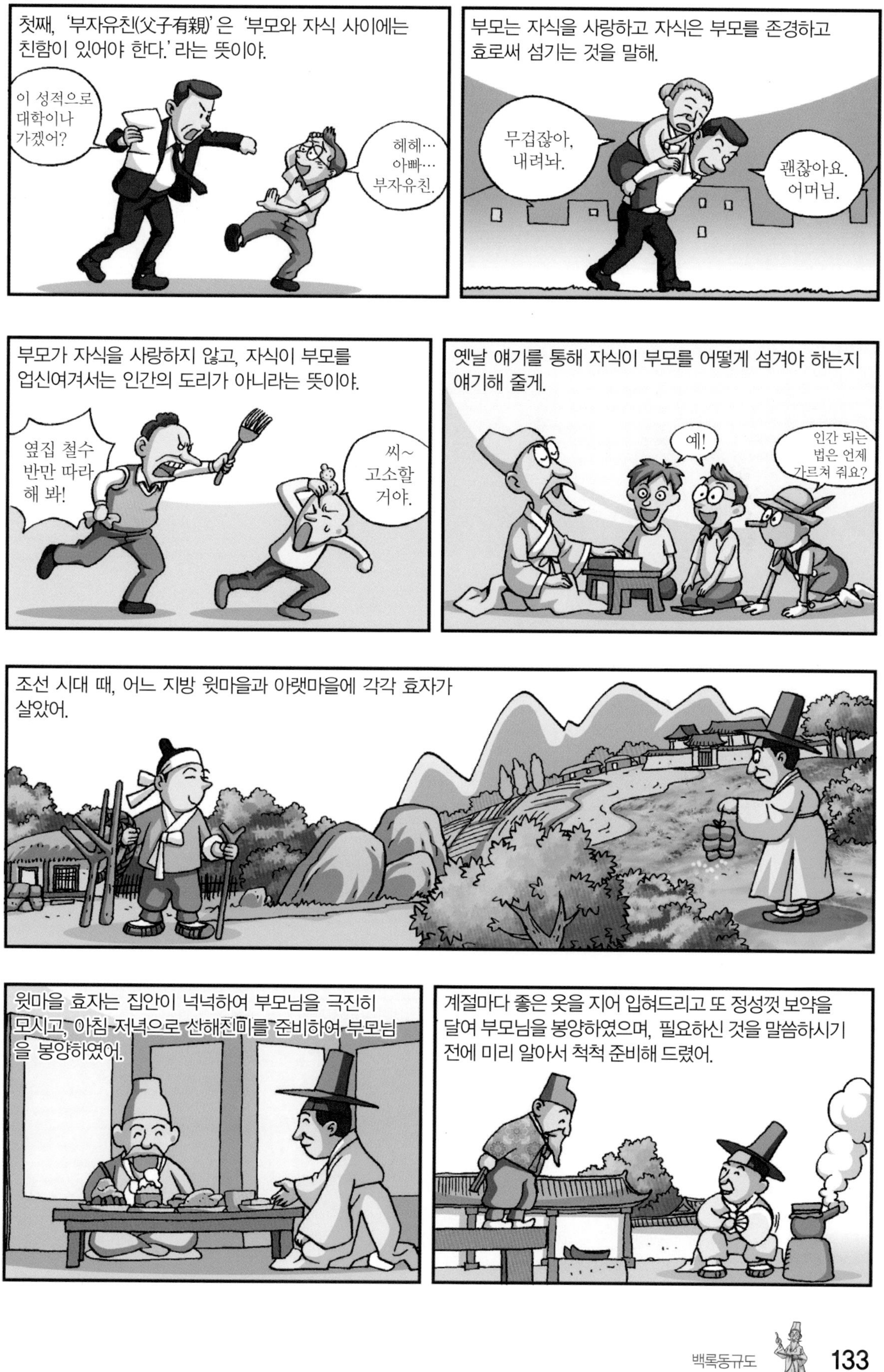
첫째, '부자유친(父子有親)'은 '부모와 자식 사이에는 친함이 있어야 한다.'라는 뜻이야.
이 성적으로 대학이나 가겠어?
헤헤… 아빠… 부자유친.
부모는 자식을 사랑하고 자식은 부모를 존경하고 효로써 섬기는 것을 말해.
무겁잖아, 내려놔.
괜찮아요. 어머님.
부모가 자식을 사랑하지 않고, 자식이 부모를 업신여겨서는 인간의 도리가 아니라는 뜻이야.
옆집 철수 반만 따라 해 봐!
씨~ 고소할 거야.
옛날 얘기를 통해 자식이 부모를 어떻게 섬겨야 하는지 얘기해 줄게.
예!
인간 되는 법은 언제 가르쳐 줘요?
조선 시대 때, 어느 지방 윗마을과 아랫마을에 각각 효자가 살았어.
윗마을 효자는 집안이 넉넉하여 부모님을 극진히 모시고, 아침·저녁으로 산해진미를 준비하여 부모님을 봉양하였어.
계절마다 좋은 옷을 지어 입혀드리고 또 정성껏 보약을 달여 부모님을 봉양하였으며, 필요하신 것을 말씀하시기 전에 미리 알아서 척척 준비해 드렸어.

이런 일들로 마을사람들에게 효자로 소문이 났던 거야.
저 양반이 그렇게 효자라며?
반면에 아랫마을 효자는 노모를 모시고 살았으나, 집안 형편이 좋지 못했어.
어머니, 왜 나와 계세요?
하루 종일 산에 가 나무를 해서 시장에 팔아서 끼니를 이어가는 정도였어.
하루는 윗마을 효자가 아랫마을 효자의 행실을 구경하기 위해 담 밖에 숨어 살펴보았어.
때마침 산에서 나무를 하고 내려온 아들은 마당에 지게를 내려놓았어.
노모께서 부르니 아들이 좋아하며 달려가 마루에 앉는 거야.
노모는 아들의 신발을 벗기고 세숫대야에 물을 가져다가 아들의 발을 씻어 주며 행복해하였어.
지나가던 마을사람들이 이 광경을 보고 모두 수군대며 “어찌 어머니의 발을 씻어드리지 못할망정 자식이 되어 저렇게 발을 내어놓고 늙으신 어머님이 씻어 주기를 바랄까?” 하며 흉을 보았지.

그때 스님 한 분이 지나가며 "정말로 효자로다!"라고 했어.
이 이야기를 보면 부모님을 섬기는 방법이 각각 다르다고 할 수 있어.
앞의 효자는 부모님의 몸을 봉양한 것이요,
뒤에 효자는 부모님의 뜻을 봉양한 것이라 할 수 있어.
그러므로 자식이 부모에게 효도를 할 때에는 부모님의 몸을 봉양하기 전에, 부모님의 뜻을 봉양하는 것이 가장 중요하다는 얘기야.
음~일리가 있는 말이야.
둘째, '군신유의(君臣有義)'는 '임금과 신하 사이에는 의리가 있어야 한다.'라는 뜻이야.
임금은 신하를 의로써 대하고, 신하는 임금을 충성으로 섬겨야 한다는 뜻이야.
훌륭한 임금은 신하를 어떻게 생각할까?

옛날 초나라 사람 왕손어가 진(晉)나라에 사신으로 갔어.
진
진나라 왕이 잔치를 베풀어 그를 대접했어.
그때 진나라 신하 조간자가 보물 옥패를 들고 나오며 인사하며 말하길 "초나라에는 보물로 여기는 옥패가 있는지요?" 하니,
왕손어가 대답하기를 "저희 초나라에서 보배로 삼는 것은 옥패가 아니고, 관사부(觀射父)라는 사람입니다."
"이 사람은 성현들께서 남긴 훌륭한 덕을, 사람에게 잘 전달합니다. 저희 초나라 임금께서는 다른 제후들과 얘기를 할 때 말싸움을 잘하시는데, 그러지 않도록 가르치는 역할을 하는 사람이지요.
또 의상(倚相)이라는 사람도 있습니다. 그는 매일 임금님을 찾아뵙고 돌아가신 선왕의 업적을 아뢰어 임금께서 선왕을 본받도록 하시며 또한 그 남긴 업적을 잊지 않도록 가르칩니다.

만약 저희 임금께서 다른 제후들과 같이 재물과 보물들을 좋아했다면, 초나라의 백성들을 온전하게 보호할 수 없었겠지요. 그러니 우리 초나라의 보배는 그런 옥패가 아니라 바로 훌륭한 신하들입니다."라고 하였지.
이 얘기처럼 왕이 어질고 훌륭한 신하를 보배로 여기면, 조정의 신하들은 오직 임금께 충성을 다하겠지.
반대로 만약 왕이 충성된 신하를 믿지 못하면 어떻게 될까?
기원전 40년경, 한(漢)나라를 중흥시킨 선제의 아들 원제의 얘기야.
소망지라는 사람은 선제가 발탁해서 태자대부로 삼은 충신이야.
선제가 죽은 후 얼마 동안은 그 아들 원제가 소망지를 존경하여 곁에 두고 국사를 함께 논의하여 해결하였어.
그런데 얼마 지나지 않아 갑자기 원제가 환관 출신인 홍공석현이라는 사람에게 정사를 맡겼어.
소망지가 원제에게 상소를 올려 홍공석현에게 정사를 맡겨서는 안 된다고 말했어.

이런 내용을 엿들은 홍공석현이 원제에게 소망지가 권세를 차지하려 한다고 거짓으로 고하자, 원제는 소망지를 옥에 가두어 버렸어.
모함에 빠진 소망지가 자신이 법정에 나가게 됨을 알자 이를 수치로 여겨 옥 안에서 독약을 먹고 자살해 버렸어.
그 후 원제는 충실한 선비를 죽음에 이르게 했다고 후회했지만, 이미 소망지는 죽었고, 몇 번이고 홍공석현을 대궐 밖으로 내치려고 했지만 차마 결심하지 못하는 동안에 홍공석현이 국정을 어지럽혀 나라가 기울더니, 결국 훗날 왕망(王莽)에게 나라를 빼앗기게 되는 원인을 만들었어.
셋째, '부부유별(夫婦有別)'은 '남편과 부인 사이에는 분별이 있어야 한다.'는 뜻이야.
여기에서 분별이란, 남편은 남편으로서 본분이 있고 아내는 아내로서 본분이 따로 있으니 이를 잘 헤아려서 서로 침범하지 않고 잘 지켜야 한다는 말이야.
다시 말하면, 남편이 좀 잘못해도 아내가 참고 도리를 지키면 복이 온다는 말이고, 아내가 좀 잘못하더라도 남편이 도리를 지키면 집안이 화목하게 된다는 뜻이야.

전라북도 남원시에 전해 내려오는 설화야. 부부의 도리를 잘 지켜 복을 받는 부부의 얘기를 해 줄게.
옛날 남원 땅 한 고을에 글만 읽는 남편과 혼자 품을 팔아 가족들을 먹여 살리는 아내가 살고 있었어.
아무리 힘들어도 아내는 불평 한마디 늘어놓지 않고 열심히 일을 했어.
하루는 아내가 남의 밭을 갈다가 누런 돌멩이 하나를 발견하고 집에 가져와 남편에게 보여주었어.
남편은 그 돌멩이가 금덩인 줄 알아차리고 서울에 가서 팔아 오겠다며 길을 떠났어.
한강나루에 도착해서 강을 건너려는데, 어떤 부부가 서로 잡아당기고 싸우고 있었어.
남편은 금덩이를 파는 일이 급해서 그냥 한양으로 들어가 백 냥을 받고 금덩어리를 팔았어.
남편은 돈을 허리춤에 차고 기쁜 마음으로 다시 한강을 건너려는데, 강가에서 싸우던 부부가 여전히 싸움을 하고 있었어.

남편은 주저하다가 결국 부부에게로 가서 싸우는 이유를 물었어.
왜들 싸우시오?
부부는 싸움을 멈추고 잠시 머뭇하더니 남자가 말했어.
내가 나랏돈 백 냥을 빌렸는데, 아무 날까지 갚지 않으면 목이 달아납니다.
내가 죽으면 돈을 갚지 않아도 되지 않습니까. 그래서 죽으려고 하니 한사코 아내가 죽지 말라고 말리는 것입니다.
남편이 딱한 사정을 듣고 딸린 식구가 몇 명이냐고 묻자 아들 딸 다섯 명에 모두 일곱이라고 했어.
마음씨 착한 남편은 순간, '우리 집은 백 냥이 없어도 당장 죽지는 않아. 차라리 이 돈으로 일곱 명을 살려주어야겠다.' 고 생각하여 가진 돈을 건네주었어.
고향으로 돌아온 남편은 아내에게 금덩어리를 판 백 냥을 다른 사람에게 준 이야기를 했어.
그러자 아내는 오히려 남편이 한 일을 자랑스럽게 생각하였어.

남편은 아내의 어진 마음씨에 감격을 하고, 자기 아내를 더욱 극진하게 대했어.
세월이 몇 년 흘러, 어느 부자 부부가 남원고을로 찾아와 남편을 찾았어.
남편이 밖으로 나가보니 한강에서 죽으려고 싸우던 부부들이었어.
그들은 남편이 건네준 돈으로 나라 빚을 갚고, 열심히 돈을 모아 부자가 되었다고 했어.
그리고 자신들이 모은 재산의 반을 주겠다고 하며, 의형제를 맺자고 했어.
이후 두 집안은 의형제를 맺고 평생 행복하게 살았다고 해.
아내는 남편을 믿고 의심하지 않고, 남편은 아내의 어진 마음씨를 사랑하여 부부의 도리를 다하니 하늘도 무심치 않고 축복을 내린 것이야.

넷째, '장유유서(長幼有序)'는 '어른과 아이 사이에는 차례가 있어야 한다.'는 뜻이야.
나이 많은 사람은 나이 어린 사람에게 사랑을 베풀고,
어린 사람은 어른을 공경하는 마음을 가져야 한다는 뜻이야.
어린 사람이 나이 많은 사람을 공경할 때 순서는 자연히 생기는 법이야.
식당이나 정류장, 각종 매표소에서 흔히 볼 수 있는 광경으로 어린 사람이 나이 많은 사람 앞에 서서 기다리고 있어.
bus
대중교통을 이용하다보면 젊은 사람은 앉아 있고 나이 많은 사람이 서 있는 모습을 볼 수가 있어.
장유유서의 구분이 없어지고 인륜의 도덕이 무너진 혼탁한 세상에서 볼 수 있는 장면들이야.
다섯째, '붕우유신'은 '친구 사이에는 믿음이 있어야 한다.'는 뜻이야.
다시 말하면 친구는 덕과 믿음으로 사귄다는 뜻이야. 돈이나 권력으로 친구를 사귀면 안 된다는 뜻이지.

충청북도 음성군에서 전해 내려오는
진정한 친구 이야기를 소개해 줄게.
음성군
옛날 어느 부자가 슬하에 자식을 하나 두었어.
그런데 이 자식이 돈을 물 쓰듯 쓰며 친구를
사귀었어.
하루는 부자 아버지가 아들에게
친구가 몇 명이냐 물었어.
아들이 삼사십 명 된다고
했어.
아버지가 다시 진실한 친구가 몇 명인지 묻자
아들이 그래도 열 명 정도는 된다고 말했어.
부자 아버지는 아들의 잘못된 버릇을 고쳐주기
위해 꾀를 내었어.
어느 날 부자 아버지가 갑자기 아들의 방에 뛰어 들어가
소리쳤어. "얘야, 내가 지금 사람을 죽이고 말았구나.
여기 있으면 발각되기 쉬우니 너희 친한 친구 집에 가서
몸을 좀 숨기자꾸나! 너에게 진실한 친구가 열 명 정도 있다
하니 한번 부탁해 보자."라고 하고 아들과 친구 집으로 갔어.

그러나 아들이 제일 친하다고 생각하는 친구는, 말을 듣자마자 문부터 걸어 버렸어.
탁
부자 아버지와 아들은 다음 친구 집으로 갔어.
다른 친구들도 마찬가지였어. 한 사람도 받아주는 친구가 없었어.
탕
부자 아버지는 아들에게 말했어.
너의 진실한 친구들은 모두 거절하는구나.
그렇다면 아비에게 친구가 한 명 있는데 그곳으로 가 보자.
아버지는 아들을 데리고 친구 집으로 갔어.
그리고 자초지종을 얘기하니 아버지의 친구는 "어쩌다 그런 일을 저질렀는가? 하여튼 어서 안으로 들어오게."라고 하였어.
어서 들어오게.
부자 아버지는 아들과 함께 안으로 들어갔지. 집안으로 들어오자 그 친구는 아버지에게 "여보게, 자수를 하게. 죄 짓고 사는 삶이 편하겠는가." 하고 설득하였어.

아버지는 그 말을 기다렸다는 듯이,
"맞는 말일세."하고는 아들에게 말하길 "진정한 친구란 네가 가진 것이 없을 때도 너를 진정 생각해 주고 아껴주는 사람이야."라고 말하고 친구와 자식에게 자신이 꾸민 일을 털어놓았어.

아들은 아버지의 친구를 보며, 자신의 어리석음을 뉘우치고 마음을 바꾸어 새사람이 되었다고 해.

진정한 친구의 의미가 뭘까? 바로 여러분들이 아무것도 없을 때라도 언제든지 한결같이 믿고 따라주는 친구가 아니겠어.

그래서 서양 철학자 아리스토텔레스는 "불행은 진정한 친구가 아닌 자를 가려준다."라는 말을 남기기도 했어.

지금까지 다섯 가지 인륜의 도리, 즉 오륜에 대해서 살펴보았어.
三綱五倫

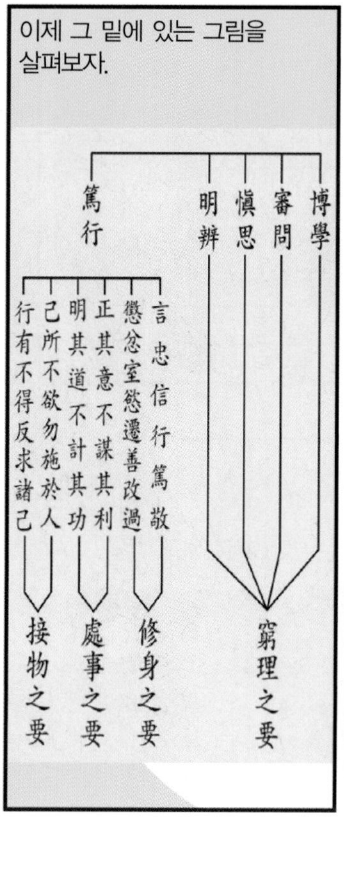
이제 그 밑에 있는 그림을 살펴보자.
博學
審問
愼思
明辨
篤行
言忠信行篤敬
懲忿窒慾遷善改過
正其意不謀其利
明其道不計其功
己所不欲勿施於人
行有不得反求諸己
窮理之要
修身之要
處事之要
接物之要

퇴계 선생님께서는 오륜의 밑에 《중용》에 나오는 글귀를 인용하여 학문하는 순서를 도표로 나타내었어. 먼저 사람으로서 행할 도리를 설명한 부분이야.

첫째, '박학(博學)', 즉 '넓게 배운다.'는 뜻이야. 학문의 이치를 연구할 때는 넓게 배워야 한다는 뜻이란다. 박학하기 위해서는 책을 많이 봐야 해.
'남아수독오거서(男兒須讀五車書)'라는 옛말이 생각나. '사내아이로 태어나 다섯 수레의 책은 읽어야 한다.'는 뜻이야.
뜨 악
이 정도는 읽어줘야….
난, 여자니까 책을 많이 읽지 않아도 된다고 생각하는 사람은 없겠지? 예나 지금이나 독서를 많이 해야 하는 거야.
요즘 여자가 공부를 더 열심히 하는 걸 모르시나.
갑자기 '한우충동(汗牛充棟)'이란 한자성어가 생각나네.
아~ 한우 먹고 싶다.
뭐? '한우'라고 하니 한국산 쇠고기가 생각난다고? 하하하!
지글 지글
그런 뜻이 아니고 '한(汗)은 땀 한', 우(牛)는 소 우, 충(充)은 채울 충, 동(棟)은 용마루 동, 즉 '책을 소달구지에 실으면 소가 땀을 흘리고 집안에 쌓으면 용마루까지 닿게 된다.'는 것으로 책이 많다는 뜻이야.
박학이라고 해서 책을 많이 읽는 것만은 아니야. 많이도 읽어야겠지만, 깊게도 읽어 그 뜻을 자세하게 알도록 해야 해.
일찍이 공자는 책을 엮었던 가죽 끈이 세 번 떨어질 때까지 봤다고 해.
그래서 생긴 고사성어가 '위편삼절(韋編三絕)'이야.
위편삼절(韋編三絕)이란 종이가 없어 대나무에 글자를 써서 책으로 만든 죽간을 보던 시절, 공자가 그것을 하도 여러 번 보아서 가죽 끈으로 엮은 죽간 끈이 세 번 끊어지도록 반복해서 읽었다는 뜻이야.

둘째, '심문(審問)', 즉 '자세하게 묻는다.'는 뜻이야.
모르는 것이 있으면 정성스러운 마음으로 자세하게 묻는다는 뜻이지.
그렇다면 이럴 경우 …
하나로 통일되느니라.
물을 때는 버릇없이 물으면 안 돼.
3번 문제 잘 모르겠거든요.
자기 자신이 진실로 모르는 것을 애타게 구하려는 마음으로 정성을 다해 물어야 해.
그래야 가르쳐 주는 사람도 마음을 다해 깊이 생각하여 정성껏 가르쳐 주는 거야.
흔히 우리들은 모르는 것이 있으면 그냥 달려가 선생님께 여쭈는 경우가 많아. 그것은 좋은 습관이 아니야.
그러지 말고 우선 자신이 먼저 책이나 사전 또는 컴퓨터를 통해서 열심히 알아본 뒤, 그래도 의심되는 것이 있으면, 그때 선생님께 묻는 것이 옳은 방법이겠지.
자신은 아무런 노력도 하지 않고, 마치 선생님께 물으면 모든 것이 해결된다는 사고는 좋지 못한 생각이야.
저요!
그래서 심문이란 학문을 하다가 의혹된 것이 있으면, 마땅히 먼저 책을 통해 여러 번 숙독하거나, 백과사전을 통해서 자세히 찾아본 뒤, 그래도 의혹된 점이 남아 있으면, 선생님께 찾아가 정성스런 마음으로 그 뜻에 대한 의혹이 풀릴 때까지 자세하게 묻는다는 뜻이야.

셋째, '신사(愼思)', 즉 '신중하게 생각한다.'는 뜻이야.
…….
무슨 생각을 할까?
옛날 성현들의 말씀이나 법이 경전 속에 모두 들어 있으니, 학문하는 사람들은 진실로 여러 번 숙독하여 깊이 생각해야 한다는 뜻이야.
論語
孟子
idea
聖經
책속에 들어 있는 내용을 한 번 읽어 모르겠으면 여러 번 읽어 그 뜻을 깊이 생각해 보아야 한다는 거야.
한 번 읽어 잘 모르겠으면, 두 번, 세 번, 아니 열 번이라도 계속 반복해서 읽고 깊이 생각해 봐야 그 뜻을 이해할 수 있겠지.
옛말에 '독서백편의자현(讀書百遍義自見)', 즉 '아무리 어려운 글도 백 번 반복해서 읽으면, 그 뜻을 깨우치게 된다.'라는 말이 있어.
하늘~천
따~지
넷째, '명변(明辨)', 즉 '밝게 판단한다.'는 뜻이야.
사물의 이치를 규명하는 데 있어서 분명하게 분별할 수 있어야 한다는 뜻이야.
다시 말하면, 사물의 이치에 대하여 옳고 그름을 분명히 구분하고 또 판단할 수 있어야 한다는 뜻이야.
저 수박나무로 말할 것 같으면

많은 지식을 가지고 있는 사람이라 할지라도 사물에 대해 옳고, 그름을 분명하게 구별할 수 없다면, 올바른 도리를 행할 수 없다는 뜻이지.
복잡한 사건에 얽히기 싫어.
예를 들어 우리 학급에서 갑자기 도난사고가 발생했어.
내 mp3!
그런데 나와 가장 친한 친구가 그 잃어버린 물건을 훔쳐가는 것을 나 혼자 보았어.
그럼 어떻게 해야 할까? 이런 점에 대하여 분명하게 구별할 수 있어야 한다는 거야.
흔히 나와 친한 친구니까 눈감아 줘야지 아니면 내가 입 다물고 있으면 아무도 모르는 일이니 그냥 넘어가자라는 식으로 그 친구를 두둔한다면, 이러한 행위는 사물에 대한 이치를 분명하게 구별하지 못하고 있는 행동이야.
어떡하지?
친한 친구를 범인으로 밝힌다는 사실은 안타까운 일이지만, 그 친구의 앞날을 위해 개과천선할 수 있는 기회를 만들어 주면 오히려 그것이 더 친구를 위한 마음이겠지.
그래.
결심했어.
사물의 이치를 판단할 때 나의 주관적인 생각이나, 주변 사람들의 생각이 개입되는 것은 금물이야. 반드시 성현들의 법에 따라 바르게 분별해야 해.
개과천선(改過遷善)이란, 잘못을 고쳐 착한 곳으로 나아간다는 뜻이야.

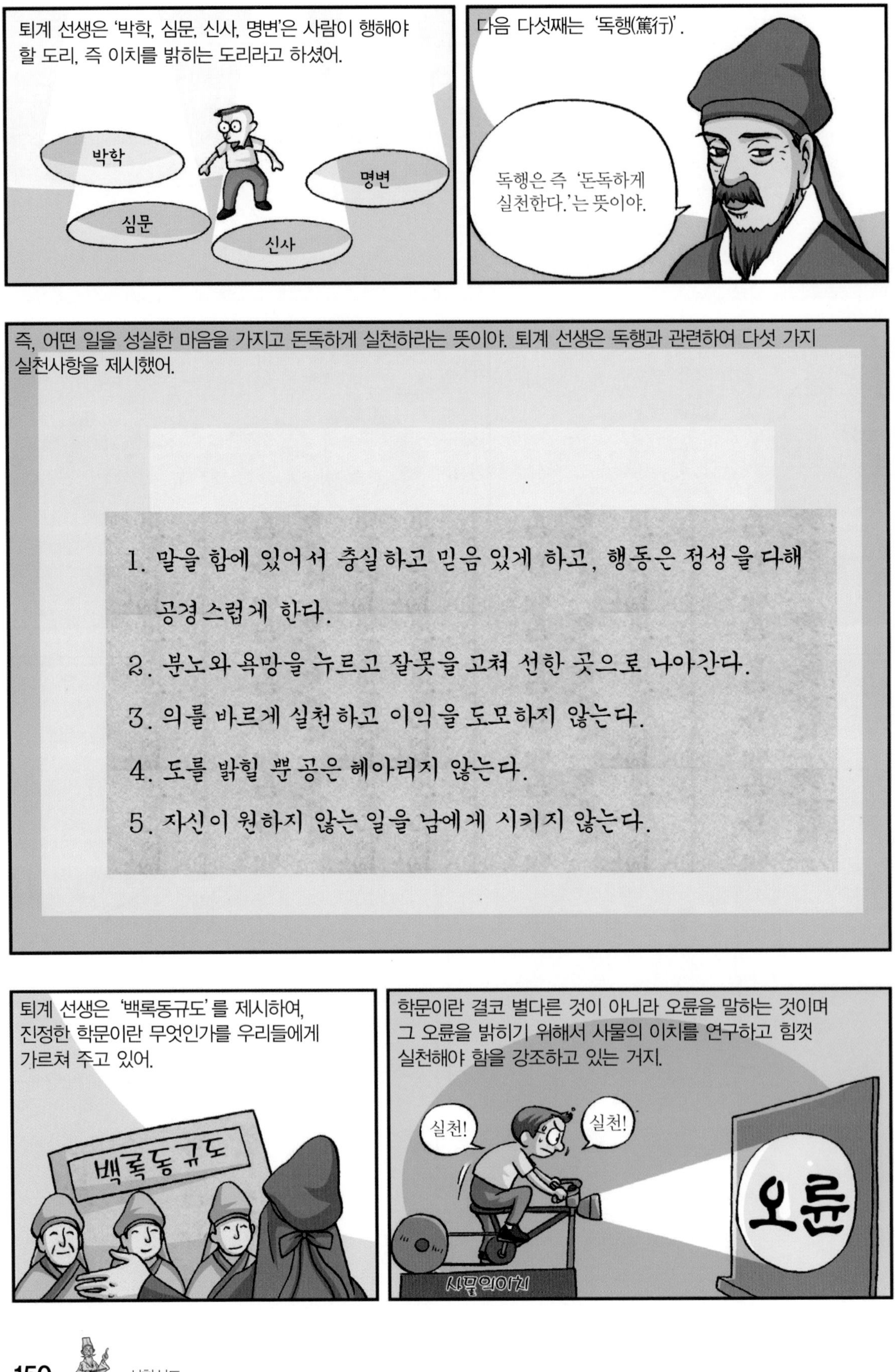
퇴계 선생은 '박학, 심문, 신사, 명변'은 사람이 행해야 할 도리, 즉 이치를 밝히는 도리라고 하셨어.
박학
심문
신사
명변
다음 다섯째는 '독행(篤行)'.
독행은 즉 '돈독하게 실천한다.'는 뜻이야.
즉, 어떤 일을 성실한 마음을 가지고 돈독하게 실천하라는 뜻이야. 퇴계 선생은 독행과 관련하여 다섯 가지 실천사항을 제시했어.
1. 말을 함에 있어서 충실하고 믿음 있게 하고, 행동은 정성을 다해 공경스럽게 한다.
2. 분노와 욕망을 누르고 잘못을 고쳐 선한 곳으로 나아간다.
3. 의를 바르게 실천하고 이익을 도모하지 않는다.
4. 도를 밝힐 뿐 공은 헤아리지 않는다.
5. 자신이 원하지 않는 일을 남에게 시키지 않는다.
퇴계 선생은 '백록동규도'를 제시하여, 진정한 학문이란 무엇인가를 우리들에게 가르쳐 주고 있어.
백록동규도
학문이란 결코 별다른 것이 아니라 오륜을 말하는 것이며 그 오륜을 밝히기 위해서 사물의 이치를 연구하고 힘껏 실천해야 함을 강조하고 있는 거지.
실천!
실천!
오륜
사물의이치

조선의 유학과 퇴계의 성리학

1392년 태조가 조선을 건국하면서 국가의 이념을 유학으로 정하여 유학을 숭상하고 불교를 억제하는 '숭유억불(崇儒抑佛)' 정책을 실시함으로써 명실 공히 유학은 조선의 국시(國是)로 자리 잡았다.

※국시(國是): 국가 이념이나 국가 정책을 말함.

조선의 유학

중국 송나라 때 주자가 편찬한 《사서집주(四書集註)》의 유가 경전들이 과거제도에 도입되었다. 그 후 중국 사람들은 벼슬에 나아가기 위해서 유가 경전을 공부해야 했다. 중국의 과거제도를 도입한 조선에서도 많은 선비들이 유학을 공부하여 벼슬길에 나아가게 되었다. 선비들은 유가의 근본사상인 인의를 실천하기 위해 수기(修己)와 치인(治人)의 수양을 함양하였으며, 나라의 임금도 예외가 될 수 없었다. 조선 초기, 유학이 국시(國是)로 자리 잡기까지 많은 학자들이 기여를 했는데 특히 이색, 정몽주, 길재, 정도전, 하윤 등이 있다. 서기 1419년 세종 때, 《사서오경대전(四書五經大全)》과 《성리대전(性理大全)》이 완성된 이후 많은 학자들이 경전 연구에 몰두하였다.

▲ 주자

▲《성리대전(性理大全)》

※성리학은 북송시대 유학자 정이천의 '성즉리(性卽理)'라는 명제, '인간의 본성은 천리로서 순수하고 절대적인 선이다.'를 계승하여 이(理)와 기(氣)의 관계를 규명하는 학문이다. 신유학이라고 부르는 성리학은 주자가 집대성한 이론으로 우주의 만물들이 생성되었다가 소멸되는 것이 이와 기에 의해 이루어진다고 본다.

16세기 이후 조선 성리학은 '이기론(理氣論)'적 연구들이 활발하게 일어나게 되었으며, 대표적인 것이 '주리론(主理論)'과 '주기론(主氣論)'이다. 이때는 이가 기보다 앞선다는 '주리론'적 이론과 기가 이보다 앞선다는 '주기론'적 이론이 대립되었던 시기로 정지훈, 이황, 기대승, 이이 등이 조선의 유학을 하루 아침에 단상에 올려놓았던 시기였다. 17세기 이후 청나라의 고증학과 실학사상이 조선 사회에 들어오게 되어 17세기 중반부터 19세기 한말까지 '경세치용', '이용후생', '실사구시'라는 새로운 학문적 사상인 실학이 후기 조선 사회에 크게 영향을 주었다.

※실학사상의 대표적인 인물로 유형원(柳馨遠)을 비롯하여 이익(李瀷), 정약용(丁若鏞), 박지원(朴趾源), 홍대용(洪大容), 박제가(朴齊家), 김정희(金正喜), 최한기(崔漢綺) 등이 있었다.

▲ 퇴계 이황

퇴계의 성리학

16세기 조선의 유학자들은 인간 본성에 대한 문제를 어떻게 규명하느냐에 관해 몰두하기 시작하였는데, 그 중심에 퇴계 이황이 있었다. 퇴계는 주자의 이론을 받아들여 맹자가 주장한 '사단(四端)'을 인간 본성의 근원으로 보았다. 그리고 육체적인 감정은 기질(氣質)에 근원을 둔

것으로 보았다. 즉 맹자가 주장한 사단을 이에서 발생한 것으로 보았으며, 일곱 가지 감정은 기에서 발생한 것이라고 보았다. 후에 제자였던 기대승이 퇴계의 이러한 관념에 대해 반론을 제기하고 8년 동안이나 사단칠정(四端七情)의 논쟁을 벌이기도 하였다.

▲ 고봉 기대승을 봉향하고 있는 월봉서원.

※기대승(奇大升): 조선 중기의 문신으로 이황의 제자이다. '사단칠정 논쟁' 으로 유명하다.

퇴계의 주리적인 이기이원론과 사단칠정론은 조선 성리학의 철학사상을 발전시켰으며, 조선 성리학의 기틀을 잡는 데 큰 역할을 하였다.

성리학이 추구하는 궁극적인 목표는 성인에 도달하는 것이다. '위기지학(爲己之學)' 을 추구하며, '수기치인(修己治人)' 하여 근본적으로 성인의 길로 나아가는 것이 목표이다. 퇴계의 성리학 또한 자신의 수양을 통해 자아를 확립하고 가르침을 몸소 실천하려는 실천적 성리학에 중점을 둔 도덕적 학문이었다. 일생을 통한 그의 삶 속에서 가장 두드러지게 나타나는 것이 경(敬)의 사상이다. 그의 경 사상은 성리학이 추구하는 '거경궁리' 를 몸소 체험하는 것이다. 그가 궁리보다 거경에 더욱 더 치중한 것도 알고 보면 만물과 인간관계를 실제 체득함으로써, 보다 진실한 성인의 길을 쫓기 위해서였다.

※위기지학(爲己之學): 유학의 학문을 '위기지학(爲己之學)' 이라고 하는데 즉, 자신의 수양을 목적으로 한 학문이라는 의미이다. 《논어》 헌문편에 '古之學者爲己, 今之學者爲人' 고지학자위기, 금지학자위인- '옛날에 학문을 하는 사람은 자신을 위하여 공부하였으나 오늘날 학문을 하는 사람들은 다른 사람을 이기기 위하여 공부한다.' 고 말했다.

※거경궁리는 성리학의 수련 방법으로 거경(居敬)은 늘 한 가지에 집중하여 심신을 순수한 상태로 유지하는 것이고 궁리(窮理)는 사물의 이치를 깊이 연구하는 것.

제8장 심통성정도

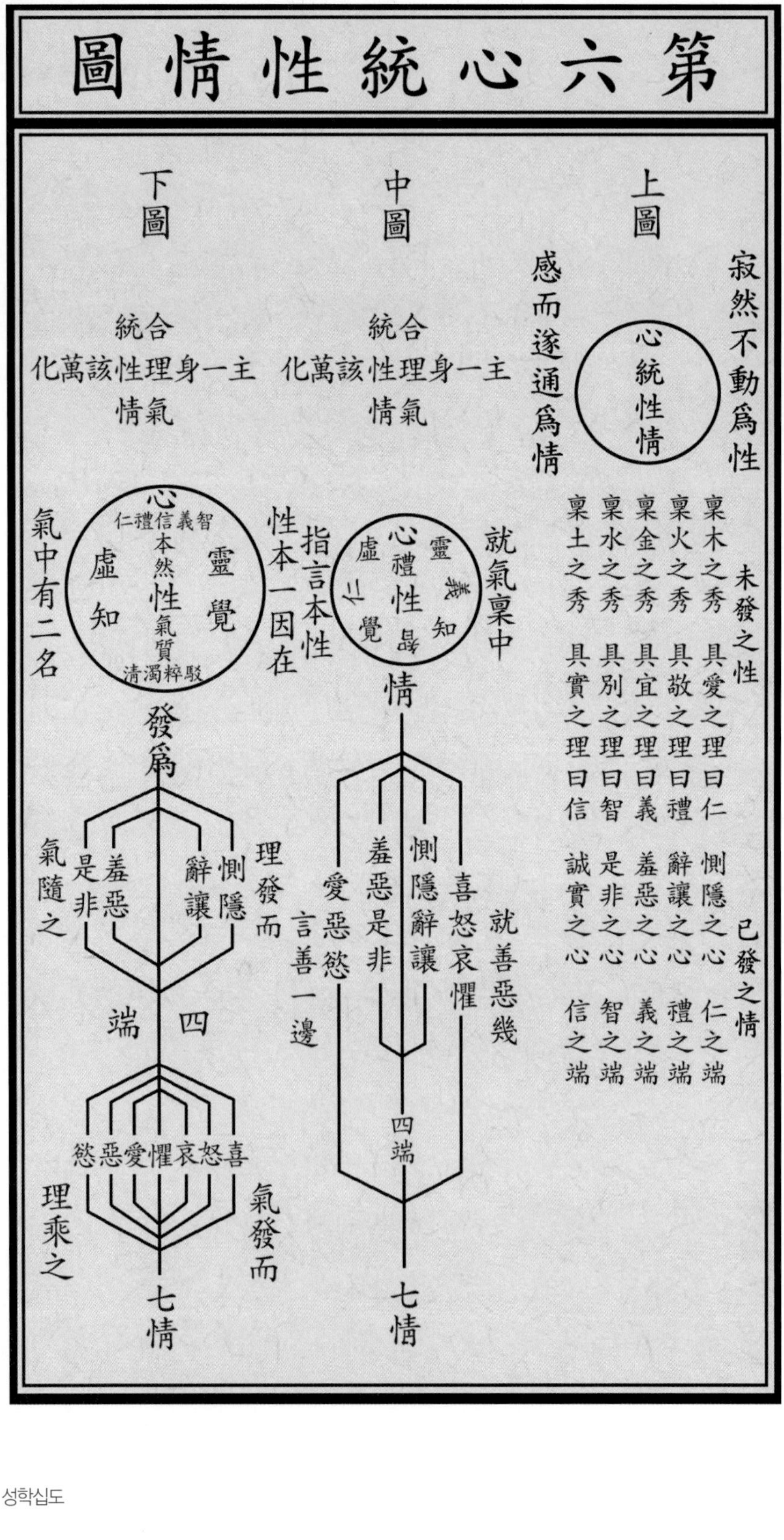

第六心統性情圖
上圖
寂然不動爲性
心統性情
感而遂通爲情
未發之性
稟木之秀 具愛之理曰仁
稟火之秀 具敬之理曰禮
稟金之秀 具宜之理曰義
稟水之秀 具別之理曰智
稟土之秀 具實之理曰信
已發之情
惻隱之心 仁之端
辭讓之心 禮之端
羞惡之心 義之端
是非之心 智之端
誠實之心 信之端
中圖
主一身 該萬化 統性情 合理氣
就氣稟中
指言本性
心 禮 性 義 知 智 仁 靈 虛 覺
情
就善惡幾
喜怒哀懼
惻隱辭讓
羞惡是非
愛惡欲
言善一邊
四端
七情
下圖
主一身 該萬化 統性情 合理氣
性本一因在
氣中有二名
心 仁禮信義智 本然 性 氣質 清濁粹駁
虛 知 靈 覺
發爲
惻隱 辭讓 羞惡 是非
理發而
氣隨之
四端
喜怒哀懼愛惡欲
氣發而
理乘之
七情

제6도 심통성정도

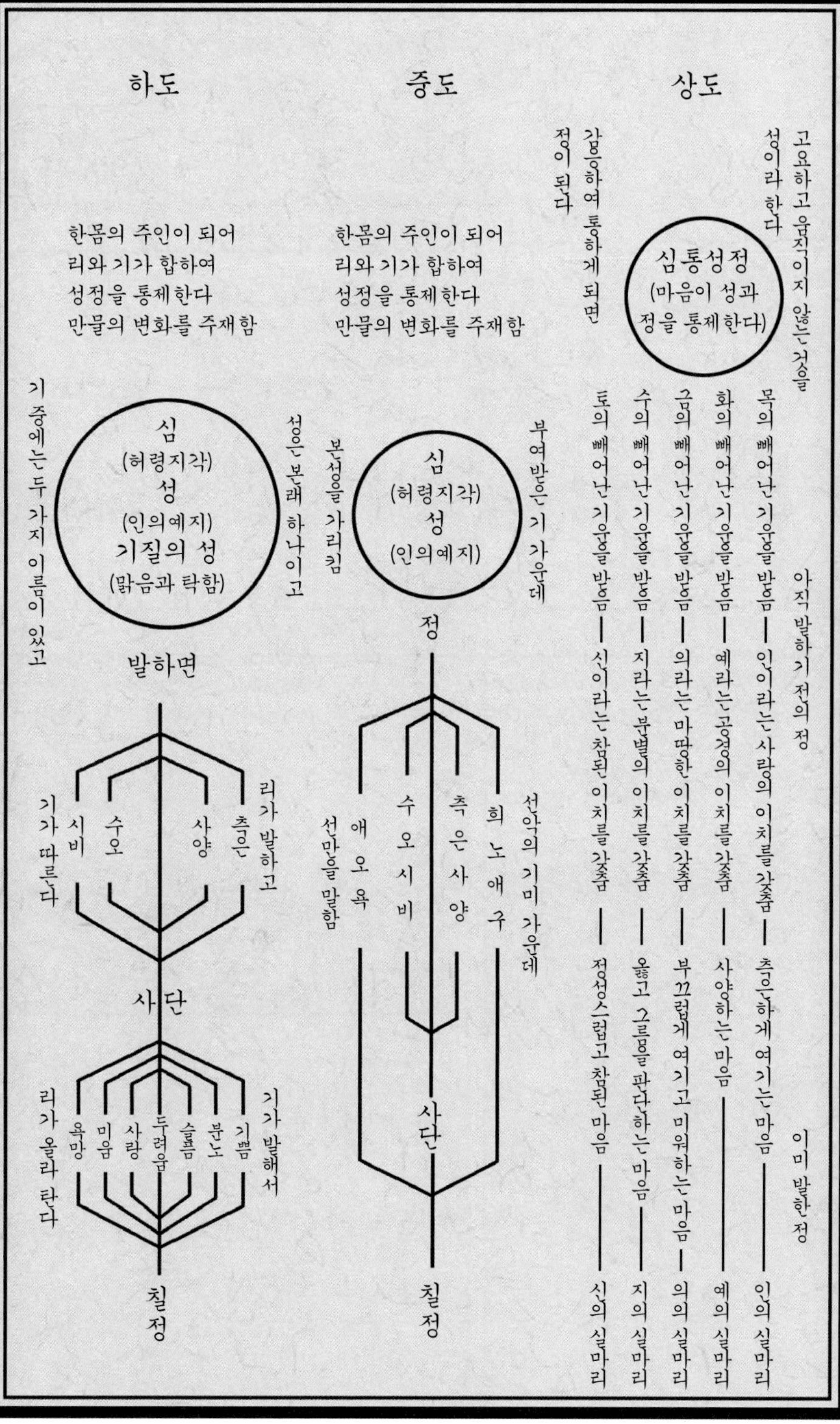

하도
중도
상도
고요하고 움직이지 않는 것을 성이라 한다
감응하여 통하게 되면 정이 된다
심통성정 (마음이 성과 정을 통제한다)
한몸의 주인이 되어 리와 기가 합하여 성정을 통제한다 만물의 변화를 주재함
한몸의 주인이 되어 리와 기가 합하여 성정을 통제한다 만물의 변화를 주재함
목의 빼어난 기운을 받음 — 인이라는 사랑의 이치를 갖춤 — 측은하게 여기는 마음 — 인의 실마리
화의 빼어난 기운을 받음 — 예라는 공경의 이치를 갖춤 — 사양하는 마음 — 예의 실마리
금의 빼어난 기운을 받음 — 의라는 마땅한 이치를 갖춤 — 부끄럽게 여기고 미워하는 마음 — 의의 실마리
수의 빼어난 기운을 받음 — 지라는 분별의 이치를 갖춤 — 옳고 그름을 판단하는 마음 — 지의 실마리
토의 빼어난 기운을 받음 — 신이라는 참된 이치를 갖춤 — 정성스럽고 참된 마음 — 신의 실마리
아직 발하기 전의 정
이미 발한 정
기 중에는 두 가지 이름이 있고
심 (허령지각) 성 (인의예지) 기질의 성 (맑음과 탁함)
성은 본래 하나이고
본성을 가리킴
심 (허령지각) 성 (인의예지)
부여받은 기 가운데
발하면
리가 발하고
기가 따른다
측은 사양 수오 시비
사단
기가 발해서
리가 올라 탄다
기쁨 분노 슬픔 두려움 사랑 미움 욕망
칠정
정
선악의 기미 가운데
선만을 말함
희 노 애 구
측은 사양
수 오 시 비
애 오 욕
사단
칠정

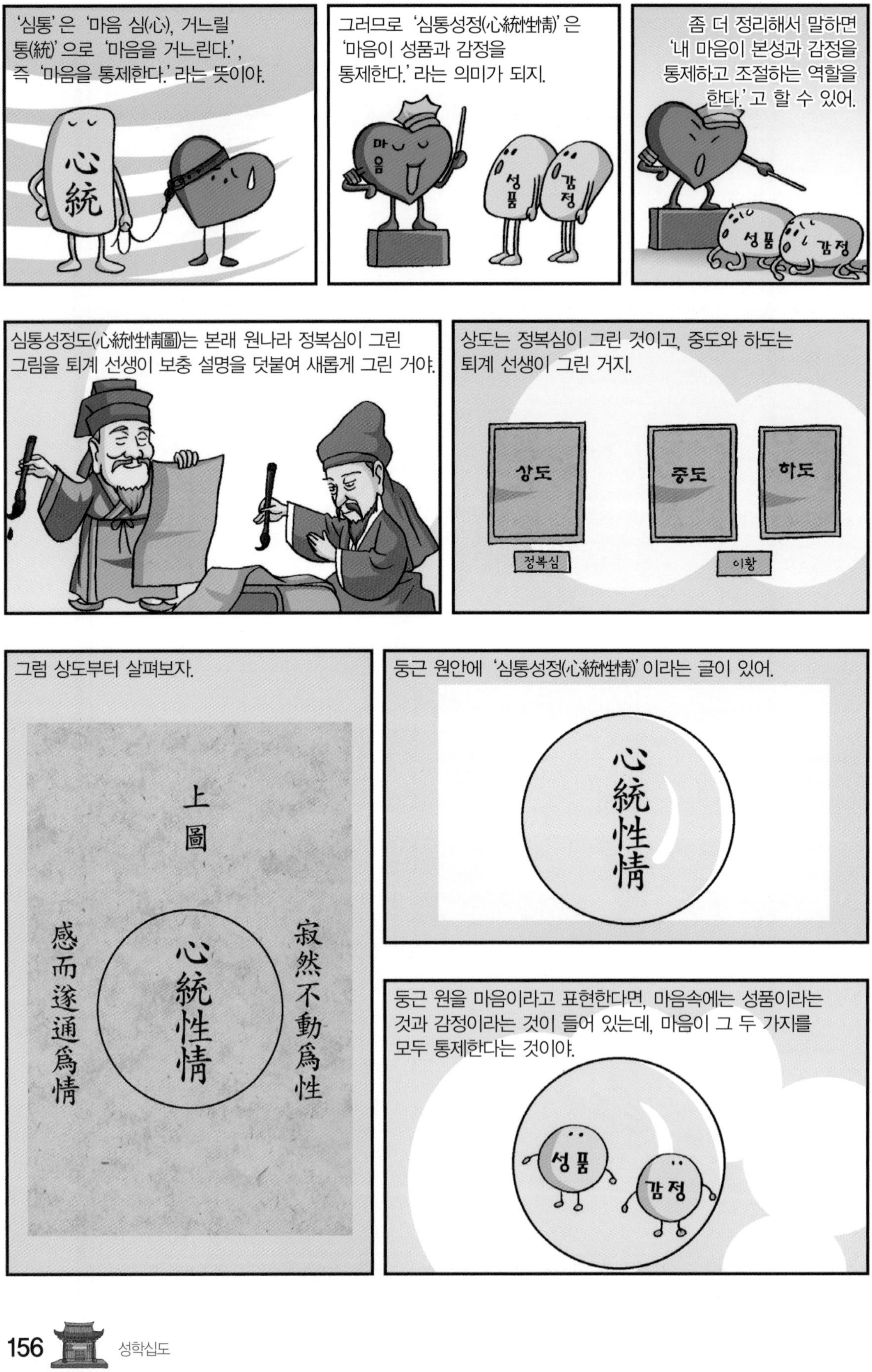
'심통'은 '마음 심(心), 거느릴 통(統)'으로 '마음을 거느린다.', 즉 '마음을 통제한다.'라는 뜻이야.
心統
그러므로 '심통성정(心統性情)'은 '마음이 성품과 감정을 통제한다.'라는 의미가 되지.
마음
성품
감정
좀 더 정리해서 말하면 '내 마음이 본성과 감정을 통제하고 조절하는 역할을 한다.'고 할 수 있어.
성품
감정
심통성정도(心統性情圖)는 본래 원나라 정복심이 그린 그림을 퇴계 선생이 보충 설명을 덧붙여 새롭게 그린 거야.
상도는 정복심이 그린 것이고, 중도와 하도는 퇴계 선생이 그린 거지.
상도
중도
하도
정복심
이황
그럼 상도부터 살펴보자.
上圖
寂然不動爲性
心統性情
感而遂通爲情
둥근 원안에 '심통성정(心統性情)'이라는 글이 있어.
心統性情
둥근 원을 마음이라고 표현한다면, 마음속에는 성품이라는 것과 감정이라는 것이 들어 있는데, 마음이 그 두 가지를 모두 통제한다는 것이야.
성품
감정

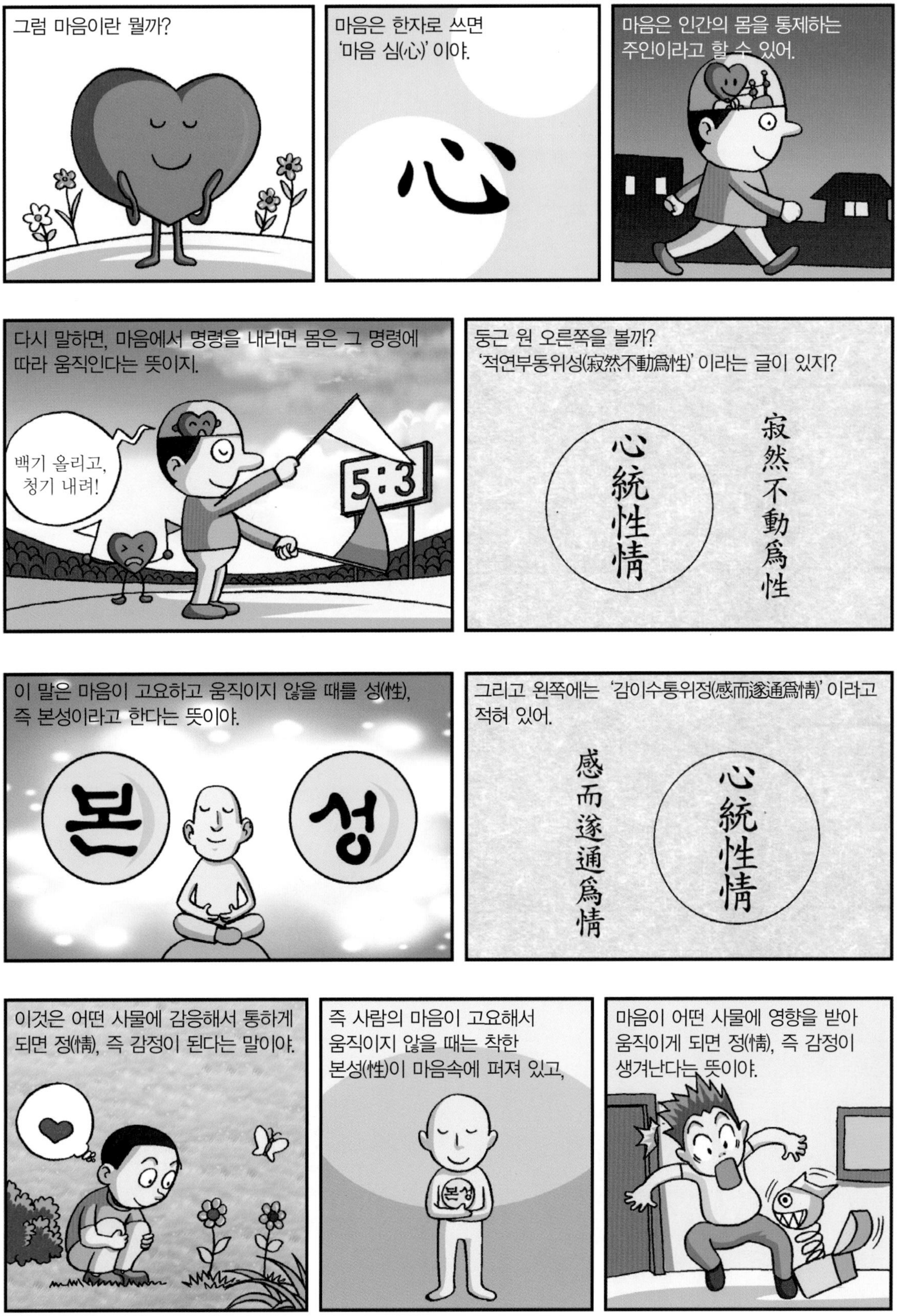
그럼 마음이란 뭘까?
마음은 한자로 쓰면 '마음 심(心)' 이야.
心
마음은 인간의 몸을 통제하는 주인이라고 할 수 있어.
다시 말하면, 마음에서 명령을 내리면 몸은 그 명령에 따라 움직인다는 뜻이지.
백기 올리고, 청기 내려!
5:3
둥근 원 오른쪽을 볼까? '적연부동위성(寂然不動爲性)' 이라는 글이 있지?
心統性情
寂然不動爲性
이 말은 마음이 고요하고 움직이지 않을 때를 성(性), 즉 본성이라고 한다는 뜻이야.
본
성
그리고 왼쪽에는 '감이수통위정(感而遂通爲情)' 이라고 적혀 있어.
心統性情
感而遂通爲情
이것은 어떤 사물에 감응해서 통하게 되면 정(情), 즉 감정이 된다는 말이야.
즉 사람의 마음이 고요해서 움직이지 않을 때는 착한 본성(性)이 마음속에 퍼져 있고,
본성
마음이 어떤 사물에 영향을 받아 움직이게 되면 정(情), 즉 감정이 생겨난다는 뜻이야.

이해를 돕기 위해 예를 들어볼게. 어떤 사람이 눈을 감고 고요히 앉아서 명상에 빠져 있다고 생각해 봐.
그 사람의 머릿속에는 아무런 생각도 없을 거야. 다만 편안함과 고요함만 계속되겠지.
이것이 마음속 본성이라는 거야.
반대로 어떤 청년이 길을 가다가 불량배들이 여학생을 괴롭히고 있는 장면을 목격했어.
그때 청년의 마음속에 악에 대항하려는 정의의 힘이 불끈 솟아올라 '힘없는 여학생을 괴롭히는 나쁜 놈들! 오늘 내가 너희들을 혼내주겠다.' 라고 하여 달려가서 불량배들을 혼내주었어.
이것은 사물을 보고 마음이 통하여 감정이 일어난 거야.
다시 말하면 정(情), 즉 마음속에 감정이 일어난 것이지.

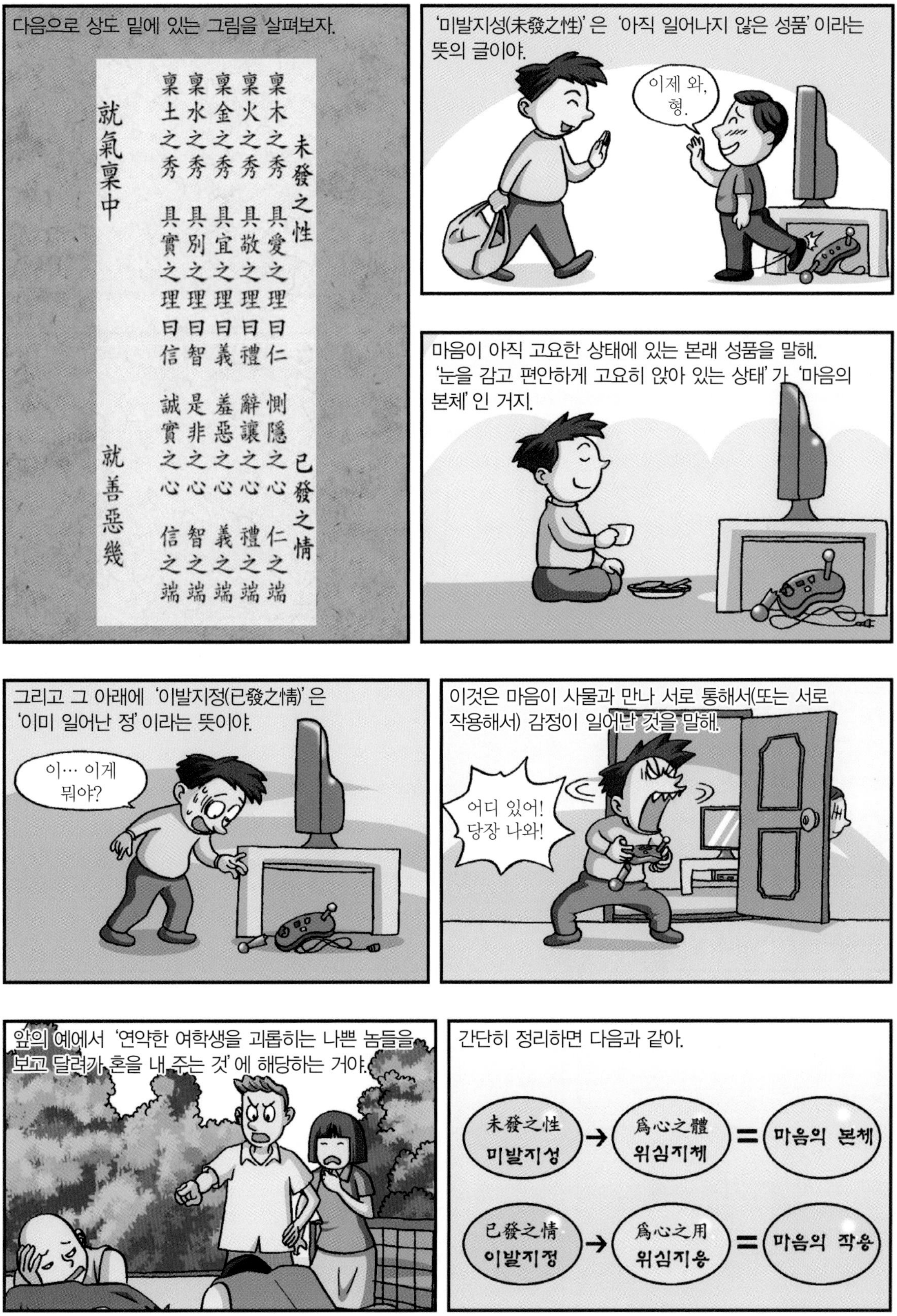
다음으로 상도 밑에 있는 그림을 살펴보자.
未發之性
稟木之秀 具愛之理 曰仁
稟火之秀 具敬之理 曰禮
稟金之秀 具宜之理 曰義
稟水之秀 具別之理 曰智
稟土之秀 具實之理 曰信
就氣稟中
已發之情
惻隱之心 仁之端
辭讓之心 禮之端
羞惡之心 義之端
是非之心 智之端
誠實之心 信之端
就善惡幾
'미발지성(未發之性)'은 '아직 일어나지 않은 성품'이라는 뜻의 글이야.
이제 와, 형.
마음이 아직 고요한 상태에 있는 본래 성품을 말해. '눈을 감고 편안하게 고요히 앉아 있는 상태'가 '마음의 본체'인 거지.
그리고 그 아래에 '이발지정(已發之情)'은 '이미 일어난 정'이라는 뜻이야.
이… 이게 뭐야?
이것은 마음이 사물과 만나 서로 통해서(또는 서로 작용해서) 감정이 일어난 것을 말해.
어디 있어! 당장 나와!
앞의 예에서 '연약한 여학생을 괴롭히는 나쁜 놈들을 보고 달려가 혼을 내 주는 것'에 해당하는 거야.
간단히 정리하면 다음과 같아.
未發之性 미발지성 → 爲心之體 위심지체 = 마음의 본체
已發之情 이발지정 → 爲心之用 위심지용 = 마음의 작용

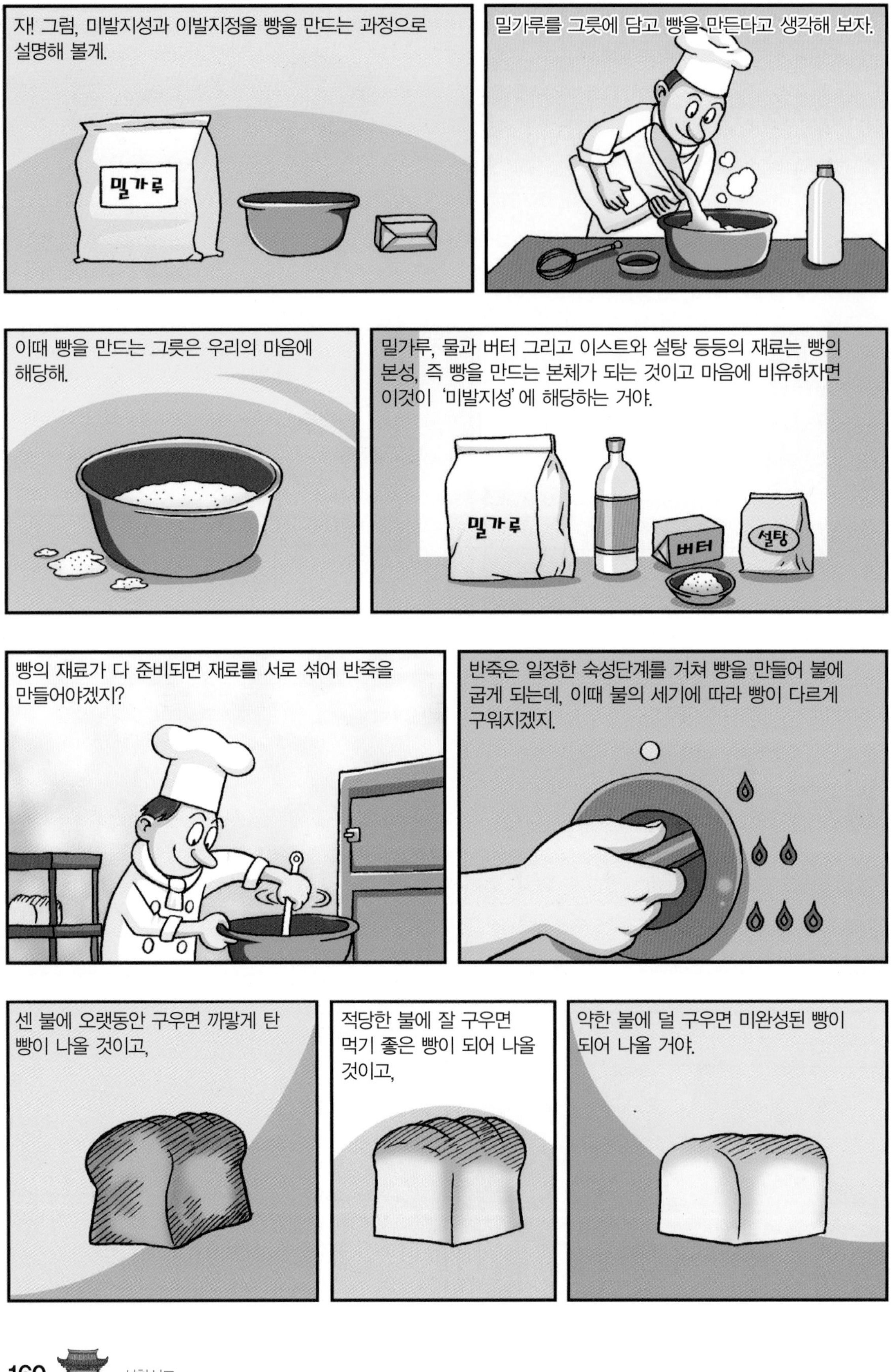
자! 그럼, 미발지성과 이발지정을 빵을 만드는 과정으로 설명해 볼게.
밀가루
밀가루를 그릇에 담고 빵을 만든다고 생각해 보자.
이때 빵을 만드는 그릇은 우리의 마음에 해당해.
밀가루, 물과 버터 그리고 이스트와 설탕 등등의 재료는 빵의 본성, 즉 빵을 만드는 본체가 되는 것이고 마음에 비유하자면 이것이 '미발지성'에 해당하는 거야.
밀가루
버터
설탕
빵의 재료가 다 준비되면 재료를 서로 섞어 반죽을 만들어야겠지?
반죽은 일정한 숙성단계를 거쳐 빵을 만들어 불에 굽게 되는데, 이때 불의 세기에 따라 빵이 다르게 구워지겠지.
센 불에 오랫동안 구우면 까맣게 탄 빵이 나올 것이고,
적당한 불에 잘 구우면 먹기 좋은 빵이 되어 나올 것이고,
약한 불에 덜 구우면 미완성된 빵이 되어 나올 거야.

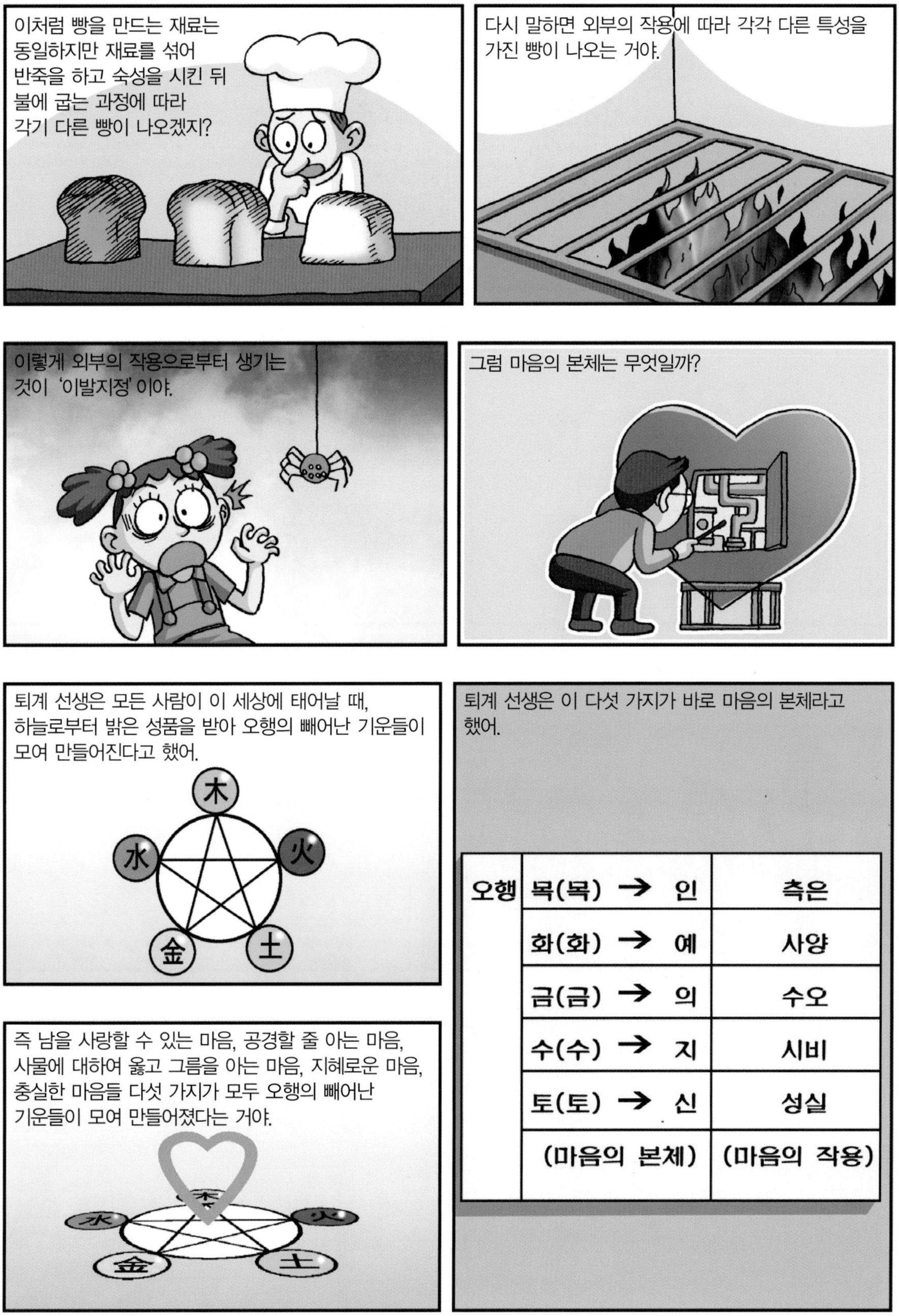

이처럼 빵을 만드는 재료는 동일하지만 재료를 섞어 반죽을 하고 숙성을 시킨 뒤 불에 굽는 과정에 따라 각기 다른 빵이 나오겠지?
다시 말하면 외부의 작용에 따라 각각 다른 특성을 가진 빵이 나오는 거야.
이렇게 외부의 작용으로부터 생기는 것이 '이발지정' 이야.
그럼 마음의 본체는 무엇일까?
퇴계 선생은 모든 사람이 이 세상에 태어날 때, 하늘로부터 밝은 성품을 받아 오행의 빼어난 기운들이 모여 만들어진다고 했어.
木
火
土
金
水
즉 남을 사랑할 수 있는 마음, 공경할 줄 아는 마음, 사물에 대하여 옳고 그름을 아는 마음, 지혜로운 마음, 충실한 마음들 다섯 가지가 모두 오행의 빼어난 기운들이 모여 만들어졌다는 거야.
水
火
金
土
퇴계 선생은 이 다섯 가지가 바로 마음의 본체라고 했어.
오행
목(목) → 인 | 측은
화(화) → 예 | 사양
금(금) → 의 | 수오
수(수) → 지 | 시비
토(토) → 신 | 성실
(마음의 본체) | (마음의 작용)

자~! 그렇다면, 마음의 본체가 사물과 대응하면 어떤 작용이 일어날까?
예를 들어, 우리가 길을 가다가 불쌍한 사람을 만났을 때,
측은한 마음이 들었다면 이것은 남을 사랑하는 마음에서 일어난 것인데, 이것은 인이 작용해서 그렇게 된 것이야.
그리고 길을 가다가 다른 사람과 마주쳐 길을 양보하였다면, 이것은 남을 공경하는 마음에서 일어난 것이고, 예가 작용해서 그렇게 된 것이야.
또 남에게 잘못하여 부끄러워하는 마음이 생겨났다면, 옳고 그름을 판단하는 마음에서 일어난 것이고, 의가 작용해서 그렇게 된 것이야.
또 남들과 다투다가 시비를 가리는 마음이 생겨났다면, 이것은 지혜로운 마음에서 일어난 것이고, 지가 작용해서 그렇게 된 것이야.
마지막으로 일을 행함에 성실한 마음이 생겨났다면, 이것은 충실한 마음에서 일어났는데, 신이 작용해서 그렇게 된 것이야.

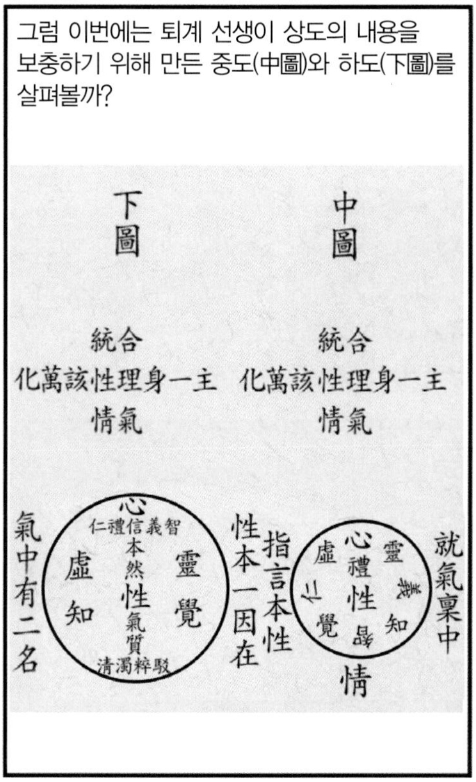
그럼 이번에는 퇴계 선생이 상도의 내용을 보충하기 위해 만든 중도(中圖)와 하도(下圖)를 살펴볼까?
下圖
中圖
統合
化萬該性理身一主
情氣
統合
化萬該性理身一主
情氣
心
仁禮信義智
本然性
氣質
清濁粹駁
虛知
靈覺
氣中有二名
性本一因在
指言本性
心
禮
性
虛
靈
覺
知
就氣稟中
情

자~! 중앙에 적힌 글자를 주목해. '합리기(合理氣)'와 '통성정(統性情)'이라는 글자가 세로로 적혀 있지?

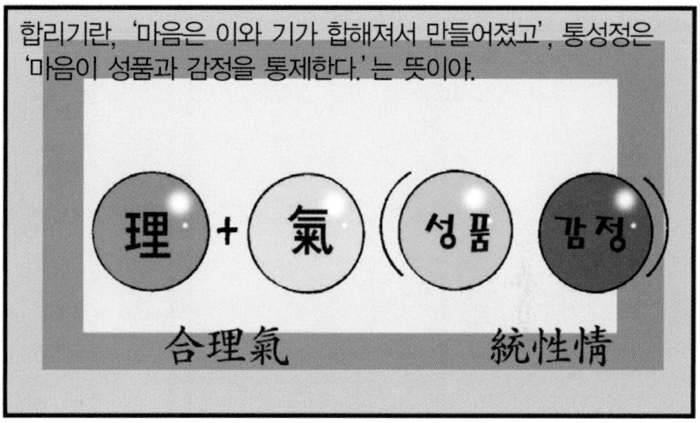
합리기란, '마음은 이와 기가 합해져서 만들어졌고', 통성정은 '마음이 성품과 감정을 통제한다.'는 뜻이야.
理
+
氣
성품
감정
合理氣
統性情

정리하면 '사람의 마음은 이와 기로 구성되어 있고, 마음이 본성과 감정을 통제한다.'는 뜻이야.
理
氣
본성
감정

이것이 바로 성리학의 이기설이지.
이기설이란, 우주나 만물들의 생성이 이와 기의 두 원칙에 의해서 생성되어졌다는 이론으로 사람의 마음 또한 이와 기로 구성되어 있다고 말해.

그리고 '주일신(主一身)', '해만화(該萬化)'라는 글이 적혀 있지?
주일신, 즉 한 몸을 주재하고, 해만화, 즉 모든 변화가 갖추어진 곳이다란 뜻이야.

다시 말하면, 내 몸을 주관하고 모든 변화에 대응할 수 있는 곳이 바로 우리들의 마음이라는 거야.

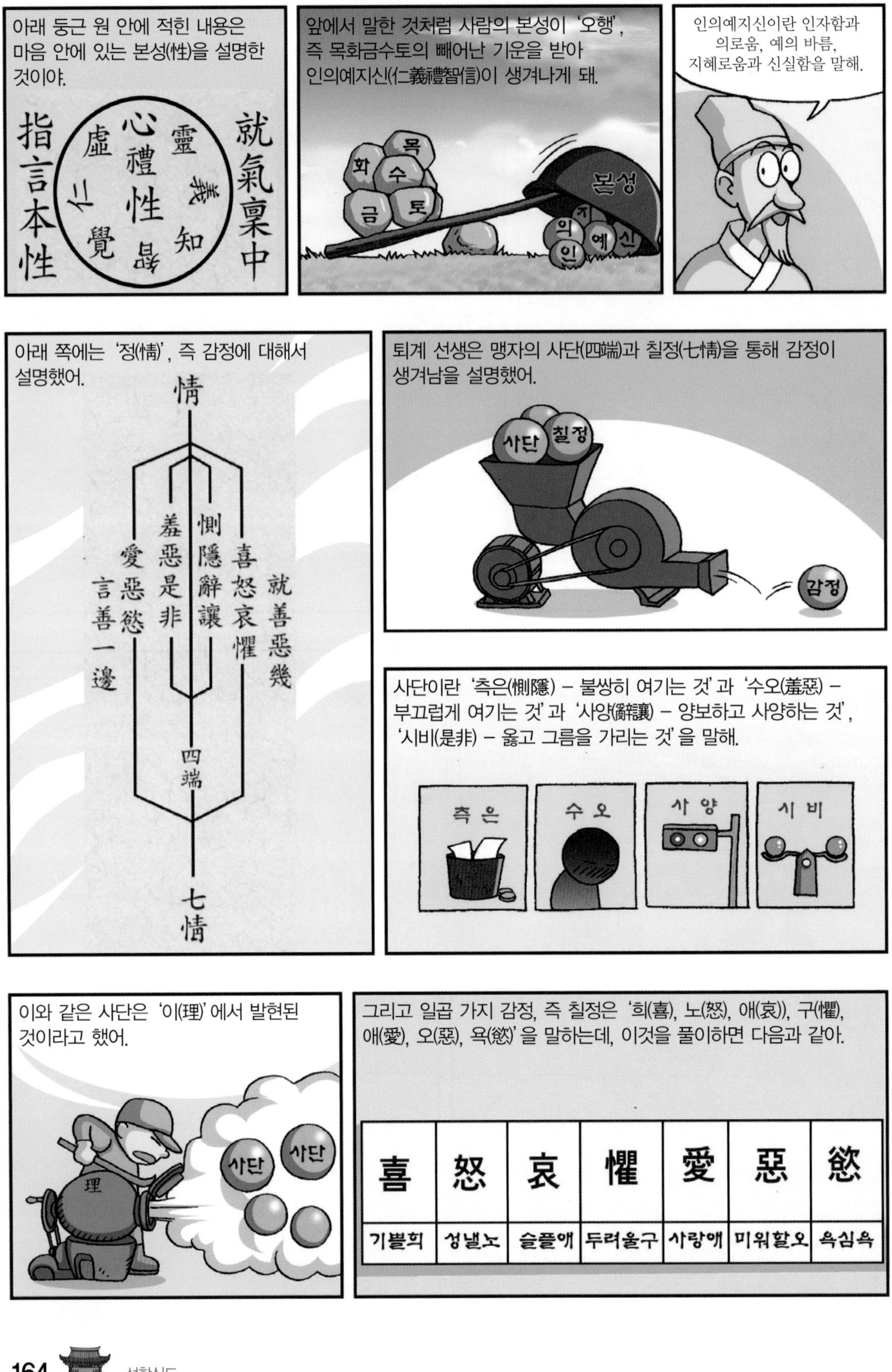

아래 둥근 원 안에 적힌 내용은 마음 안에 있는 본성(性)을 설명한 것이야.
就氣稟中
指言本性
心
靈
虛
禮
性
義
仁
知
智
覺
앞에서 말한 것처럼 사람의 본성이 '오행', 즉 목화금수토의 빼어난 기운을 받아 인의예지신(仁義禮智信)이 생겨나게 돼.
목
화
수
금
토
본성
인
의
예
지
신
인의예지신이란 인자함과 의로움, 예의 바름, 지혜로움과 신실함을 말해.
아래 쪽에는 '정(情)', 즉 감정에 대해서 설명했어.
情
惻隱辭讓
羞惡是非
喜怒哀懼
愛惡慾
就善惡幾
言善一邊
四端
七情
퇴계 선생은 맹자의 사단(四端)과 칠정(七情)을 통해 감정이 생겨남을 설명했어.
사단
칠정
감정
사단이란 '측은(惻隱) – 불쌍히 여기는 것'과 '수오(羞惡) – 부끄럽게 여기는 것'과 '사양(辭讓) – 양보하고 사양하는 것', '시비(是非) – 옳고 그름을 가리는 것'을 말해.
측은
수오
사양
시비
이와 같은 사단은 '이(理)'에서 발현된 것이라고 했어.
理
사단
사단
그리고 일곱 가지 감정, 즉 칠정은 '희(喜), 노(怒), 애(哀)), 구(懼), 애(愛), 오(惡), 욕(慾)'을 말하는데, 이것을 풀이하면 다음과 같아.
喜 怒 哀 懼 愛 惡 慾
기쁠희 성낼노 슬플애 두려울구 사랑애 미워할오 욕심욕

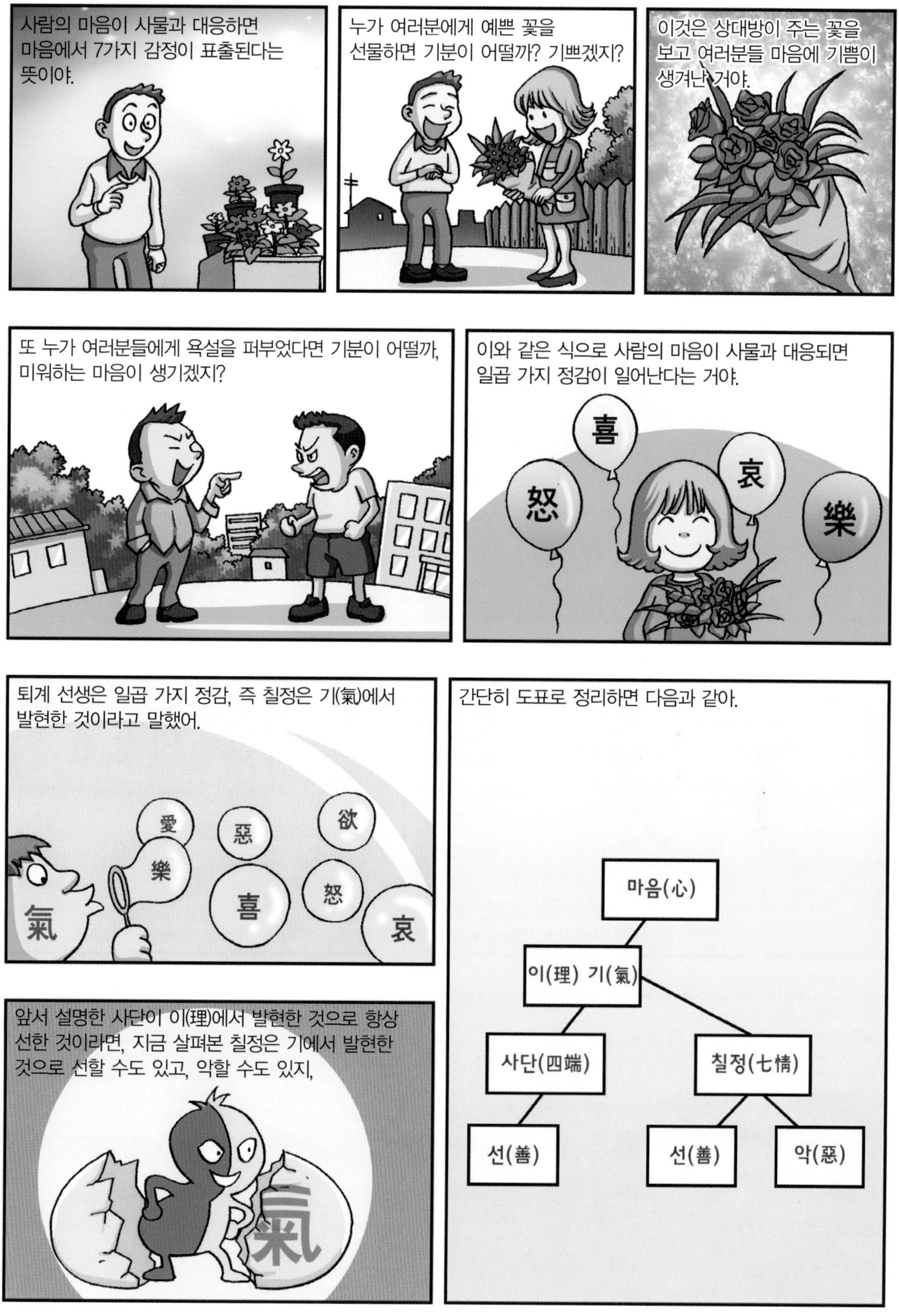
사람의 마음이 사물과 대응하면 마음에서 7가지 감정이 표출된다는 뜻이야.
누가 여러분에게 예쁜 꽃을 선물하면 기분이 어떨까? 기쁘겠지?
이것은 상대방이 주는 꽃을 보고 여러분들 마음에 기쁨이 생겨난 거야.
또 누가 여러분들에게 욕설을 퍼부었다면 기분이 어떨까, 미워하는 마음이 생기겠지?
이와 같은 식으로 사람의 마음이 사물과 대응되면 일곱 가지 정감이 일어난다는 거야.
喜
怒
哀
樂
퇴계 선생은 일곱 가지 정감, 즉 칠정은 기(氣)에서 발현한 것이라고 말했어.
愛
惡
欲
樂
喜
怒
哀
氣
간단히 도표로 정리하면 다음과 같아.
마음(心)
이(理) 기(氣)
사단(四端)
칠정(七情)
선(善)
선(善)
악(惡)
앞서 설명한 사단이 이(理)에서 발현한 것으로 항상 선한 것이라면, 지금 살펴본 칠정은 기에서 발현한 것으로 선할 수도 있고, 악할 수도 있지,
氣

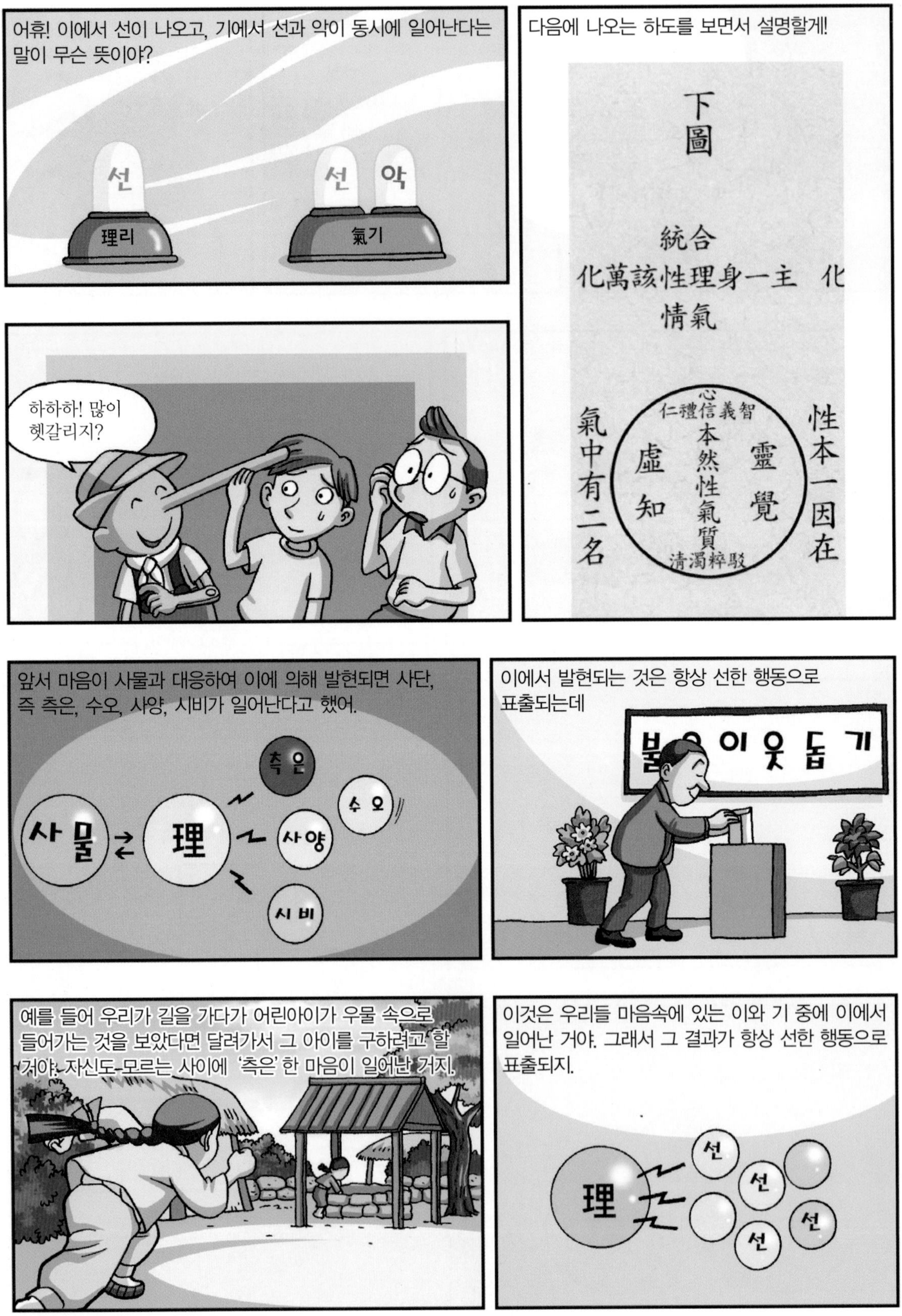
어휴! 이에서 선이 나오고, 기에서 선과 악이 동시에 일어난다는 말이 무슨 뜻이야?
선
理리
선 악
氣기
다음에 나오는 하도를 보면서 설명할게!
下圖
統合
化萬該性理身一主 化
情氣
心
仁禮信義智
本然性氣質
虛 知
靈 覺
清濁粹駁
氣中有二名
性本一因在
하하하! 많이 헷갈리지?
앞서 마음이 사물과 대응하여 이에 의해 발현되면 사단, 즉 측은, 수오, 사양, 시비가 일어난다고 했어.
사물
理
측은
수오
사양
시비
이에서 발현되는 것은 항상 선한 행동으로 표출되는데
이웃돕기
예를 들어 우리가 길을 가다가 어린아이가 우물 속으로 들어가는 것을 보았다면 달려가서 그 아이를 구하려고 할 거야. 자신도 모르는 사이에 '측은' 한 마음이 일어난 거지.
이것은 우리들 마음속에 있는 이와 기 중에 이에서 일어난 거야. 그래서 그 결과가 항상 선한 행동으로 표출되지.
理
선
선
선
선

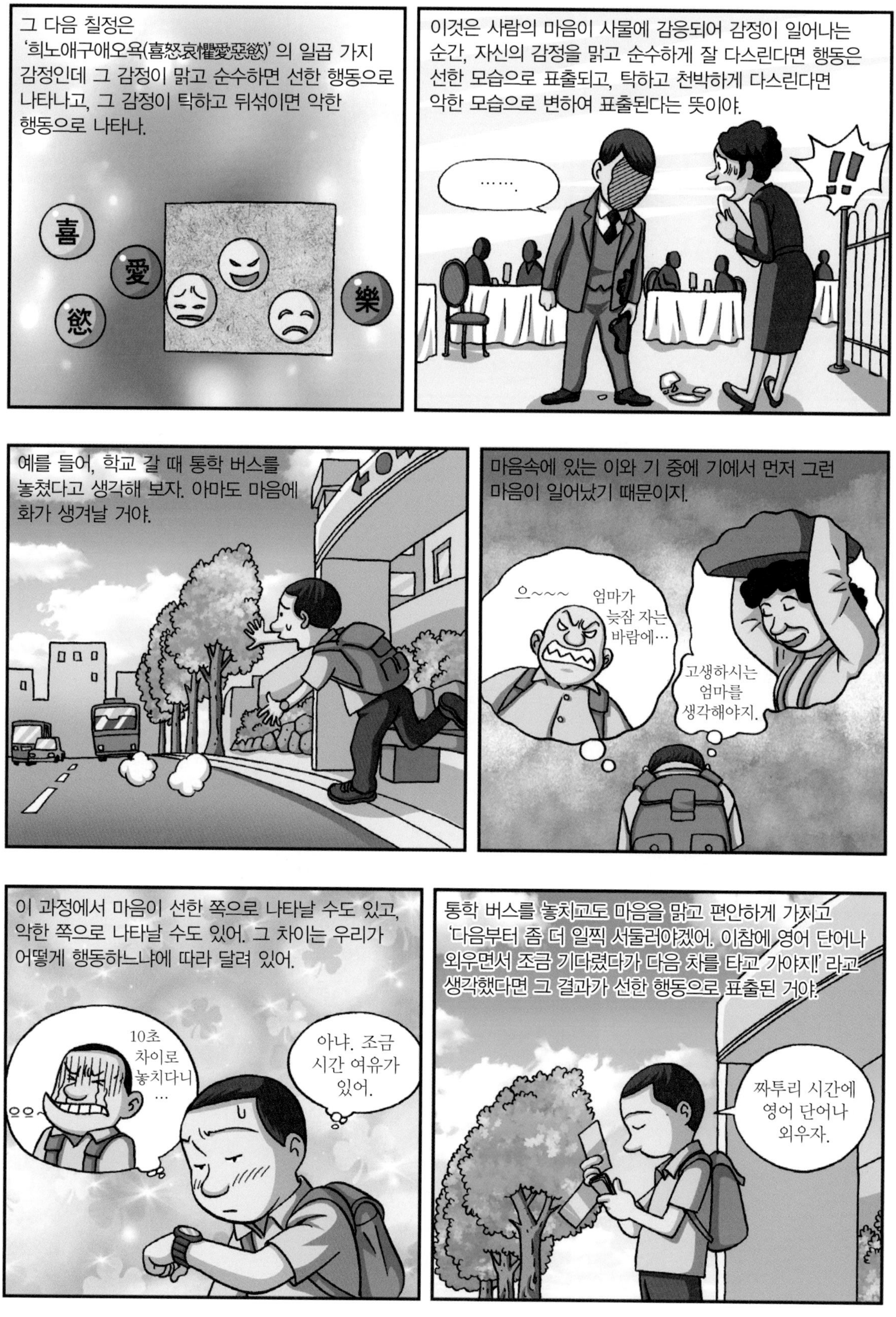
그 다음 칠정은 '희노애구애오욕(喜怒哀懼愛惡慾)'의 일곱 가지 감정인데 그 감정이 맑고 순수하면 선한 행동으로 나타나고, 그 감정이 탁하고 뒤섞이면 악한 행동으로 나타나.
喜
愛
慾
樂
이것은 사람의 마음이 사물에 감응되어 감정이 일어나는 순간, 자신의 감정을 맑고 순수하게 잘 다스린다면 행동은 선한 모습으로 표출되고, 탁하고 천박하게 다스린다면 악한 모습으로 변하여 표출된다는 뜻이야.
…….
!!
예를 들어, 학교 갈 때 통학 버스를 놓쳤다고 생각해 보자. 아마도 마음에 화가 생겨날 거야.
마음속에 있는 이와 기 중에 기에서 먼저 그런 마음이 일어났기 때문이지.
으~~~
엄마가 늦잠 자는 바람에…
고생하시는 엄마를 생각해야지.
이 과정에서 마음이 선한 쪽으로 나타날 수도 있고, 악한 쪽으로 나타날 수도 있어. 그 차이는 우리가 어떻게 행동하느냐에 따라 달려 있어.
10초 차이로 놓치다니…
으으~
아냐. 조금 시간 여유가 있어.
통학 버스를 놓치고도 마음을 맑고 편안하게 가지고 '다음부터 좀 더 일찍 서둘러야겠어. 이참에 영어 단어나 외우면서 조금 기다렸다가 다음 차를 타고 가야지!' 라고 생각했다면 그 결과가 선한 행동으로 표출된 거야.
짜투리 시간에 영어 단어나 외우자.

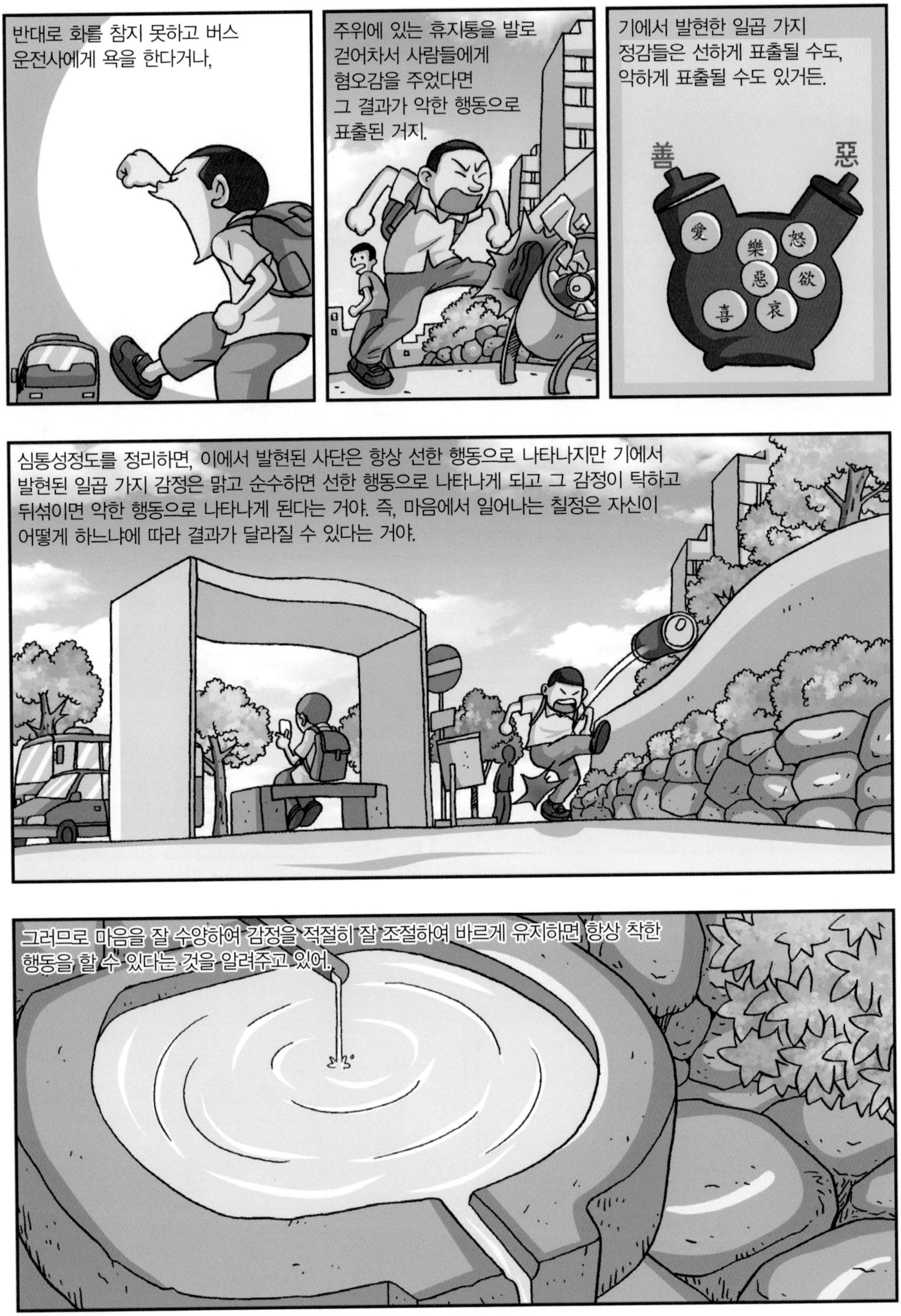
반대로 화를 참지 못하고 버스 운전사에게 욕을 한다거나,
주위에 있는 휴지통을 발로 걷어차서 사람들에게 혐오감을 주었다면 그 결과가 악한 행동으로 표출된 거지.
기에서 발현한 일곱 가지 정감들은 선하게 표출될 수도, 악하게 표출될 수도 있거든.
善
惡
愛
怒
樂
惡
欲
喜
哀
심통성정도를 정리하면, 이에서 발현된 사단은 항상 선한 행동으로 나타나지만 기에서 발현된 일곱 가지 감정은 맑고 순수하면 선한 행동으로 나타나게 되고 그 감정이 탁하고 뒤섞이면 악한 행동으로 나타나게 된다는 거야. 즉, 마음에서 일어나는 칠정은 자신이 어떻게 하느냐에 따라 결과가 달라질 수 있다는 거야.
그러므로 마음을 잘 수양하여 감정을 적절히 잘 조절하여 바르게 유지하면 항상 착한 행동을 할 수 있다는 것을 알려주고 있어.

이기론(理氣論)과 사단칠정론(四端七情論)

사물이 기(氣)에 의해 움직이고 존재한다는 이론은 일찍부터 중국 사회에 전해져 내려왔다. 송나라 때 주돈이가 '태극도'를 그려 만물의 생성과정을 설명하였는데 그 후 정호(程顥)에 의해 이(理)와 기(氣)의 개념이 체계화되면서 이기론(理氣論)이 등장하게 되었다.

※정호(程顥)는 이가 자연법칙이며, 윤리도덕과 같은 것이라고 설명하였다.

▲ 주돈이

이기론

남송 때, 주자는 이(理)가 기(氣)보다 먼저 존재한다고 생각하였다. 이는 비록 형상은 없으나, 법칙이나 이치와 같은 형이상학적인 존재라고 생각하였으며, 기는 만물의 생성과 변화의 바탕이 되는 재료와 같은 것으로 형상으로 나타난다고 생각하였다.

"천지가 생기기 전에 이(理)가 존재하였으며, 이가 있기에 천지가 생겼다. 만일 이가 없다면 천지만물도 없다. 그러므로 이가 있기에 기가 있고, 기가 움직여 만물을 발육시킨다."

주자는 이와 기가 서로 떨어질 수 없는 것(不相離)이며, 동시에 서로 섞일 수도 없는

▲ 권근

것(不相雜)이라고 규정하였다. 주자의 정의 이후 유학자들 사이에 이와 기를 하나로 보아야 할지 아니면 둘로 보아야 할지의 논란이 끊임없이 제기되었다.

※이기일원론(理氣一元論)은 만물이 이(理)와 기(氣)가 분리되어 따로 존재하는 것이 아니라 하나라고 주장하는 이론.

※이기이원론(理氣二元論)은 만물이 이(理)와 기(氣)가 분리되어 따로 존재한다고 주장하는 이론.

조선에서도 이기(理氣)의 논란이 있었다. 이가 기보다 더 근본적인 것으로 보는 주리파(主理派)와 만물의 근원은 기에 있고, 모든 현상은 기가 움직인다는 주기파(主氣派)였다. 주리론을 맨 처음으로 주장한 사람은 이언적이며, 후에 이황이 발전시켰다.

사단칠정론(四端七情論)

조선에서 사단칠정을 가장 먼저 얘기한 사람은 조선 초기 문신이었던 권근(權近)이었다. 그는 "칠정의 작용이 절도에 맞지 않으면, 사단과 똑같이 정 속에 배열할 수 없다."라고 주장하였다.

※사단(四端)은 인간 본래의 마음, 도덕적 능력을 말하는 것으로 측은지심, 수오지심, 사양지심(辭讓之心), 시비지심(是非之心)을 말한다.

※칠정(七情)은 인간이 사물을 접하면 일어나는 자연스런 감정, 희(喜), 노(怒), 애(哀), 구(懼), 애(愛), 오(惡), 욕(欲)을 말한다.

※권근(權近): 고려 말, 조선 초기의 문신으로 《입학도설(入學圖說)》을 지었다.

뒤이어 정지운(鄭之雲)이 《천명도설(天命圖說)》를 지어 이와 기로 구분하는 과정에

서 "인의예지의 사단(四端)은 이(理)이며, 칠정(七情)은 기(氣)이다."라고 설명하였다.

※《천명도설(天命圖說)》은 하늘이 명한 천명(天命)과 사람의 성품인 인성(人性)의 관계를 그림으로 나타낸 것.

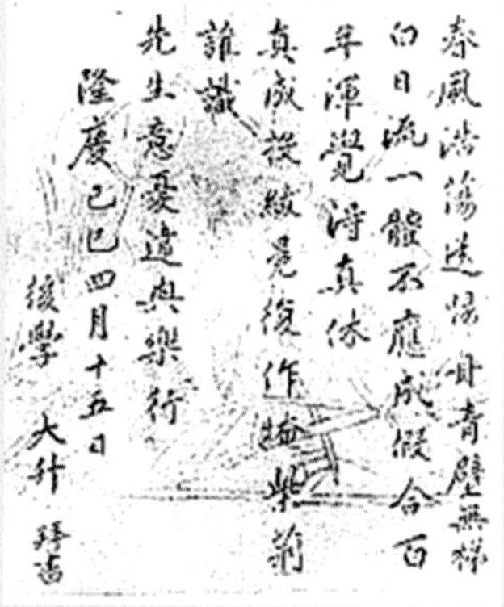
隆慶己巳四月十五日
後學 大升
▲ 기대승의 필적

후에 퇴계 이황이 정지운이 설명한 것을 보충하여 "사단은 이의 발이고, 칠정은 기의 발"이라고 하였다. 사단은 순수한 선함이기에 이에 의해서만 일어난다고 보았으며, 칠정은 선함과 악함이 동시에 일어날 수 있는 것으로 기에 의해 일어난다고 본 것이다. 이에 퇴계의 제자였던 기대승(奇大升)은 사단과 칠정이 모두 마음속에서 일어난 감정인 이상 사단과 칠정에 모두 기와 이가 존재하며, 둘로 나눌 수 없다는 내용으로 반론을 제기하였다. 퇴계 또한 사단과 칠정 모두 기가 섞여 나눌 수 없다는 것을 이미 알고 있는 터였기에 "사단은 이가 발해 기가 따르는 것이고, 칠정은 기가 발해, 이가 그것을 타는 것 (이발이기수지, 기발이리승지(理發而氣隨之, 氣發而理乘之)"이라고 정리하였다.

후에 율곡 이이는 퇴계 선생이 정리한 내용을 부정하고 "기발리승일도(氣發理乘一途)", 즉 인간의 도덕과 감정의 발현은 기의 작용에 의한 것으로, '기가 발하여 이가 올라타는 한 길이다.' 라고 주장하였다. 이후 많은 학자들이 퇴계 선생의 "이발이기수지, 기발이리승지(理發而氣隨之, 氣發而理乘之)"과 율곡 선생의 "기발리승일도(氣發理乘一途)"를 논변하고 나옴으로써 성리학의 사단칠정 논쟁이 이후에도 끊임없이 계속되었다.

▲ 율곡 이이

제9장 인설도

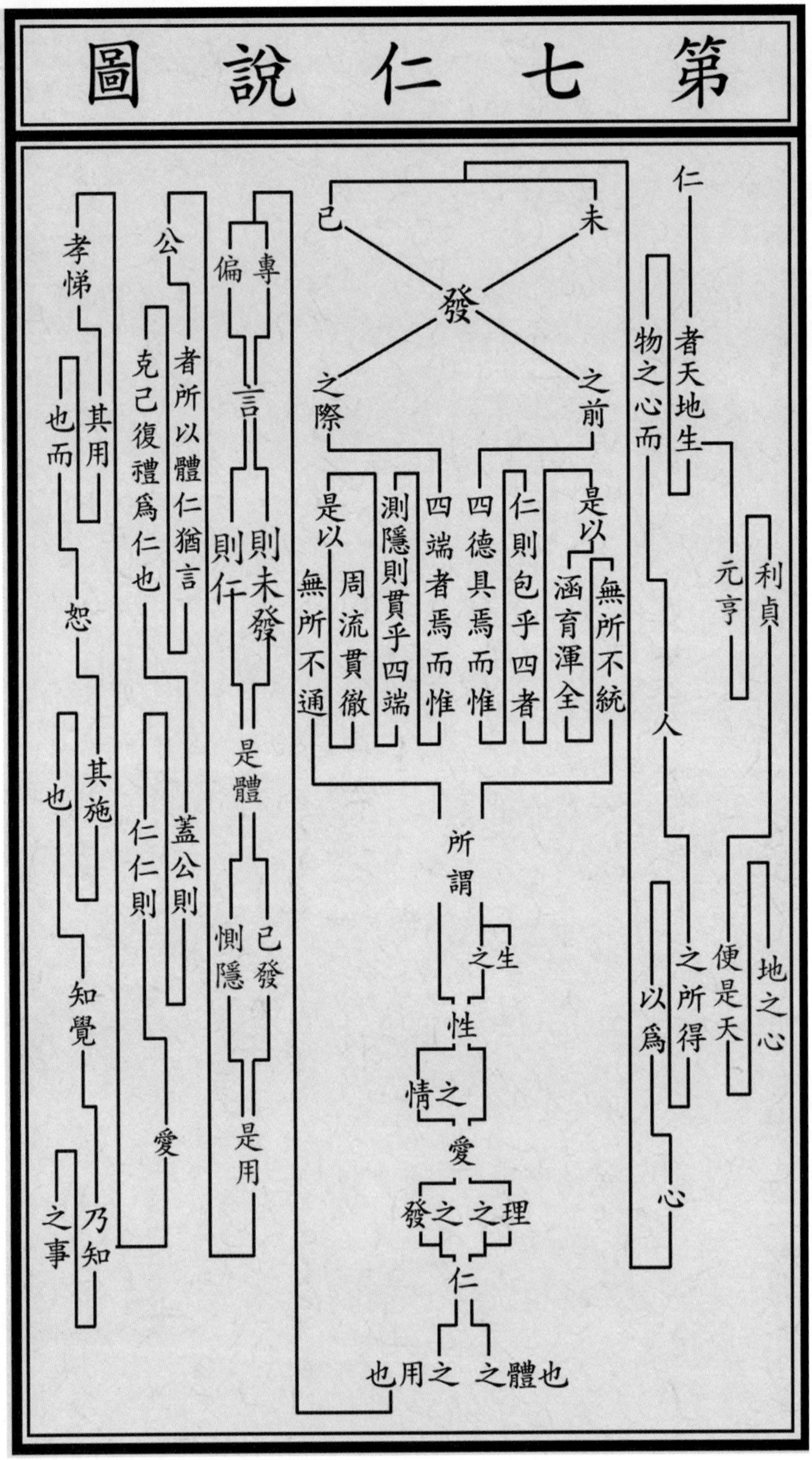
第七仁說圖
仁
者天地生
物之心而
人
之所得
以爲
心
元亨
利貞
便是天
地之心
未
已
發
之前
之際
是以
無所不統
涵育渾全
仁則包乎四者
四德具焉而惟
四端者焉而惟
測隱則貫乎四端
周流貫徹
是以
無所不通
所謂
之生
性
情之
愛
之理
發之
仁
之體也
也用之
專
偏
言
則未發
則仁
是體
已發
惻隱
是用
公
者所以體仁猶言
克己復禮爲仁也
蓋公則
仁仁則
愛
孝悌
其用
也而
恕
其施
也
知覺
乃知
之事

제7도 인설도

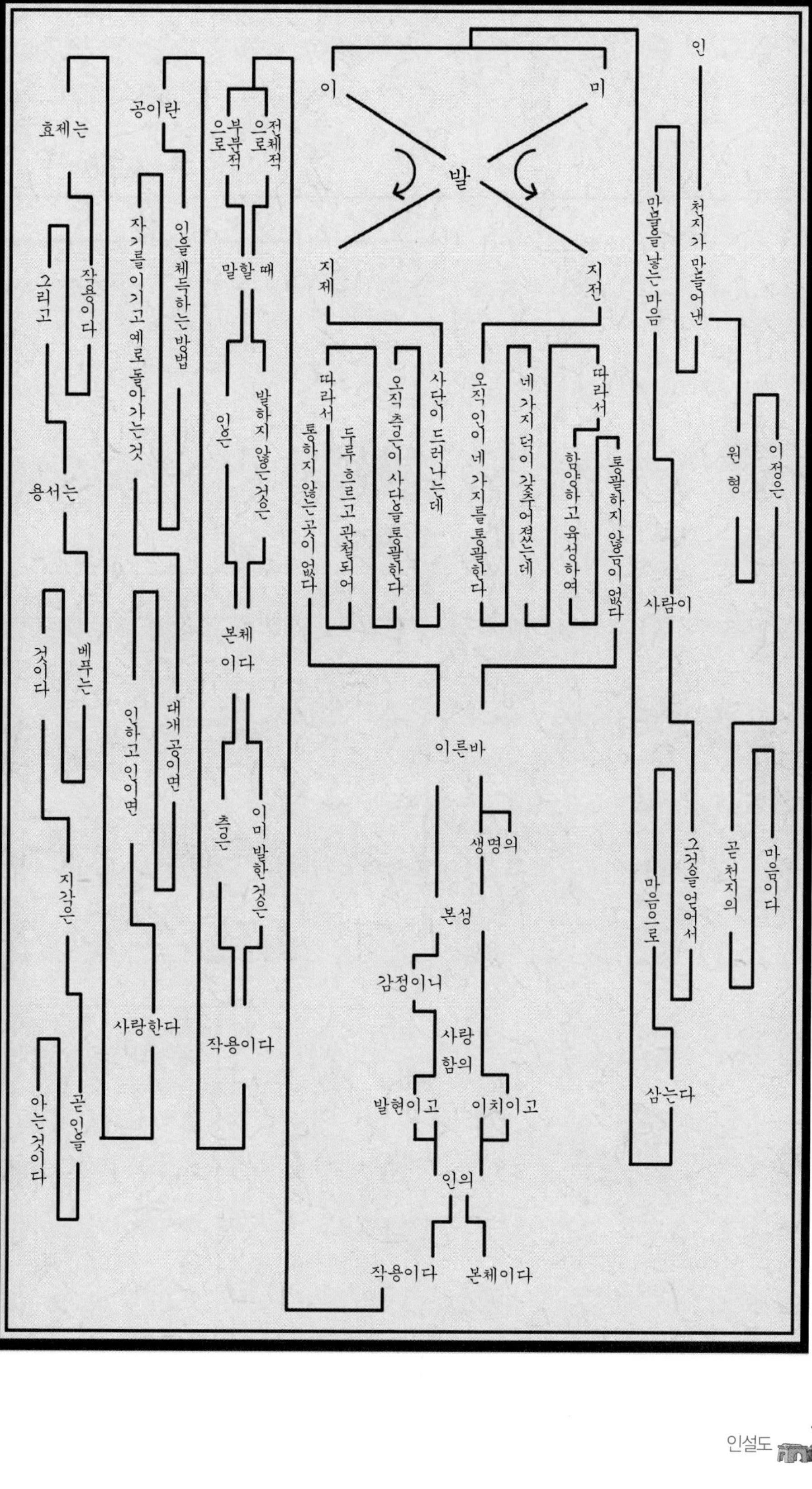

인
천지가 만들어낸
만물을 낳는 마음
원 형
이정은
사람이
그것을 얻어서
곧 천지의
마음이다
마음으로
삼는다
이
미
발
지재
지전
따라서
통괄하지 않음이 없다
함양하고 육성하여
네 가지 덕이 갖추어졌는데
오직 인이 네 가지를 통괄한다
사단이 드러나는데
오직 측은이 사단을 통괄한다
두루 흐르고 관철되어
따라서
통하지 않는 곳이 없다
이른바
생명의
본성
감정이니
사랑
함의
발현이고
이치이고
인의
작용이다
본체이다
전체적으로
부분적으로
말할 때
발하지 않은 것은
인은
본체
이다
이미 발한 것은
측은
작용이다
공이란
인을 체득하는 방법
자기를 이기고 예로 돌아가는 것
대개 공이면
인하고 인이면
사랑한다
효제는
작용이다
그리고
용서는
베푸는
것이다
지각은
곧 인을
아는 것이다

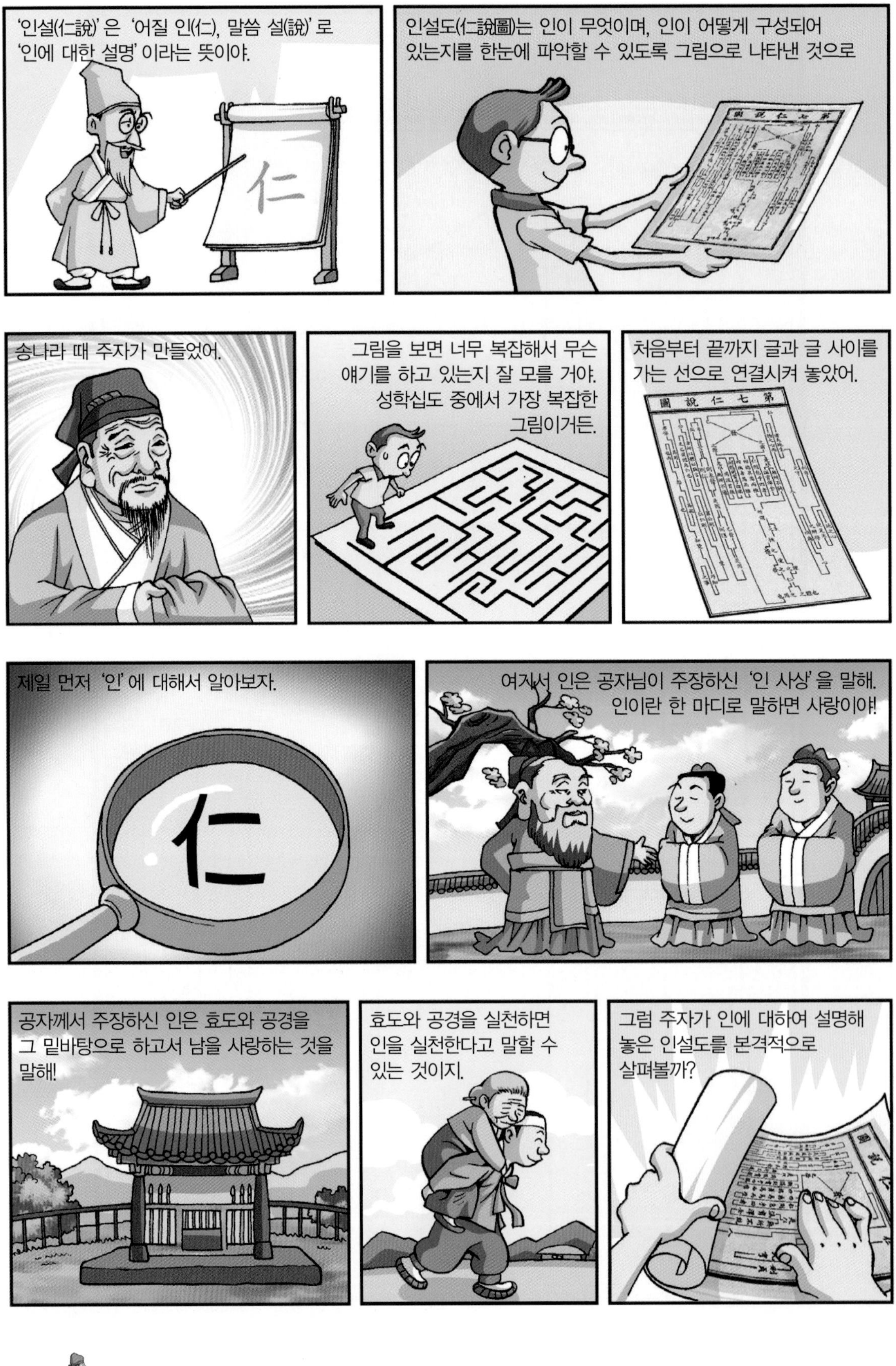
'인설(仁說)' 은 '어질 인(仁), 말씀 설(說)' 로 '인에 대한 설명' 이라는 뜻이야.
仁
인설도(仁說圖)는 인이 무엇이며, 인이 어떻게 구성되어 있는지를 한눈에 파악할 수 있도록 그림으로 나타낸 것으로
송나라 때 주자가 만들었어.
그림을 보면 너무 복잡해서 무슨 얘기를 하고 있는지 잘 모를 거야. 성학십도 중에서 가장 복잡한 그림이거든.
처음부터 끝까지 글과 글 사이를 가는 선으로 연결시켜 놓았어.
제일 먼저 '인' 에 대해서 알아보자.
仁
여기서 인은 공자님이 주장하신 '인 사상' 을 말해. 인이란 한 마디로 말하면 사랑이야!
공자께서 주장하신 인은 효도와 공경을 그 밑바탕으로 하고서 남을 사랑하는 것을 말해!
효도와 공경을 실천하면 인을 실천한다고 말할 수 있는 것이지.
그럼 주자가 인에 대하여 설명해 놓은 인설도를 본격적으로 살펴볼까?

그림을 보면 '인-자 천지생-물지심이-인-지소득-이위-심(仁-者 天地生-物之心而-人-之所得-以爲-心)' 이라고 돼 있어.
仁
者天地生
物之心而
人
之所得
以爲
心
未
之前
是以
仁則包乎四者
涵育渾全
無所不統
元亨
利貞
便是天
地之心
生
理
이것은 '인이라는 것은, 천지가 만들어낸 만물들의 마음이며, 사람이 그것을 얻어서 마음으로 삼는다.' 라는 뜻이야.
인이라는 것이 뭘까?
仁
인이라는 것은 모든 만물들의 마음이니, 사람의 마음도 인이라는 거지.
좀 더 구체적으로 말하면, '자신의 행동을 부드럽게 하고, 모든 일을 신중하고 너그럽게 행하며, 남에게 믿음을 주고 또 예의바르게 행동하는 성품' 이라고 할 수 있어.
간단히 말하면 남을 사랑하는 아주 착한 마음이지!
주자는 "원형이정(元亨利貞)이 곧 천지의 마음이다."라고 했어.

'원형이정' 이란, 하늘이 갖추고 있는 네 가지 덕을 말하는데, 이것은 사물의 근본 원리를 말해!
元
亨
利
貞

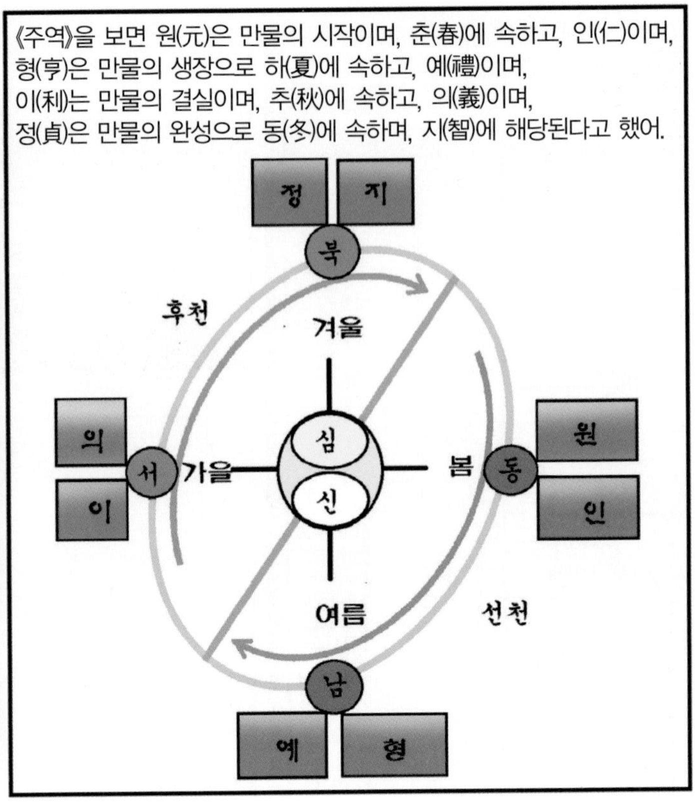
《주역》을 보면 원(元)은 만물의 시작이며, 춘(春)에 속하고, 인(仁)이며, 형(亨)은 만물의 생장으로 하(夏)에 속하고, 예(禮)이며, 이(利)는 만물의 결실이며, 추(秋)에 속하고, 의(義)이며, 정(貞)은 만물의 완성으로 동(冬)에 속하며, 지(智)에 해당된다고 했어.
정
지
북
후천
겨울
의
서
가을
심
신
봄
동
원
인
이
여름
선천
남
예
형

모든 살아 있는 생명체는 이와 같은 '원형이정' 의 원리 속에서 생멸이 반복된다고 했어.

사람이 태어난 시기가 '원' 에 해당하며, 청소년으로 자라나는 시기가 '형' 에 해당돼.

어른이 되면 '이' 에 해당하고, 노년이 되면 '정' 에 해당하지.

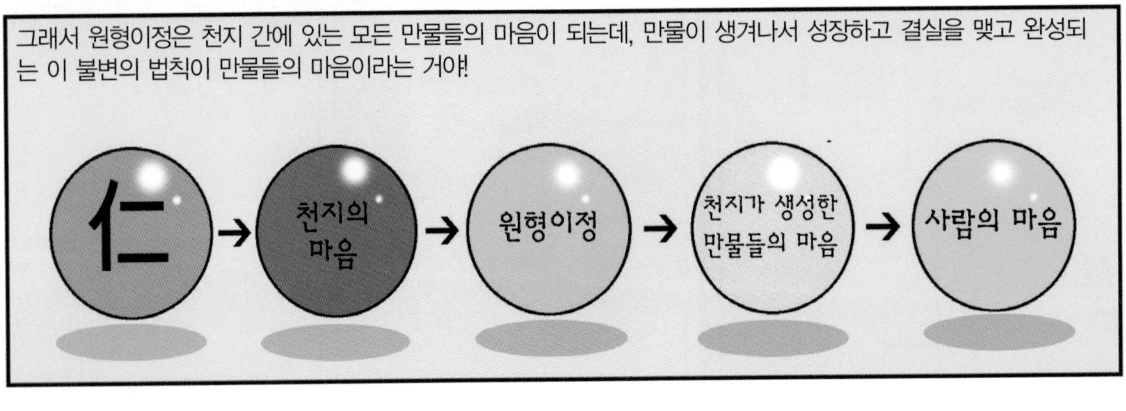
그래서 원형이정은 천지 간에 있는 모든 만물들의 마음이 되는데, 만물이 생겨나서 성장하고 결실을 맺고 완성되는 이 불변의 법칙이 만물들의 마음이라는 거야!
仁
천지의 마음
원형이정
천지가 생성한 만물들의 마음
사람의 마음

식물에 비유하면 봄에 땅에서 자라나고 여름에는 크게 성장하여 가을에는 풍요로운 결실을 맺고 겨울이 되면 잎이 떨어져 다시 땅속으로 돌아가게 되는 거지.

이러한 우주의 법칙이 바로 만물들의 마음이라는 뜻이야.

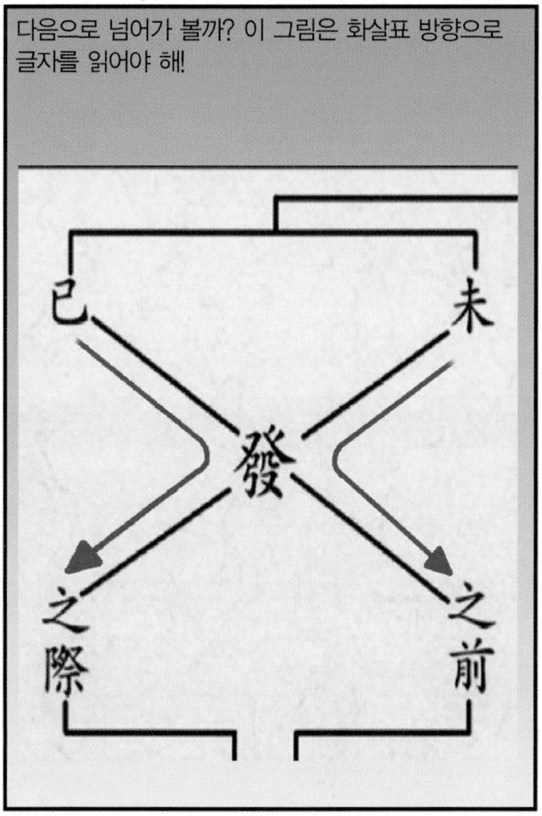
다음으로 넘어가 볼까? 이 그림은 화살표 방향으로 글자를 읽어야 해!
已
未
發
之
際
之
前

먼저 '미발지전(未發之前)' 이야. 이것은 '인이 아직 발현하기 전' 의 상태라는 말이고

'이발지제(已發之際)' 는 '인이 이미 발현된 후' 의 상태를 말해!

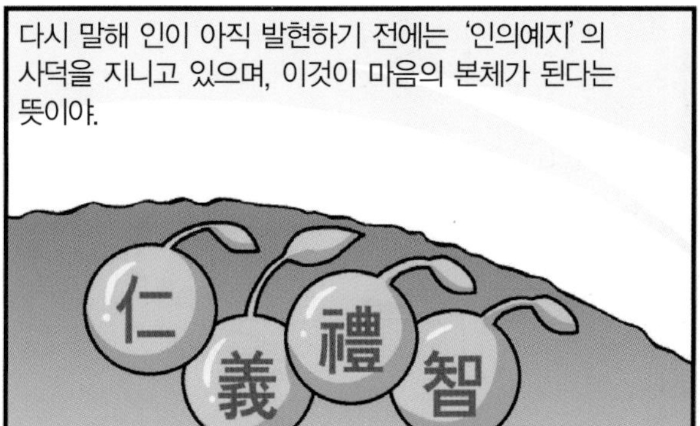
다시 말해 인이 아직 발현하기 전에는 '인의예지' 의 사덕을 지니고 있으며, 이것이 마음의 본체가 된다는 뜻이야.
仁
義
禮
智

사람의 마음이 고요한 상태에 있으면 어떻게 될까? 앞장 '심통성정도' 에서도 배웠지?

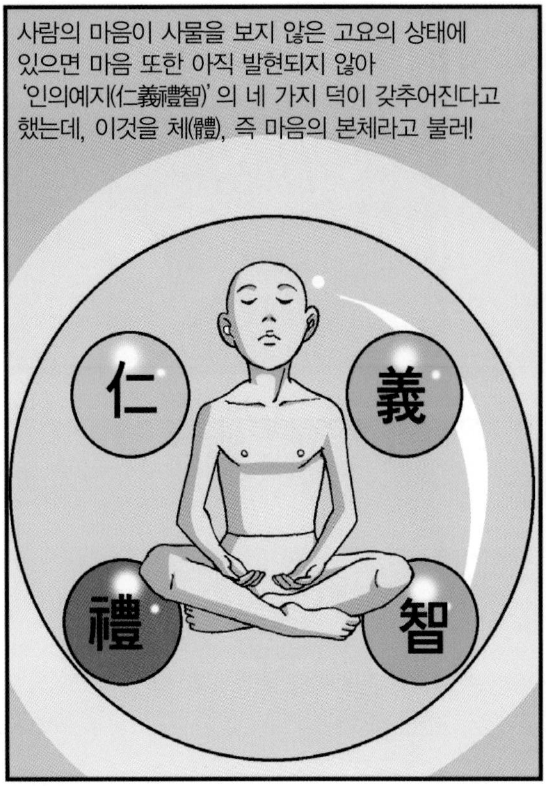
사람의 마음이 사물을 보지 않은 고요의 상태에
있으면 마음 또한 아직 발현되지 않아
'인의예지(仁義禮智)' 의 네 가지 덕이 갖추어진다고
했는데, 이것을 체(體), 즉 마음의 본체라고 불러!
仁
義
禮
智

반면에 사물을 보고 마음이 발현되는 것을
'이발지제(已發之際)' 라고 하는데,
이때 사단(四端)이 드러나.

마음이 발현되면 일단 사단, 즉 '측은, 수오, 사양, 시비'
가 마음에 일어나는데, 이것을 '용(用)', 즉 '마음의 작용'
이라고 불러.
시비
수오
측은
사양

사단은 앞 장에서 배웠지만 중요하니까 한 번 더 정리해 볼까?

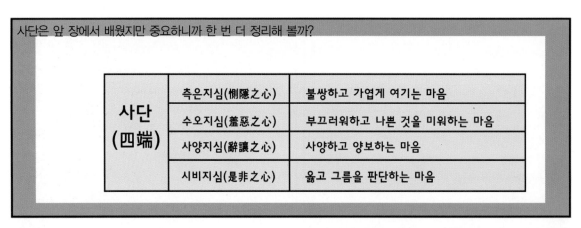

사단 (四端)	측은지심(惻隱之心)	불쌍하고 가엽게 여기는 마음
	수오지심(羞惡之心)	부끄러워하고 나쁜 것을 미워하는 마음
	사양지심(辭讓之心)	사양하고 양보하는 마음
	시비지심(是非之心)	옳고 그름을 판단하는 마음

그럼 체와 용이 구체적으로 가리키는 것은 무엇일까?
體
用

체와 용은 넓은 의미로 말할 때와 좁은 의미로 말할 때
가리키는 것이 조금 달라!

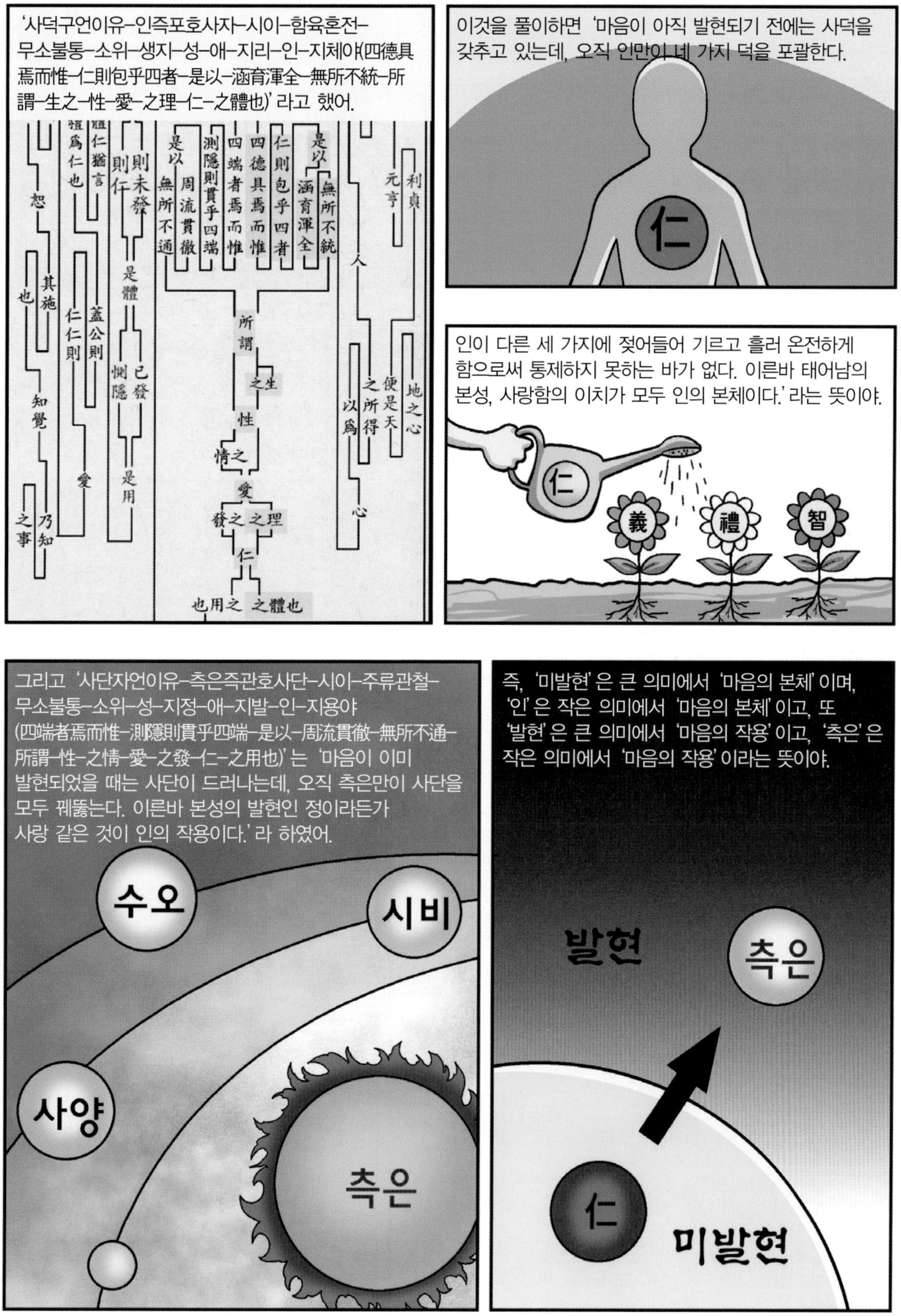
'사덕구언이유-인즉포호사자-시이-함육혼전-무소불통-소위-생지-성-애-지리-인-지체야(四德具焉而惟-仁則包乎四者-是以-涵育渾全-無所不統-所謂-生之-性-愛-之理-仁-之體也)' 라고 했어.
이것을 풀이하면 '마음이 아직 발현되기 전에는 사덕을 갖추고 있는데, 오직 인만이 네 가지 덕을 포괄한다.
仁
인이 다른 세 가지에 젖어들어 기르고 흘러 온전하게 함으로써 통제하지 못하는 바가 없다. 이른바 태어남의 본성, 사랑함의 이치가 모두 인의 본체이다.' 라는 뜻이야.
仁
義
禮
智
그리고 '사단자언이유-측은즉관호사단-시이-주류관철-무소불통-소위-성-지정-애-지발-인-지용야(四端者焉而惟-測隱則貫乎四端-是以-周流貫徹-無所不通-所謂-性-之情-愛-之發-仁-之用也)' 는 '마음이 이미 발현되었을 때는 사단이 드러나는데, 오직 측은만이 사단을 모두 꿰뚫는다. 이른바 본성의 발현인 정이라든가 사랑 같은 것이 인의 작용이다.' 라 하였어.
수오
시비
사양
측은
즉, '미발현' 은 큰 의미에서 '마음의 본체' 이며, '인' 은 작은 의미에서 '마음의 본체' 이고, 또 '발현' 은 큰 의미에서 '마음의 작용' 이고, '측은' 은 작은 의미에서 '마음의 작용' 이라는 뜻이야.
발현
측은
仁
미발현

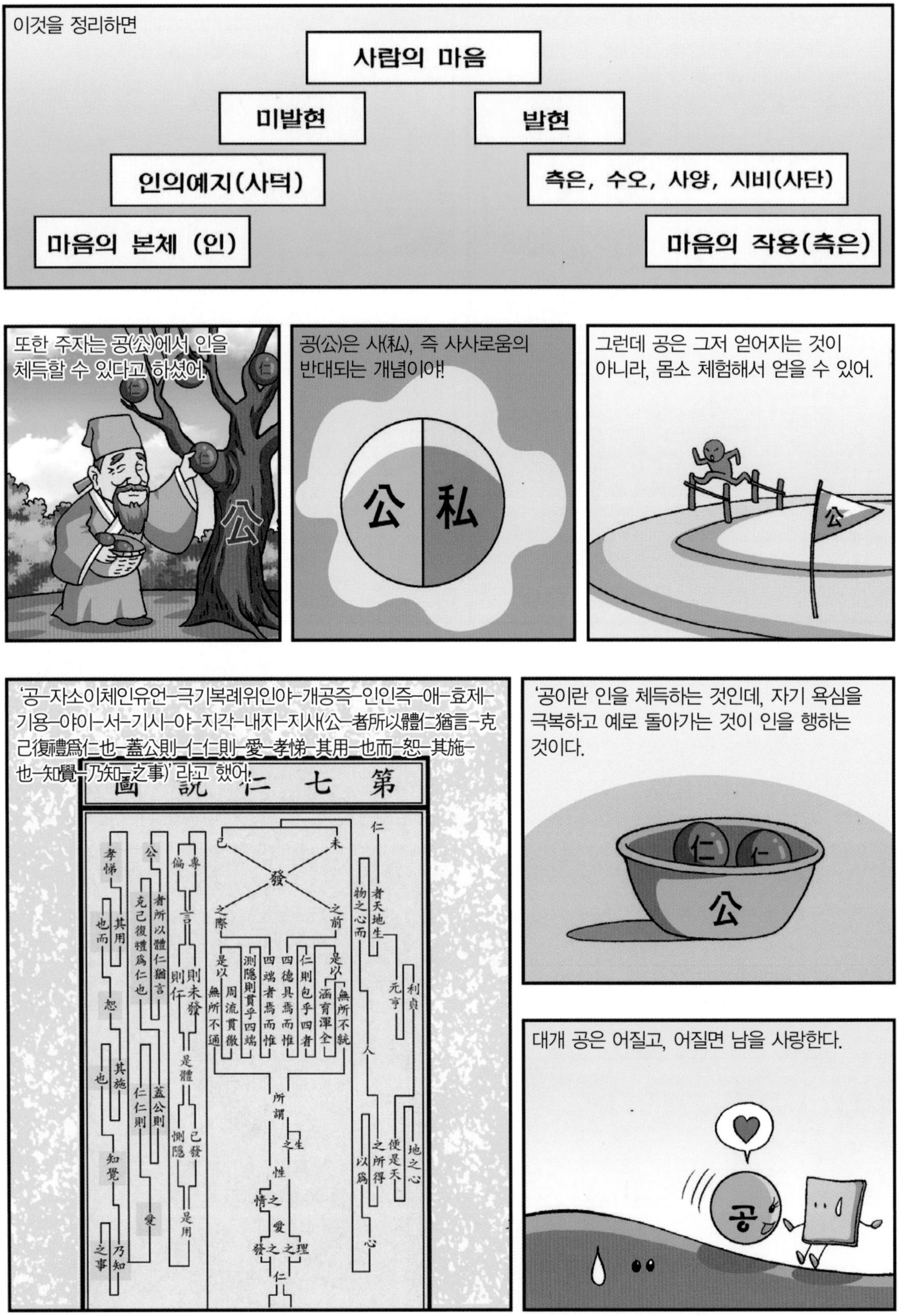
이것을 정리하면
사람의 마음
미발현
발현
인의예지(사덕)
측은, 수오, 사양, 시비(사단)
마음의 본체 (인)
마음의 작용(측은)
또한 주자는 공(公)에서 인을 체득할 수 있다고 하셨어.
仁
公
공(公)은 사(私), 즉 사사로움의 반대되는 개념이야!
公 私
그런데 공은 그저 얻어지는 것이 아니라, 몸소 체험해서 얻을 수 있어.
公
'공-자소이체인유언-극기복례위인야-개공즉-인인즉-애-효제-기용-야이-서-기시-야-지각-내지-지사(公-者所以體仁猶言-克己復禮爲仁也-蓋公則-仁仁則-愛-孝悌-其用-也而-恕-其施-也-知覺-乃知-之事)' 라고 했어.
第七仁說圖
仁者天地生物之心而人之所得以爲心
元亨 利貞
未發之前 已發之際
是以涵育渾全無所不統
仁則包乎四者
四德具焉而惟
四端者焉而惟
惻隱則貫乎四端
是以周流貫徹無所不通
專言則未發是體
偏言則已發是用
公者所以體仁猶言克己復禮爲仁也
蓋公則仁仁則愛
孝悌其用也而恕其施也
知覺乃知之事
'공이란 인을 체득하는 것인데, 자기 욕심을 극복하고 예로 돌아가는 것이 인을 행하는 것이다.
仁 仁
公
대개 공은 어질고, 어질면 남을 사랑한다.
공

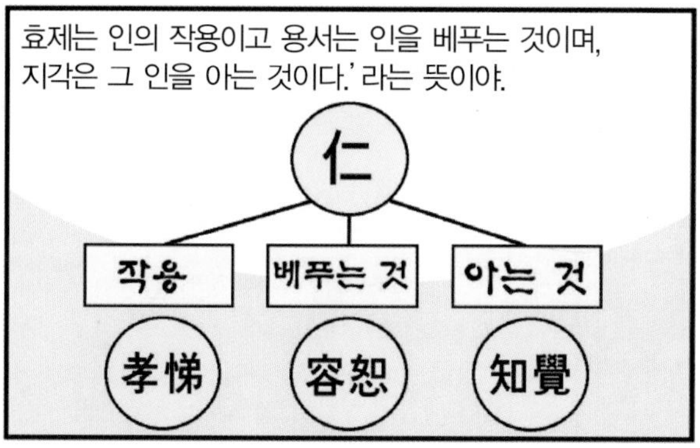
효제는 인의 작용이고 용서는 인을 베푸는 것이며,
지각은 그 인을 아는 것이다.' 라는 뜻이야.
仁
작용
베푸는 것
아는 것
孝悌
容恕
知覺

이 글들을 하나씩 풀이해 보자.
효제
지각
용서

먼저 인을 행하기 위해서는 극기복례(克己復禮)를
해야 해. 극기복례가 뭘까?
극기복례
仁

'극기복례' 라는 말은 공자가 한 말로, 자기를 이겨
예를 회복해야 한다는 말이야.
Pizza

그럼, 자기를 이기고 예를 회복한다는 것은 무엇을
의미일까?
오 마이 갓!
극기복례는 개뿔…
Pizza

이에 대한 답은 공자님과 그의 제자 안연의 문답에서
알 수 있어. 하루는 안연이 공자께 인에 대해 물었어.

공자는 극기복례에 대한 정의를 다음과 같이 내렸지.
자기의 사욕을 이겨 예로 돌아감이 인을 구하는 것이다.
하루 동안이라도 사욕을 이겨 예로 돌아가면 천하가 인으로 돌아가는 것이다.

예를 갖추기 위해서는 어떻게 해야 합니까?
예가 아니면 보지 말며, 예가 아니면 듣지 말며, 예가 아니면 말하지 말며, 예가 아니면 움직이지 말아야 한다.
여기서 예가 아닌 것은 사욕, 즉 사사로운 욕심이야!
사욕이 없어지면 일상 생활하는 모든 일이 인에 들어맞게 되는 것이니라.
공(公)을 몸소 체득할 수 있는 구체적인 방법을 소개하면 다음과 같아.
公
公
첫째, 부모님을 잘 모셔야 해. 부모님께서 부르시면, 빨리 대답하고 달려가고, 부모님께서 일을 시키시면 거역하지도 게을리 하지도 말아야 해!
또한 부모님께서 명령을 하면 머리를 숙이고 공경히 받들고, 앉아서 명령하면 앉아서 듣고, 서서 명령하면 서서 들어야 해!
밖으로 나갈 때는 반드시 아뢰고, 돌아오면 반드시 뵙도록 해야 해!
그리고 부모님과 거처할 때는 방 가운데 앉지도 말고, 문 가운데 서지도 말아야 해!

다닐 때 걸음걸이는 거만하게 하지 않고, 앉을 때는 몸을 기대앉지 않으며, 잡담하지 말고, 손으로 장난치지 말아야 해. 부모님 앞에서는 큰소리로 웃거나, 말하지도 말아야 하지.
이렇게 해야 거처할 때 공손하다고 말할 수 있어.
둘째, 일을 할 때는 경건하게 해야 해. 남과 더불어 싸우지 않고, 맡은 일을 성실히 행하며, 행실은 반드시 바르고 곧게 하고, 말은 미덥게 해야 해.
또 의복은 단정하게 입고 언어를 공손히 해야 해.
좋은 일은 서로 권하고, 잘못된 일은 서로 타일러 주며, 다른 사람의 단점을 말하지 않고, 또 자신의 장점을 말하지 말아야 해! 이렇게 한다면 일을 할 때 경건하게 한다고 말할 수 있지.
셋째, 남과 사귈 때는 충성스럽게 해야 해. 친구를 사귈 때도 재물이나 재산으로 사귀지 않으며, 학문과 덕으로써 사귀고, 서로에게 선을 행하도록 충고하며, 공격하거나 업신여기지 않고, 항상 몸을 수양하는 자세로 올바른 길로 나아갈 수 있도록 충고해야 해.

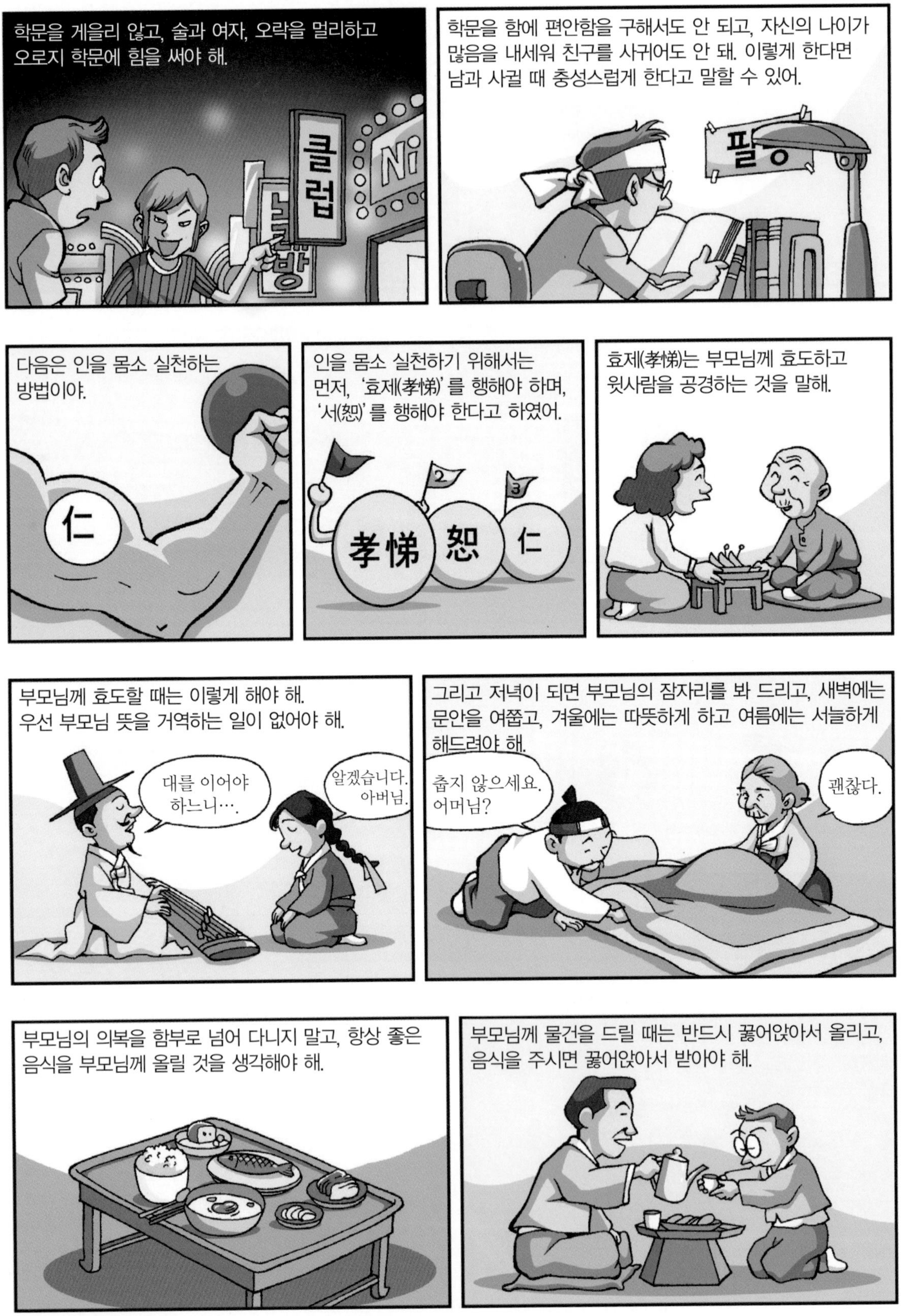
학문을 게을리 않고, 술과 여자, 오락을 멀리하고 오로지 학문에 힘을 써야 해.
클럽
Ni
방
학문을 함에 편안함을 구해서도 안 되고, 자신의 나이가 많음을 내세워 친구를 사귀어도 안 돼. 이렇게 한다면 남과 사귈 때 충성스럽게 한다고 말할 수 있어.
필승
다음은 인을 몸소 실천하는 방법이야.
仁
인을 몸소 실천하기 위해서는 먼저, '효제(孝悌)'를 행해야 하며, '서(恕)'를 행해야 한다고 하였어.
2
3
孝悌
恕
仁
효제(孝悌)는 부모님께 효도하고 윗사람을 공경하는 것을 말해.
부모님께 효도할 때는 이렇게 해야 해. 우선 부모님 뜻을 거역하는 일이 없어야 해.
대를 이어야 하느니….
알겠습니다. 아버님.
그리고 저녁이 되면 부모님의 잠자리를 봐 드리고, 새벽에는 문안을 여쭙고, 겨울에는 따뜻하게 하고 여름에는 서늘하게 해드려야 해.
춥지 않으세요. 어머님?
괜찮다.
부모님의 의복을 함부로 넘어 다니지 말고, 항상 좋은 음식을 부모님께 올릴 것을 생각해야 해.
부모님께 물건을 드릴 때는 반드시 꿇어앉아서 올리고, 음식을 주시면 꿇어앉아서 받아야 해.

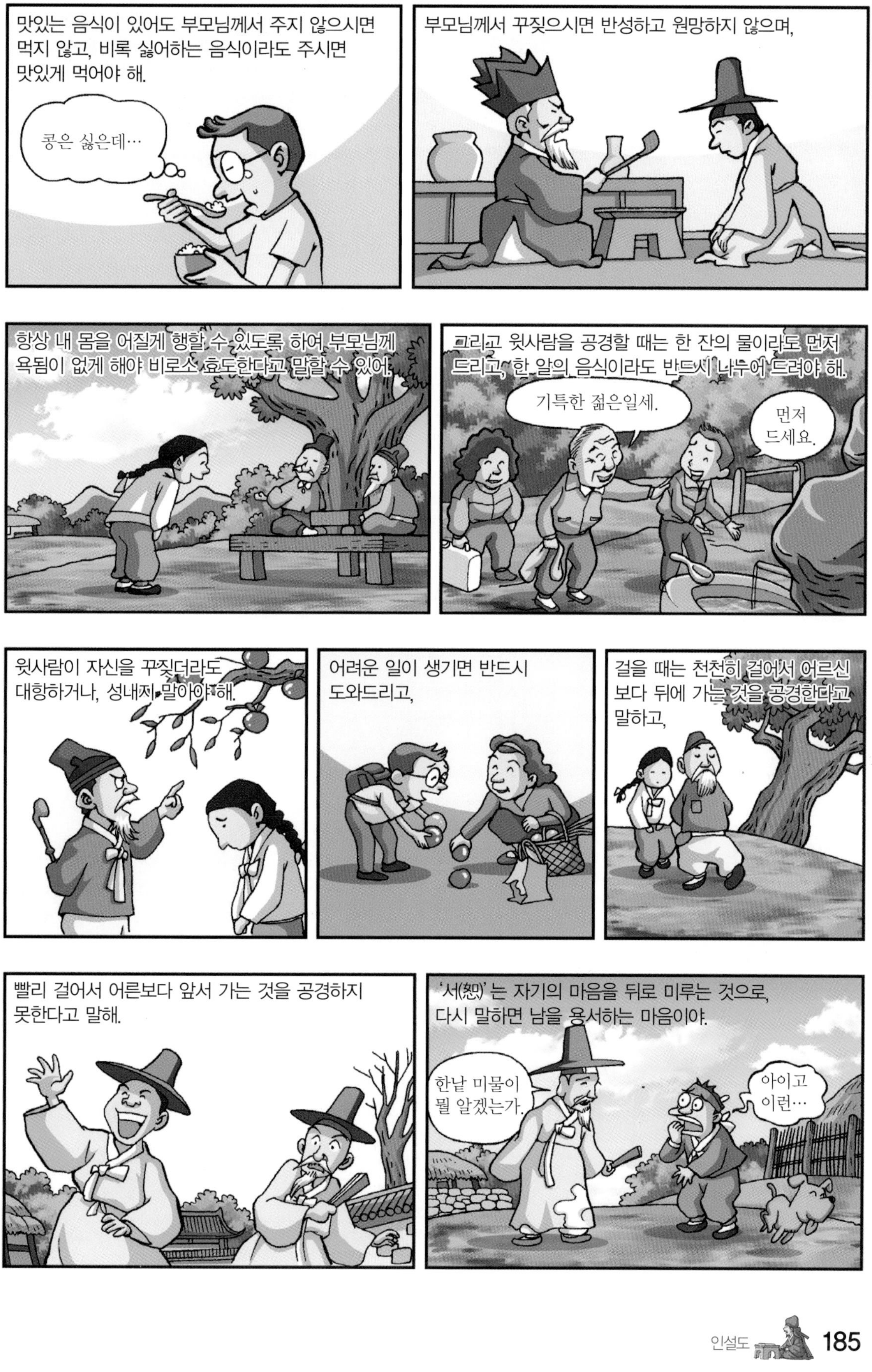
맛있는 음식이 있어도 부모님께서 주지 않으시면 먹지 않고, 비록 싫어하는 음식이라도 주시면 맛있게 먹어야 해.
콩은 싫은데…
부모님께서 꾸짖으시면 반성하고 원망하지 않으며,
항상 내 몸을 어질게 행할 수 있도록 하여 부모님께 욕됨이 없게 해야 비로소 효도한다고 말할 수 있어.
그리고 윗사람을 공경할 때는 한 잔의 물이라도 먼저 드리고, 한 알의 음식이라도 반드시 나누어 드려야 해.
기특한 젊은일세.
먼저 드세요.
윗사람이 자신을 꾸짖더라도 대항하거나, 성내지 말아야 해.
어려운 일이 생기면 반드시 도와드리고,
걸을 때는 천천히 걸어서 어르신보다 뒤에 가는 것을 공경한다고 말하고,
빨리 걸어서 어른보다 앞서 가는 것을 공경하지 못한다고 말해.
'서(恕)'는 자기의 마음을 뒤로 미루는 것으로, 다시 말하면 남을 용서하는 마음이야.
한낱 미물이 뭘 알겠는가.
아이고 이런…

일찍이 맹자는 '서를 힘써서 행하면 인을 구함이 이보다 가까울 수 없다.' 고 말했어.
자신이 성실하지 못한 것은 사욕에 막혀 있기 때문에 순수하지 못한 것이며,
정말 하기 싫어. 나는 언제 주방장되나.
자신의 마음을 뒤로 미루고 남을 앞세워, 선함이 먼저 미치도록 한다면, 인을 구하는 것이 멀지 않다는 뜻이야.
보육원
지금까지의 내용을 간단히 말하면, 인이란 천지 만물들의 마음이며, 곧 사람의 마음이야.
이런식으로 '天(노랑)', '地(파랑)', '人(빨강) 무늬가 합쳐져서 중앙에서 '仁' 을 이룬다.
인이 마음의 본체이고 작용이기 때문에 인간의 모든 행동도 인에 의해 이루어져야 하며, 인을 실천해야만 인간의 도리를 다 할 수 있는 거야.
仁
仁
仁
仁

이황의 도산십이곡(陶山十二曲)

'도산십이곡'은 퇴계 선생이 창작한 연시조이다. 퇴계 선생은 많은 시를 남겼는데, 문집에 전하는 것만 해도 무려 2000수가 넘는다. 선생님의 시는 위진남북조 시대의 도연명과 당나라의 두보 그리고 송나라 때 주자를 많이 닮았다고 한다.

▲ 퇴계 선생이 제자들을 가르치던 도산서당의 모습을 그린 정선의 〈계상 정거도〉.

※중국의 도연명은 10여 년에 걸친 관료생활을 뿌리치고 41세 때 고향으로 돌아가 은둔생활을 즐김.

퇴계 선생은 평소 자연에 은둔하려는 마음이 깊었는데, 아마도 도연명의 영향을 많이 받았던 것 같다. 이와 같은 마음은 그가 창작한 '도산십이곡'에서 찾아볼 수 있는데, 모두 12곡의 연시조로 구성되어 있다. 앞의 6곡에서는 자연에서 느끼는 그의 심정을 나타내고 있으며, 뒤의 6곡은 학문을 수양하는 그의 성리학자로서의 의지를 잘 드러내고 있는 작품이다.

▲ 도연명

도산십이곡(陶山十二曲)

제1곡

이런들 어떠하며 저런들 어떠하랴?

초야에 묻혀 어리석게 산들 어떠하랴?

하물며 자연을 사랑하는 이 마음을 고쳐서 무엇하랴?

제2곡

안개 낀 노을 집을 삼고 서늘한 바람과 밝은 달을 친구로 삼아

태평성대에 병으로 늙어가지만

이 마음 바라는 일은 남에게 허물이나 없었으면,

제3곡

예로부터 내려오는 인정 도타운 풍습 없어졌다고 하는 말은 참으로 거짓이로다.

사람의 성품은 어질다고 하는 말이 진실로 옳은 말인데,

어찌 천하에 많은 영재를 속여서 말할 수 있겠는가?

제4곡

그윽한 난초가 골짜기에 피어 있으니 자연의 냄새 맡기 좋고

흰 구름이 산에 가득하니 자연이 보기 좋아라.

이 가운데 저 아름다운 한 사람을 더욱 잊지 못하네

제5곡

산 앞에 높은 누대가 있고, 누대 아래에 물이 흐르도다.

떼를 지은 갈매기는 오락가락 하는데

어찌하여 희고 깨끗한 갈매기는 멀리 마음을 두는가?

제6곡

봄바람에 꽃은 가득 피고 가을밤에 달빛이 누대에 가득 비치니

춘하추동 아름다움이 사람과 똑같은데

하물며 고기 뛰고 솔개 날며 구름 가리고 햇빛 남이야 어찌 끊어질 수 있겠는가?

제7곡

천운대 돌아들어가니 완락재는 깨끗한데

많은 책 벗하는 생활은 즐거움이 끝이 없어라.

이 가운데 오가는 풍류의 즐거움은 말하면 무엇하겠는가?

제8곡

우레 소리가 산을 깨뜨릴 듯해도, 귀머거리는 듣지 못하고

밝은 해가 하늘 높이 올라도 눈 먼 사람은 보지 못하네.

우리는 귀와 눈이 밝은 남자니 그와 같지 않으리

제9곡

옛 어른도 나를 보지 못하고 나도 그분들을 못 보니

그분들은 뵙지 못해도 행했던 길은 알 수 있네.

행했던 올바른 길이 앞에 있는데 아니 따르면 어찌하겠는가?

제10곡

그 때 힘쓰던 길을 몇 해씩이나 버려두고

어디에 가서 무엇하다가 이제야 돌아왔는고?

이제라도 돌아왔으니 옛날에 하던 학문 수양하리라

제11곡

푸른 산은 어찌하여 영원히 푸르며

흐르는 물은 어찌하여 밤낮으로 그치지 않고 흐르는가?

우리도 그치지 말고 저 푸른 산과 흐르는 물처럼 항상 푸르게 살리라.

제12곡

어리석은 자도 알아서 행하니 어찌 쉬운 일이 아니겠는가?

그러나 성인도 다하지 못하는 법이니 어찌 어렵지 않겠는가?

쉽고도 어려운 가운데 늙어가는 줄 모르겠구나.

제10장 심학도

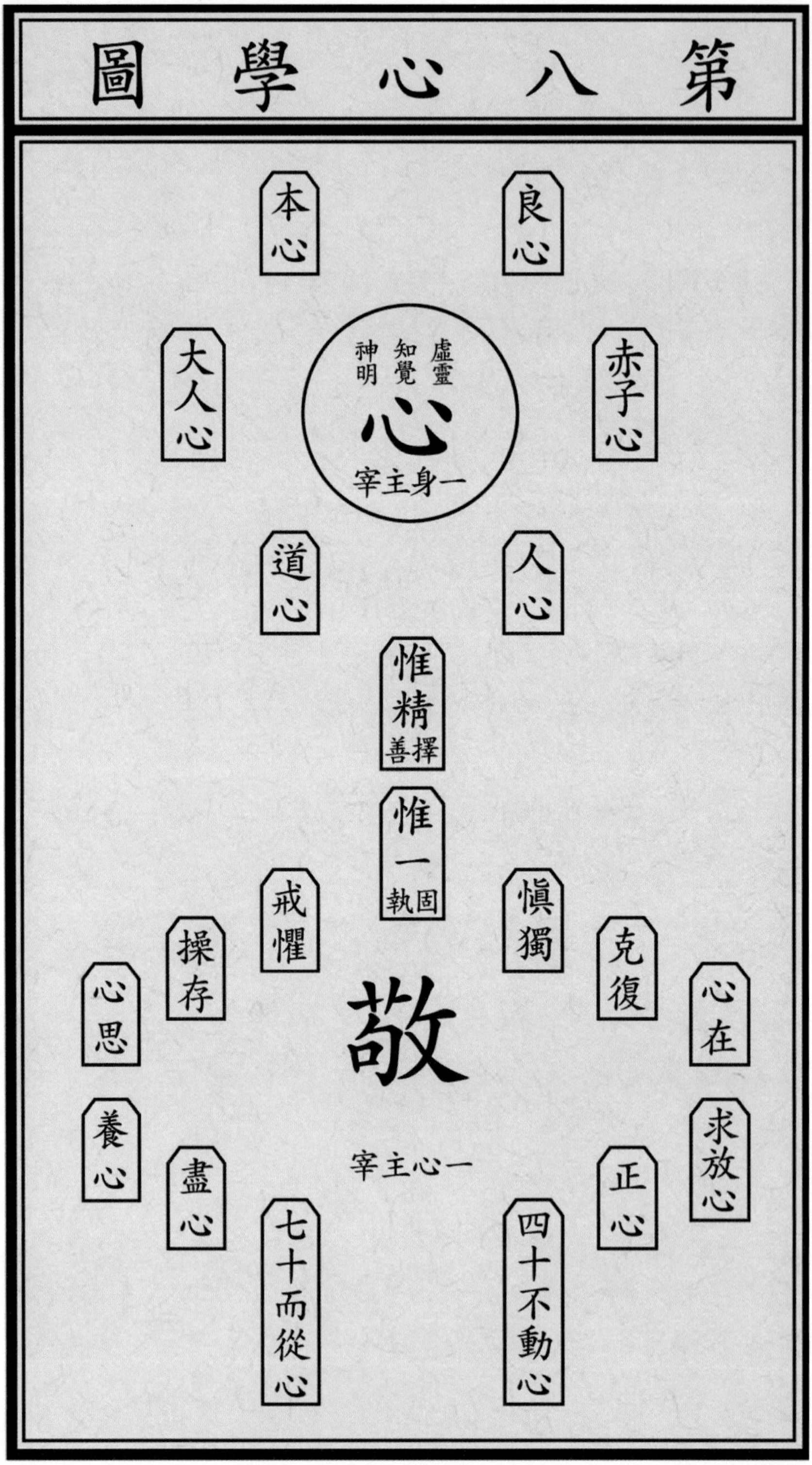
第八心學圖
本心
良心
大人心
赤子心
虛靈
知覺
神明
心
一身主宰
道心
人心
惟精
擇善
惟一
固執
戒懼
愼獨
操存
克復
心思
心在
敬
養心
求放心
一心主宰
盡心
正心
七十而從心
四十不動心

제8도 심학도

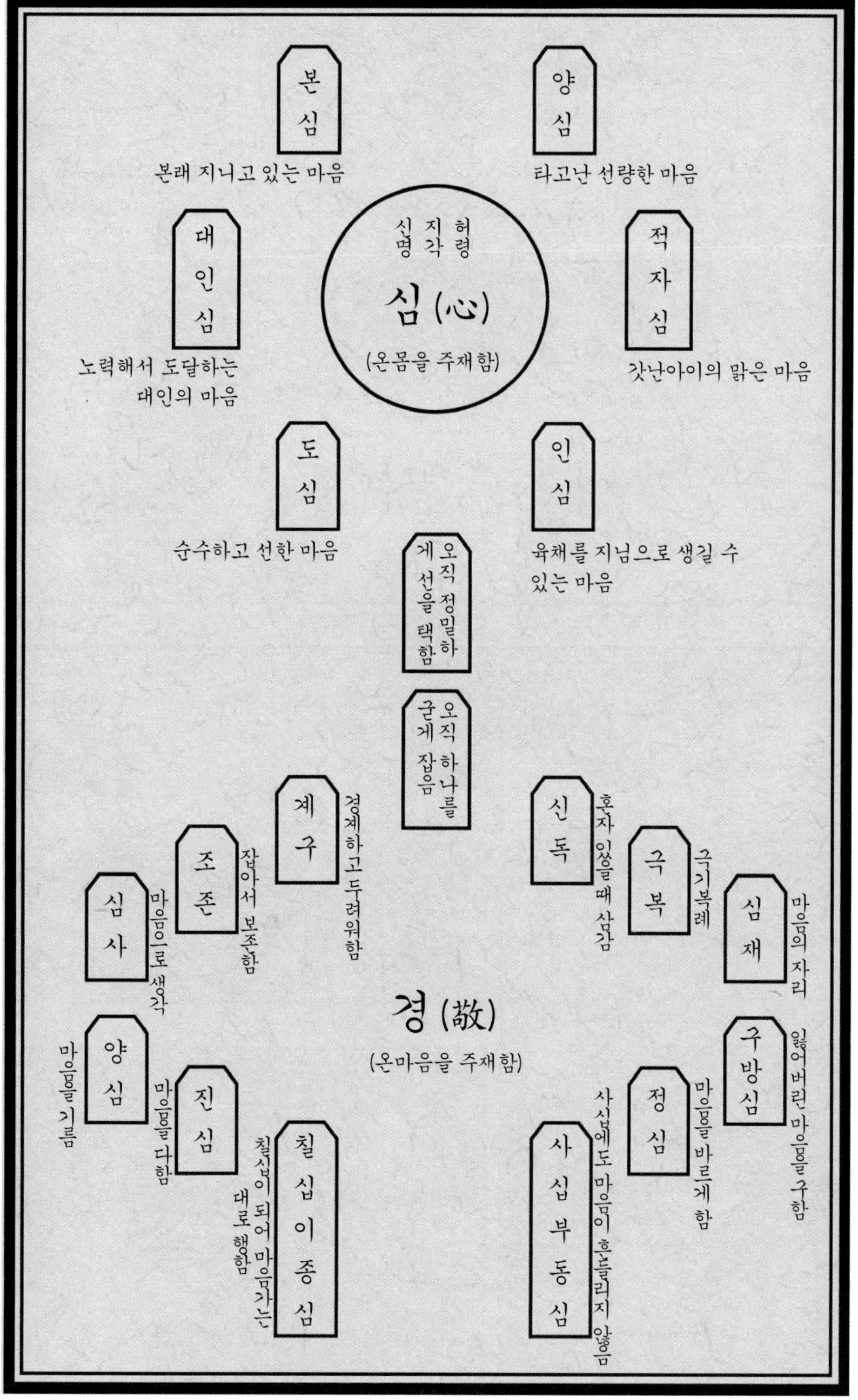

본심
본래 지니고 있는 마음
양심
타고난 선량한 마음
대인심
노력해서 도달하는 대인의 마음
허령 지각 신명
심(心)
(온몸을 주재함)
적자심
갓난아이의 맑은 마음
도심
순수하고 선한 마음
인심
육채를 지님으로 생길 수 있는 마음
오직 정밀하게 선을 택함
오직 하나를 굳게 잡음
계구
경계하고 두려워함
조존
잡아서 보존함
심사
마음으로 생각
신독
혼자 있을 때 삼감
극복
극기복례
심재
마음의 자리
경(敬)
(온마음을 주재함)
양심
마음을 기름
진심
마음을 다함
칠십이종심
칠십이 되어 마음가는 대로 행함
사십부동심
사십에도 마음이 흔들리지 않음
정심
마음을 바르게 함
구방심
잃어버린 마음을 구함

'심학도', 얼핏 들으면 섬 이름 같지?
독도
울릉도
제주도
'마음 심(心), 배울 학(學), 그림 도(圖)' 인데, 해석하면 '마음을 배우는 그림' 이라는 뜻이야.
心學圖
심학도는 원나라 성리학자 정복심이 만든 거야.
내가 저작권자야!
일찍이 맹자는 성선설을 주장했어. 성선설은 '사람은 타고날 때부터 선한 마음을 가지고 태어난다.'는 뜻이야!
성선설
맹자는 사람은 누구나 착한 마음씨를 가지고 태어나지만,
성장하면서 좋지 못한 나쁜 것에 마음이 물든다고 했지.
1000
그래서 그 마음이 차츰 어두워져 결국에 악해진다고 했어.
WANTED

중간에 둥근 원 안에 '마음 심(心)' 이라는 글자가 크게 적혀 있지?
本心
良心
大人心
赤子心
虛靈 知覺 神明
心
一身主宰
道心
人心
惟精
擇善
그 밑에 '일신주재(一身主宰)' 라는 글자가 있고.
이 마음이 '한 몸을 주재한다.' 라는 뜻이야!
다시 말하면 마음이 우리의 신체에게 명하여 육체를 움직이게 하는 중심 역할을 한다는 뜻이야.
걸어.
먹어.
웃어.
옛날 사람들은 지금 우리들이 알고 있는 것과 같이 뇌에서 명령을 내려 자신의 몸을 움직이도록 하는 것이 아니라,
명령
뇌에게 명령을 내리는 것도 마음에서 지시를 보냈기 때문이라고 생각했나봐.
지시
즉 사람의 마음속에는 묘한 것이 들어 있고, 그것이 명령을 내렸다고 생각한 거야.
?
재들 뭐야?
묘하긴. 나는 작은 난쟁이야.
인간을 움직이게 하는 역할을 하지.
그럼, 그 묘한 것이 뭘까?
…

허령
지각
신명
그것은 바로 마음이라는 글자 위에 적힌 '허령(虛靈)', '지각(知覺)', '신명(神明)' 세 가지야.
이 세 가지가 마음속에 들어 있어 사람의 몸을 주관한다고 믿었어.
허령
지각
신명
세 가지에 대해서 차례로 알아보자.
허령
지각
신명
허령은 마음이 텅 비어 있으며, 신령스러운 상태를 말하는 거야!
다시 말하면 아무런 잡된 생각이 없으면서,
잡
각
무엇이라고 꼬집어 말할 수 없으나
…….
톡
톡
톡
그것 때문에 원하는 대로 이루어지는 불가사의한 힘 같은 것을 말해.

여러분들도 가만히 앉아 두 눈을 감고 마음을 가다듬어봐!
시간이 지나면 자신의 마음이 아무런 생각도 없는 무심의 상태로 돌아가게 될 거야.
無
왜, 절에 가면 스님들이 가만히 앉아 명상에 잠겨 있는 것을 보게 되잖아.
스님들은 깨달음을 구할 때 마치 잠을 자듯 꼼짝하지 않고 앉아 마음을 비우는데 이때 무심한 상태로 돌아간다는 거야!
이렇게 마음을 비운 무심한 상태에서는 얼핏 보면 아무것도 없는 것 같아도
뭐야? 없는데.
사실 그 속에는 엄청난 에너지가 충만돼 있어.
이 충만된 에너지는 사람이 도무지 알아낼 수 없는 신비하고 영묘한 기운인데 이것을 허령이라고 해.
虛靈
가끔 우리들을 놀라게 하는 초인적인 힘이라든가,
또는 누구도 알 수 없는 미래의 일들을 알아맞히는 예지력 같은 것들이야!
오늘 조심해! 꿈자리가 안 좋았어.
신경 끄셔!

다음으로 '지각(知覺)' 은 사물의 이치와 도리를 분별해 내는 힘을 말해!
知覺
사물의 이치를 분별해 내는 힘은 사물을 보고 이것이 옳은 것이지, 아닌지를 깨달을 수 있는 능력이야.
길을 가는 도중에 아이가 엉금엉금 기어서 차도로 들어가고 있다면 어떻게 하겠어?
당연히 보고만 있을 수 없겠지.
어쩌지?
가만히 놓아두면 그 아이가 다친다는 사실을 잘 알기 때문이야.
쾅
따라서 곧장 달려가 그 아이를 구해내는 것이 옳다고 판단하고 행동할 거야.
이처럼 사물과 사건을 보고 옳고 그름을 판단할 수 있는 능력을 지각이라고 해.
헉
헉

세 번째로 신명은 신기하고 묘한 밝은 힘을 말해!
신명
우리가 어떤 일을 할 때 즐거워 신이 나면, 자신도 모르는 사이 어떤 힘에 이끌려 더욱 잘하게 되는 것을 말해.
예를 들어 여러분들이 춤을 춘다고 가정했을 때,
춤을 추다보니 점점 재미있어지고
또 주위의 사람들에게 잘한다는 찬사를 받게 되면
와 아 아
더욱 신이 나서 잘하게 되는 거야!
칭찬은 고래도 춤을 추게 한다는 말이 있잖아! 바로 그런 뜻이야.
신바람이 일어나면 우리들 마음속에 신기하고 묘한 밝은 힘이 생겨나는데 이것을 신명이라고 해!
신명나게 공부가 잘되네.
신명난 축구!
신명난 섭취!
와구
와구

따라서 마음이란 고요하고 텅 비어 있지만
원하는 대로 이룰 수 있는 신기한 힘과
허령
사물의 이치와 도리를 분별해 낼 수 있는 힘과
허령
지각
신기하고 묘한 밝은 힘을 가지고 있어.
허령
지각
신명
다음으로 넘어갈까?
이와 같은 마음은 다시 여섯 가지 형태로 나누어지는데, 양심(良心)과 본심(本心) 그리고 적자심(赤子心)과 대인심(大人心), 인심(人心)과 도심(道心)으로 나눌 수 있어.
本心
良心
大人心
赤子心
虛靈 知覺 神明
心
一身主宰
道心
人心
惟精
善擇

첫째, 양심이란 뭘까?
주자는 타고난 착한 마음, 즉 사람이 태어날 때 하늘로부터 물려받은 착한 성품이라고 정의했어.
좀 더 구체적으로 얘기하자면 양심은 인(仁)의 성품, 즉 남을 사랑하는 마음이야.
仁
둘째로 본심은 뭘까?
이것은 본래 지니고 있던 마음인데, 양심과 비슷하지만 조금 달라.
양심
본심
주자는 의(義)의 성품이 이에 해당한다고 했어.
義
본심
다시 말하면 옳고 그름을 판단하여 부끄러워하고 미워할 줄 아는 마음이 바로 본심이지.
도둑질은 나쁜 짓!
부끄러워….
도둑질은 용서 못해!

셋째로 적자심을 살펴볼까?
赤子心
적자심은 갓 태어난 아이의 맑은 마음이라는 뜻으로 어린 아이의 마음과 같이 맑고 깨끗한 마음을 말하는 거야.
티끌만큼도 때가 묻지 않은 신성한 마음이야!
넷째로 대인심이란 뭘까?
대인심은 사람이 살아가는 동안에 만물의 온갖 변화를 모두 겪으면서도 사리사욕에 때 묻지 않은 마음이야.
10000
바로 군자의 마음 같은 거지.
그래서 대인심은 자신의 수양을 통해 이루어진 마음이라 할 수 있어.

혹시 너희들,
'송도삼절' 이라고
들어봤니?
아뇨.
'송도삼절(松都三絕)' 이란 송도(개성의 옛 이름)에서 가장 뛰어난
세 가지라는 뜻이야.
송도
현재 개성
박연폭포와
화담 서경덕
그리고 황진이를 말해!
지금부터 송도삼절의
화담 선생과 황진이
사이에서 일어난 이야기를
해 줄게.
화담 선생이 금강산에서 찾아오는 유생들을
가르치고 있을 때였어.
송도 기생 황진이가 화담 선생의 명성을 듣고 그를
시험해 보기 위해 찾아갔어.
일찍이 황진이를 만난 남정네들은
그녀에게 모두
반했거든.

황진이는 화담 선생도 보통 남자와 같은지 시험해보고 싶었던 거야.
그래서 금강산으로 찾아가 온갖 교태를 부렸으나 선생은 황진이에게 눈길 한번 주지 않았어.
화담 선생은 대인심을 가지고 있었던 거야.
황진이는 그때서야 화담 선생의 높은 덕을 알아차리고 그 자리에서 제자가 되기로 결심했다고 해.
다섯 번째로 인심(人心)에 대해 알아 보자.
인심은 육체를 가짐으로써 발생하는 욕심이야.
나도 육체가 있는데…
사람만!
인간의 욕심이라는 뜻으로, 배가 고프면 먹을 것을 찾고,
엄마, 배고파. 밥 줘!
잠이 오면 잘 곳을 찾는 마음이라는 거야.
방에 가서 자야지!
사람이면 누구나 가지고 있는 마음이겠지.

여섯 번째로 도심(道心)은 도덕적인 마음으로 인심에서 일어나는 욕구를 잘 통제할 수 있는 마음이야.
도심
배가 고파 음식을 먹고자 하는 욕구가 일어나는 곳은 인심이야.
앞페이지를 봐!
그런데 사람이 음식을 먹다보면 자제할 수 없을 때가 있어.
아…
맛있다.
음식이 맛이 있어서 배가 불러도 계속해서 먹는다든가, 생전 처음 보는 귀한 음식이어서 탐을 내어 많이 먹는다면,
다 먹어 버릴 거야.
이 때 도덕적인 마음, 즉 도심이 욕구를 통제하여 그만 먹도록 자제시킨다는 거야.
그러므로 군자는 배가 고파도 내 것이 아니면 먹지를 않고
꼬르륵
길거리에 돈이 떨어져 있어도 내 것이 아니면 취하지 않는데
10000
모두 도심으로 마음을 통제하기 때문이야.
도심
사람이 사물을 보고 욕심이 생기면 착한 마음을 가질 수 없기 때문에, 도심을 통하여 통제를 받음으로써 착한 마음으로 돌아갈 수 있다는 깊은 뜻이 담겨 있는 거야!
도심

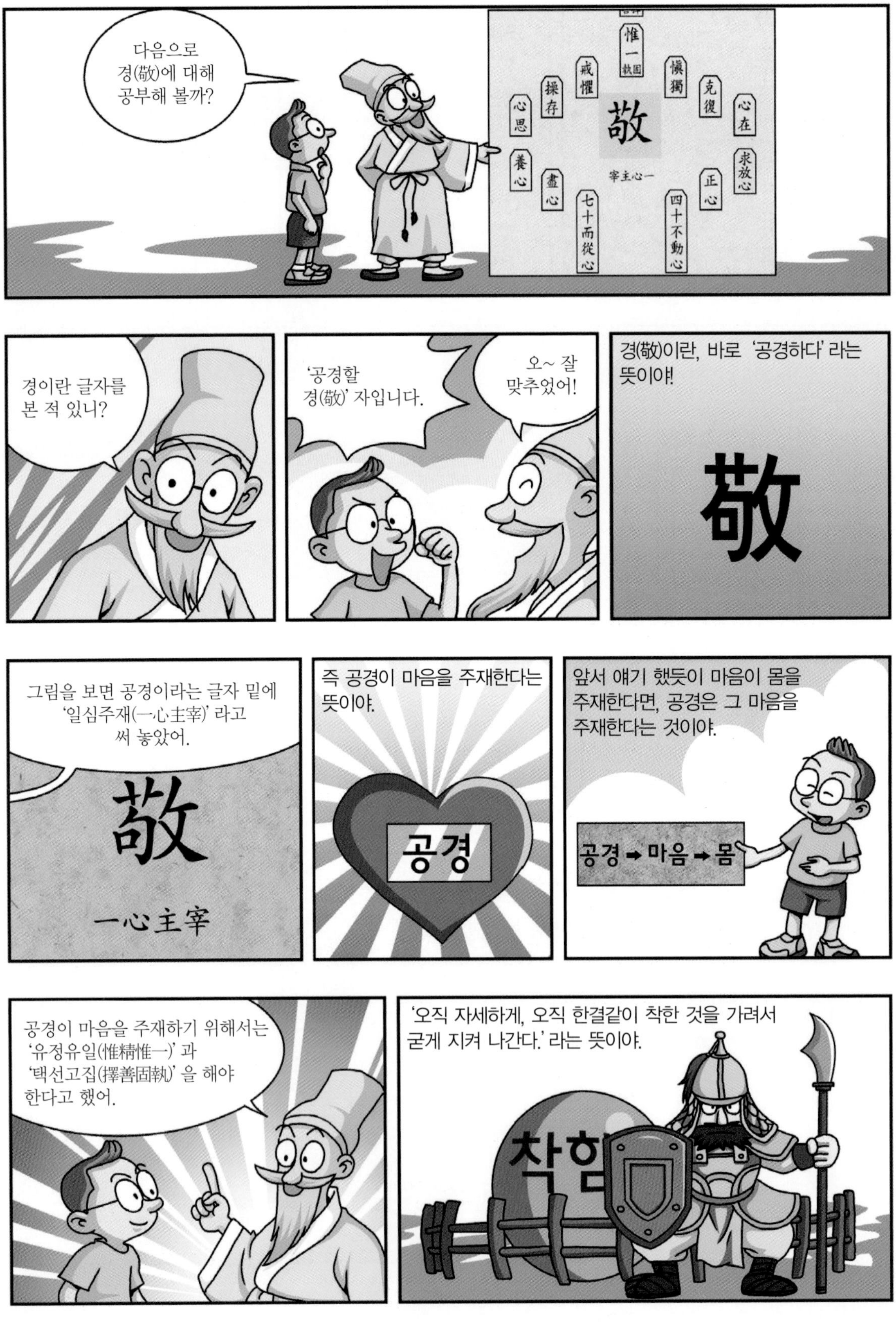

다음으로 경(敬)에 대해 공부해 볼까?
惟一
執固
戒懼
愼獨
操存
克復
心思
心在
敬
養心
求放心
盡心
宰主心一
正心
七十而從心
四十不動心
경이란 글자를 본 적 있니?
'공경할 경(敬)' 자입니다.
오~ 잘 맞추었어!
경(敬)이란, 바로 '공경하다' 라는 뜻이야!
敬
그림을 보면 공경이라는 글자 밑에 '일심주재(一心主宰)' 라고 써 놓았어.
敬
一心主宰
즉 공경이 마음을 주재한다는 뜻이야.
공경
앞서 얘기 했듯이 마음이 몸을 주재한다면, 공경은 그 마음을 주재한다는 것이야.
공경 ➡ 마음 ➡ 몸
공경이 마음을 주재하기 위해서는 '유정유일(惟精惟一)' 과 '택선고집(擇善固執)' 을 해야 한다고 했어.
'오직 자세하게, 오직 한결같이 착한 것을 가려서 굳게 지켜 나간다.' 라는 뜻이야.
착함

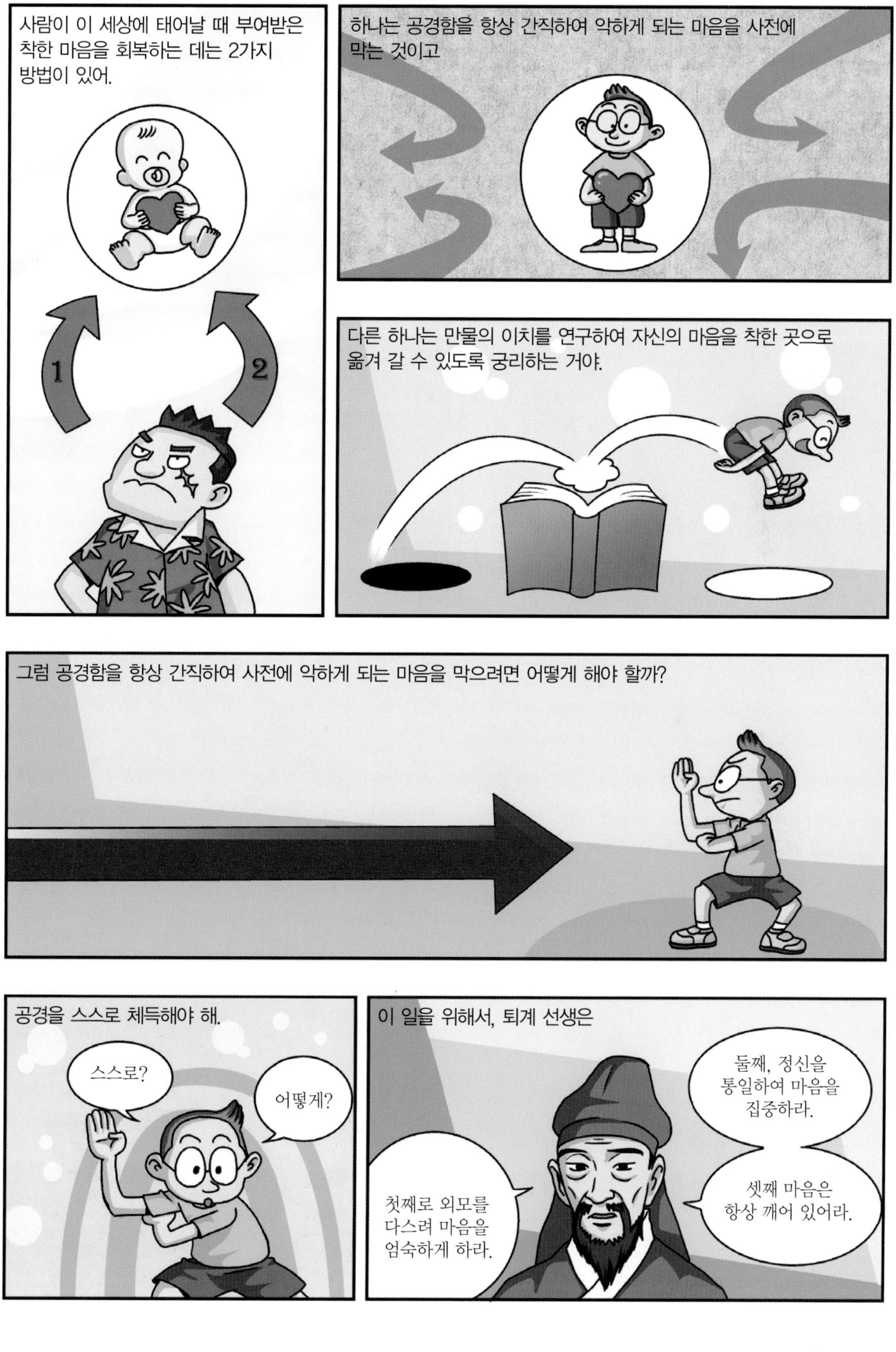
사람이 이 세상에 태어날 때 부여받은 착한 마음을 회복하는 데는 2가지 방법이 있어.
1
2
하나는 공경함을 항상 간직하여 악하게 되는 마음을 사전에 막는 것이고
다른 하나는 만물의 이치를 연구하여 자신의 마음을 착한 곳으로 옮겨 갈 수 있도록 궁리하는 거야.
그럼 공경함을 항상 간직하여 사전에 악하게 되는 마음을 막으려면 어떻게 해야 할까?
공경을 스스로 체득해야 해.
스스로?
어떻게?
이 일을 위해서, 퇴계 선생은
첫째로 외모를 다스려 마음을 엄숙하게 하라.
둘째, 정신을 통일하여 마음을 집중하라.
셋째 마음은 항상 깨어 있어라.

다시 말하면 외모를 자신이 하고 싶은 대로 현란하게 하면 안 된다는 거야.
검소한 차림으로 몸가짐을 바로 해야 하지.
그리고 이곳저곳 여러 일에 마음을 두면 집중할 수 없으므로
하나의 일에 마음을 집중하라는 뜻이야.
그리고 항상 열린 마음으로 깨어 있어야 한다는 것은,
마음을 활짝 열고 항상 배우는 자세로 임해야 한다는 뜻이야.

그러면 공경을 체득하기 위한 실천항목들을 알아 볼까?
다음과 같이 12가지가 있어.
戒懼
操存
心思
養心
盡心
七十而從心
敬
宰主心一
慎獨
克復
心在
求放心
正心
四十不動心
1) 신독(愼獨) – 홀로 있을 때를 삼가고
같이 놀자.
2) 극복(克復) – 욕심을 이겨내 예를 회복하고
3) 심재(心在) – 자신의 마음을 살펴 비우고
청소는 깨끗히!
4) 구방심(求放心) – 자신이 풀어놓은 마음을 찾고
5) 정심(正心) – 자신의 마음을 바르게 하고
6) 사십부동심(四十不動心) – 40살이 되어 어떠한 유혹에도 흔들리지 않는 공부를 하여 스스로 인욕을 막아, 부귀와 빈천에도 흔들리지 않고
₩

7) 계구(戒懼)- 남이 보지 않아도 경계하고
두려워하고
8) 조존(操存)- 마음을 잡아 보존하고
9) 심사(心思)- 늘 생각하고
10) 양심(養心)- 타고난 본심을 기르며
11) 진심(盡心)- 마음을 극진하게 하여
12) 칠십이종심(七十而從心)- 70살이 되어서 자기가 하고 싶은 대로 해도 법도에 어긋남이 없도록 해야 해!
그냥 하는 것 같아도 법도에 따른 거야.
12가지 조목을 몸소 익혀 실천해야 비로소 공경을 체득했다고 말할 수 있어.
심학도를 정리하면, '마음이 사람의 몸을 주재하고, 공경은 그 마음을 주재한다. 따라서 마음을 주재하는 공경을 배우고 스스로 체득함으로써 자신의 마음을 올바르게 가질 수 있다.'는 내용이야.
공경
마음
몸

기질을 바로 잡는 일은 나에게 달려 있다

퇴계 선생은 기질을 바로 잡는다는 것은 참으로 힘든 일이며, 자신이 타고난 기질을 바꾸는 것은 더더욱 힘든 일이라고 말했다. '자신의 나쁜 기질을 바로 잡는 것은 나에게 달려 있지, 남에게 있는 게 아니다.' 라는 뜻이다. 퇴계 선생은 '진실로 자신의 잘못된 기질을 고치고자 한다면 엄한 스승을 만나 훈육을 받거나, 훌륭한 벗들과 날마다 생활하다 보면 조금씩은 나아지고, 오로지 자신이 절차탁마(切磋琢磨)하여 노력하면 유익함이 있다' 라고 말했다. 그리고 퇴계 선생은 자신의 나쁜 기질을 바꾸기 위해서 어떻게 해야 하는지 주변의 사람의 예를 들어 설명하였다.

※절차탁마(切磋琢磨): 학문이나 덕행 등을 배우고 닦는다는 말.

경소(景昭)와 이대용(李大用)의 예

경소는 착한 사람인데 배우지 못했으니 애석하다. 우리 고장에는 글을 배우는 선비들은 많으나, 모두 과거 공부에 매달려 글 읽는 것이 총총히 급박하게 앞만 보고 달려갈 뿐, 잠시 머리를 돌리고 발길을 멈추어서 이 심학을 닦는 일을 할 뜻은 없다. 조사경(趙士敬)과 같은 무리들은 뜻은 있으나, 또한 과거 공부에서 벗어나지 못하여 서로 만나도 별로 토론할 것이 없으니, 크게 도움될 것이 없다. 오직 이대용만은 주자의 글을 깊이 공부하여 이젠 그 글 베끼기를 다 끝내었고, 마침내 하나하나 감안해 가면서 사색하여 그 밑바닥까지 이르렀다.

※이숙량(叔樑)은 자가 대용(大用), 호는 매암(梅巖)이다. 퇴계 밑에서 학문을 닦았으며, 벼슬에 뜻을 두지 않고 오로지 성리학 연구에만 치중하였다.

제11장 경재잠도

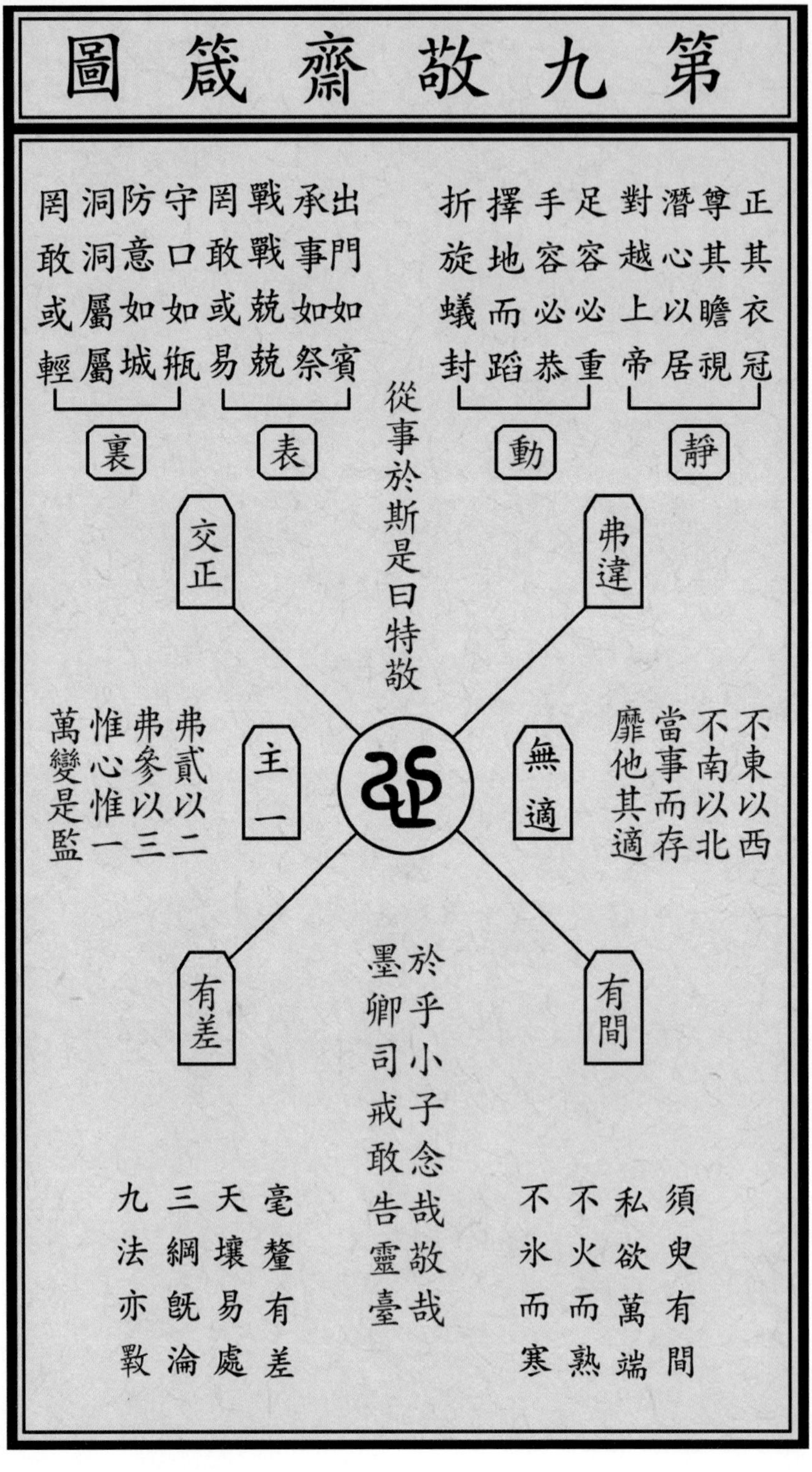
第九敬齋箴圖
正其衣冠
尊其瞻視
潛心以居
對越上帝
靜
足容必重
手容必恭
擇地而蹈
折旋蟻封
動
出門如賓
承事如祭
戰戰兢兢
罔敢或易
表
守口如瓶
防意如城
洞洞屬屬
罔敢或輕
裏
從事於斯是曰特敬
交正
弗違
主一
無適
有差
有間
不東以西
不南以北
當事而存
靡他其適
弗貳以二
弗參以三
惟心惟一
萬變是監
於乎小子
念哉敬哉
墨卿司戒
敢告靈臺
須臾有間
私欲萬端
不火而熱
不氷而寒
毫釐有差
天壤易處
三綱既淪
九法亦斁

제9도 경재잠도

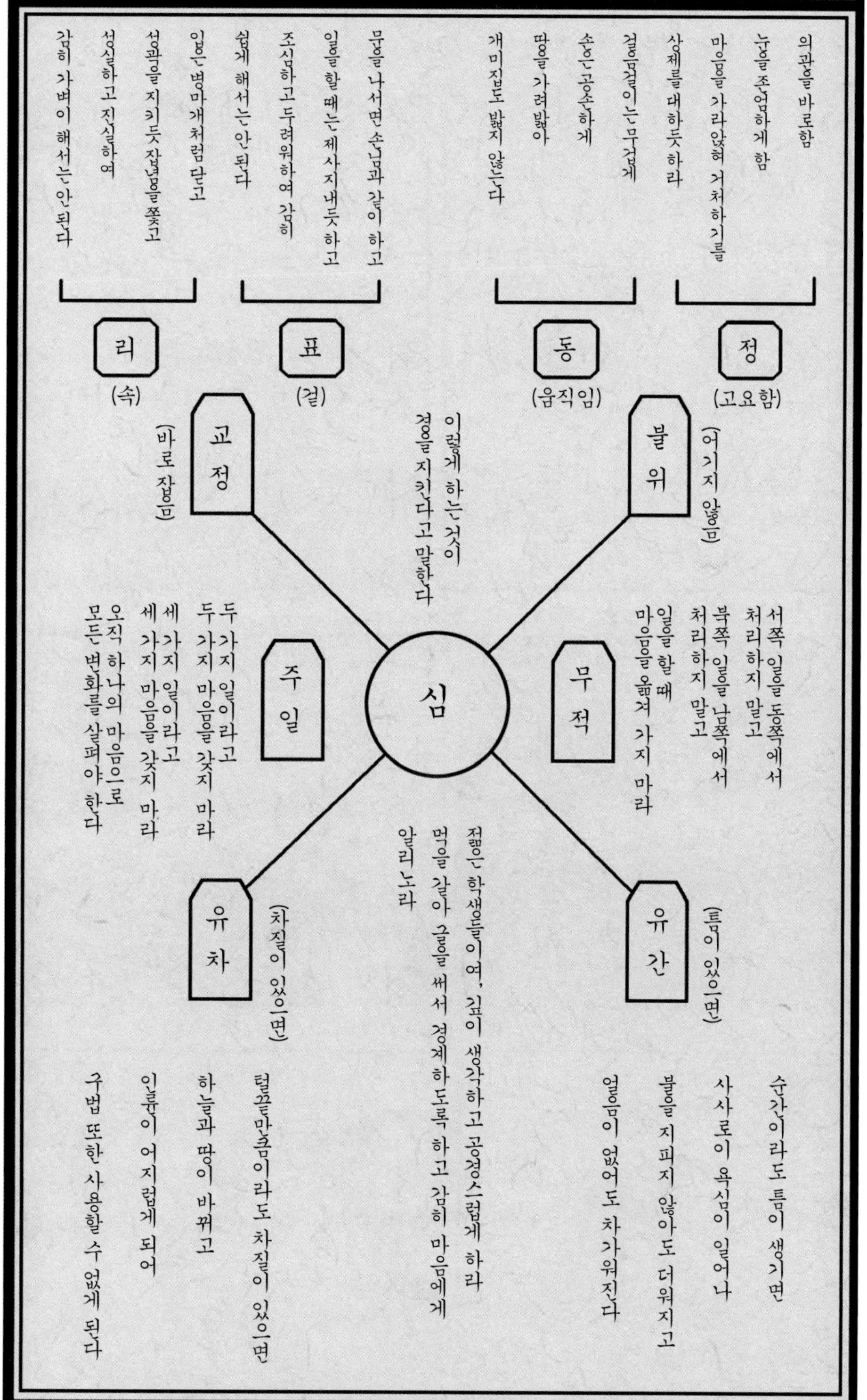

의관을 바로함
눈을 존엄하게 함
마음을 가라앉혀 거처하기를
상제를 대하듯 하라
정
(고요함)
걸음걸이는 무겁게
손은 공손하게
땅을 가려 밟아
개미집도 밟지 않는다
동
(움직임)
문을 나서면 손님과 같이 하고
일을 할 때는 제사 지내듯 하고
조심하고 두려워하여 감히
쉽게 해서는 안 된다
표
(겉)
입은 병마개처럼 닫고
성곽을 지키듯 잡념을 쫓고
성실하고 진실하여
감히 가벼이 해서는 안 된다
리
(속)
불위
(어기지 않음)
이렇게 하는 것이
경을 지킨다고 말한다
교정
(바로잡음)
서쪽 일을 동쪽에서
처리하지 말고
북쪽 일을 남쪽에서
처리하지 말고
일을 할 때
마음을 옮겨 가지 마라
무적
심
주일
두 가지 일이라고
두 가지 마음을 갖지 마라
세 가지 일이라고
세 가지 마음을 갖지 마라
오직 하나의 마음으로
모든 변화를 살펴야 한다
유간
(틈이 있으면)
젊은 학생들이여, 깊이 생각하고 공경스럽게 하라
먹을 갈아 글을 써서 경계하도록 하고 감히 마음에게
알리노라
유차
(차질이 있으면)
순간이라도 틈이 생기면
사사로이 욕심이 일어나
불을 지피지 않아도 더워지고
얼음이 없어도 차가워진다
털끝만큼이라도 차질이 있으면
하늘과 땅이 바뀌고
인륜이 어지럽게 되어
구법 또한 사용할 수 없게 된다

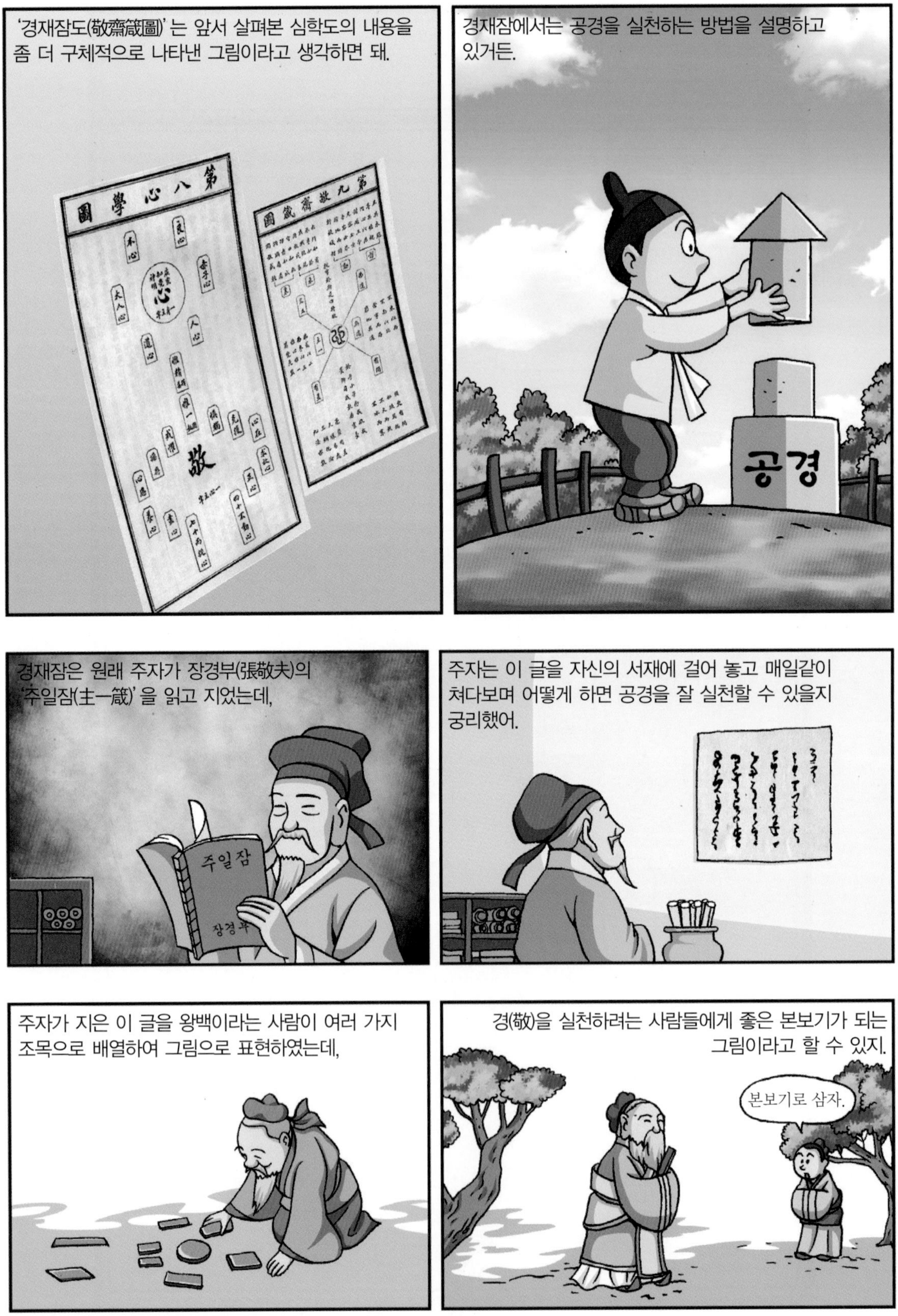
'경재잠도(敬齋箴圖)' 는 앞서 살펴본 심학도의 내용을 좀 더 구체적으로 나타낸 그림이라고 생각하면 돼.
第八 心學圖
第九 敬齋箴圖
경재잠에서는 공경을 실천하는 방법을 설명하고 있거든.
공경
경재잠은 원래 주자가 장경부(張敬夫)의 '주일잠(主一箴)' 을 읽고 지었는데,
주일잠
장경부
주자는 이 글을 자신의 서재에 걸어 놓고 매일같이 쳐다보며 어떻게 하면 공경을 잘 실천할 수 있을지 궁리했어.
주자가 지은 이 글을 왕백이라는 사람이 여러 가지 조목으로 배열하여 그림으로 표현하였는데,
경(敬)을 실천하려는 사람들에게 좋은 본보기가 되는 그림이라고 할 수 있지.
본보기로 삼자.

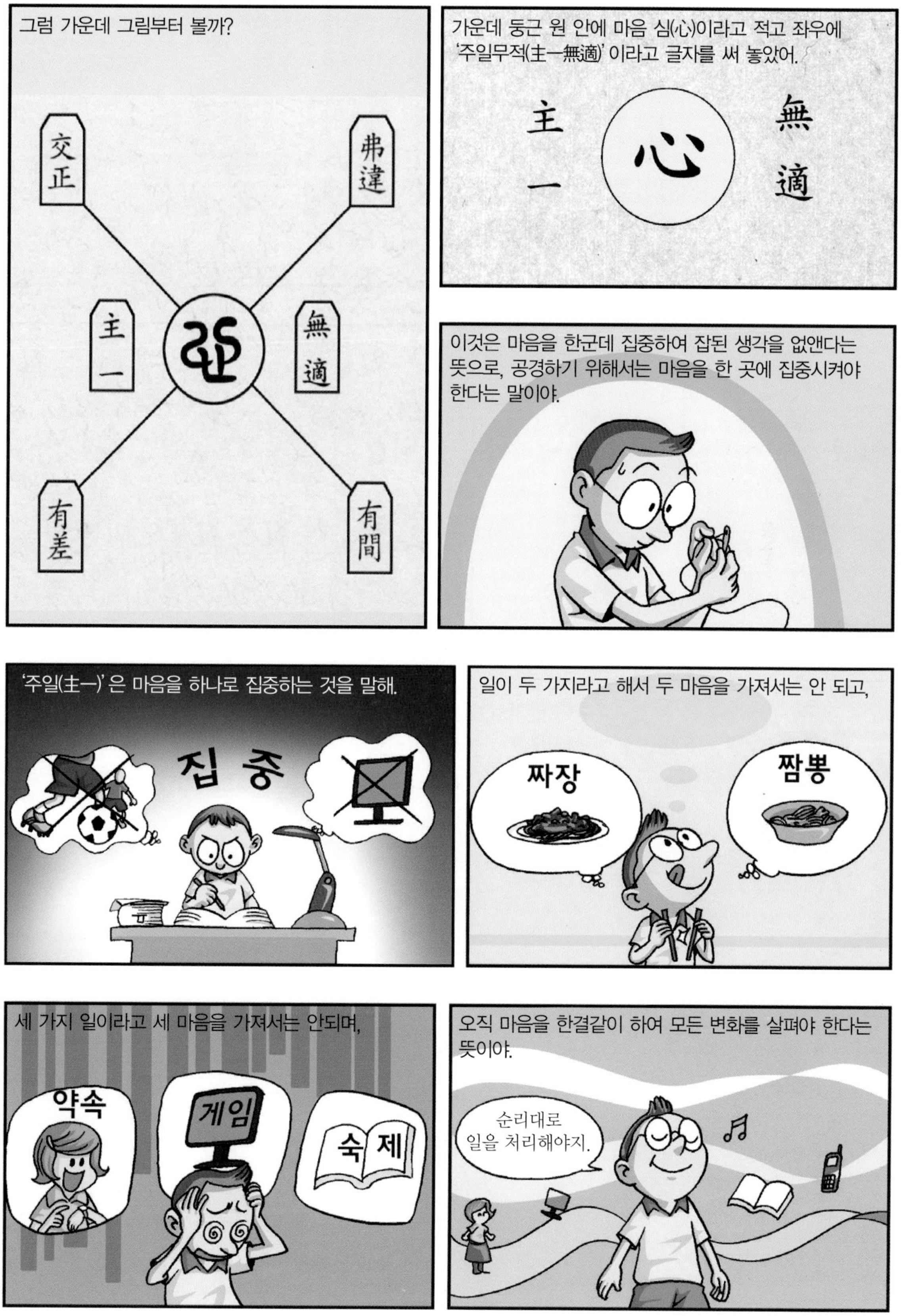
그럼 가운데 그림부터 볼까?
交正
弗違
主一
無適
有差
有間
가운데 둥근 원 안에 마음 심(心)이라고 적고 좌우에 '주일무적(主一無適)' 이라고 글자를 써 놓았어.
主一
心
無適
이것은 마음을 한군데 집중하여 잡된 생각을 없앤다는 뜻으로, 공경하기 위해서는 마음을 한 곳에 집중시켜야 한다는 말이야.
'주일(主一)' 은 마음을 하나로 집중하는 것을 말해.
집중
일이 두 가지라고 해서 두 마음을 가져서는 안 되고,
짜장
짬뽕
세 가지 일이라고 세 마음을 가져서는 안되며,
약속
게임
숙제
오직 마음을 한결같이 하여 모든 변화를 살펴야 한다는 뜻이야.
순리대로 일을 처리해야지.

어떤 일을 수행하다가 이 일은 정성 들여서 하고
저 일은 대충대충 한다면
이것은 마음이 한결같다고 할 수 없는 거야!
또 어른을 공경함에 있어서도 어느 분은 공경하고
어느 분은 공경하지 않는다면 마음이 한결같다고 할 수
없어.
마음을 하나로 집중하지 못한 것이지.
어제 너무
과음했나~.
다음은 '무적(無適)'이야.
무적?
즉 다른 것에 신경을 쓰지 말아야 한다는 뜻으로,
?
하 하 하

서쪽으로 간다고 하고 동쪽으로 가지 말며,
동해
북쪽으로 간다 하고 남쪽으로 가지 말며,
평양
일을 할 때는 오로지 그 곳에만 몰두하여 마음이 다른 곳으로 가지 않도록 해야 한다는 뜻이야.
예를 들어 너희들이 방과 후에 도서관에 공부하러 간다고 부모님께 말씀드리고,
도서관 좀 다녀 올게요.
실제로는 친구들과 운동장에 공을 차러 갔다면 마음을 한 곳에 몰두한 것이라고 할 수 없는 거야.
또한 너희들이 책상 앞에 앉아 공부를 하고 있으나 마음은 컴퓨터 게임에 가 있다면 역시 마음을 한 곳에 몰두하였다고 말할 수 없지.

이러한 이유로 '주일무적'이 이루어진 후에야 비로소 공경을 실천할 수 있는 마음가짐을 갖출 수 있는 거야.

마음가짐이 갖추어진 다음에는 공경을 실천하는 공부를 해야 해.
실천목록
1
2
3
4
5
오~여기, 인간의 도리를 다하기 위해서는…

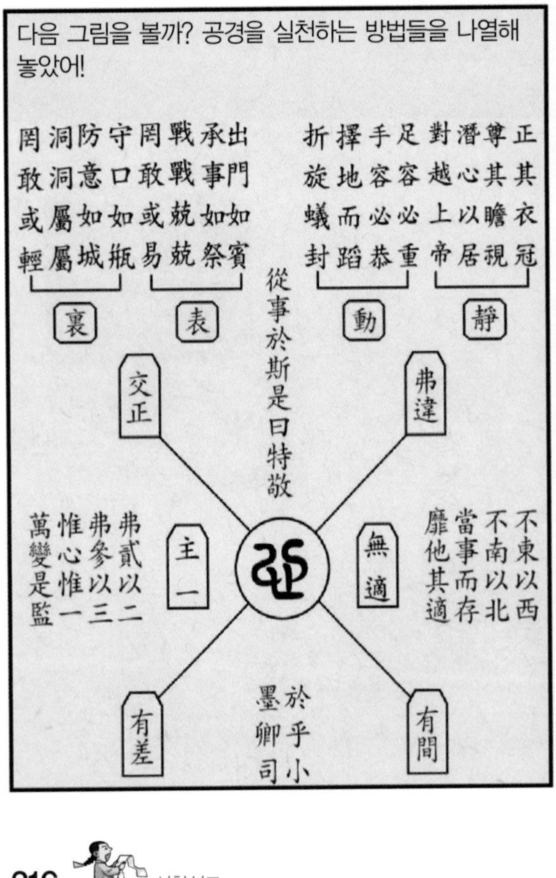
다음 그림을 볼까? 공경을 실천하는 방법들을 나열해 놓았어!
正其衣冠
尊其瞻視
潛心以居
對越上帝
靜
足容必重
手容必恭
擇地而蹈
折旋蟻封
動
出門如賓
承事如祭
戰戰兢兢
罔敢或易
表
守口如瓶
防意如城
洞洞屬屬
罔敢或輕
裏
從事於斯是曰持敬
交正
弗違
敬
主一
無適
弗貳以二
弗參以三
惟心惟一
萬變是監
不東以西
不南以北
當事而存
靡他其適
有差
有間
於乎小
墨卿司

'정기의관 존기첨시(正其衣冠 尊其瞻視)'는 '의관을 바르게 하고 눈 모습을 존엄하게 하라.'는 뜻이야.

먼저 고요하게 있을 때는 의관을 바로하고,
눈매를 존엄하게 가지라고 하였어.
겉모습은 화려해서도
누추해서도 안 돼.
비록 집안이 가난해 떨어진 옷을 입더라도 깨끗하고 단정하게 입어야 하며
모자를 쓸 때는 가지런하게 바로 써야 한다는 뜻이야.
그리고 눈의 모습은 우러러 받드는 모습으로 항상 엄숙하게 해야 해.

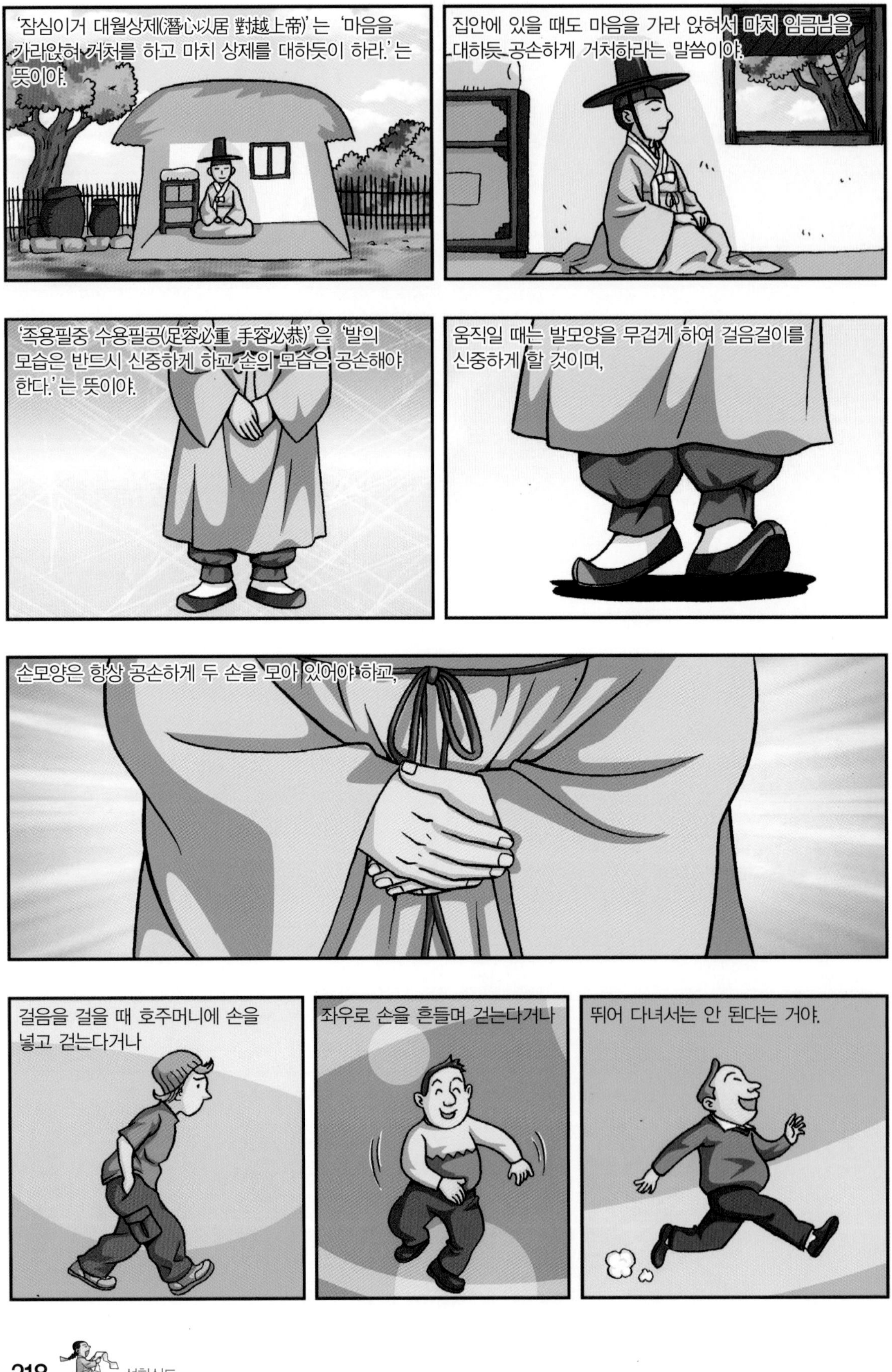
'잠심이거 대월상제(潛心以居 對越上帝)' 는 '마음을 가라앉혀 거처를 하고 마치 상제를 대하듯이 하라.' 는 뜻이야.
집안에 있을 때도 마음을 가라 앉혀서 마치 임금님을 대하듯 공손하게 거처하라는 말씀이야.
'족용필중 수용필공(足容必重 手容必恭)' 은 '발의 모습은 반드시 신중하게 하고 손의 모습은 공손해야 한다.' 는 뜻이야.
움직일 때는 발모양을 무겁게 하여 걸음걸이를 신중하게 할 것이며,
손모양은 항상 공손하게 두 손을 모아 있어야 하고,
걸음을 걸을 때 호주머니에 손을 넣고 걷는다거나
좌우로 손을 흔들며 걷는다거나
뛰어 다녀서는 안 된다는 거야.

'택지이도 절선의봉(擇地而蹈 折旋蟻封)' 은
'걸을 때는 땅을 가려서 밟으며,
개미집도 밟지 말고 돌아서 가라.' 는 뜻이야.
실제로 절에 계신 스님들이 살아 있는 참 생명, 개미 한 마리라도 죽이지 않는 것은 부처님의 가르침 속에 살생하지 마라는 계율이 있기 때문이라고 해!
이제까지 공경을 실천하기 위하여 가만히 있을 때와 움직일 때 해야 하는 실천방법을 설명했어.
다음으로 '출문여빈 승사여제(出門如賓 承事如祭)' 는
'문을 나서면 손님을 대접하듯 공손하게 하고
일을 할 때는 제사를 지내는 듯이 한다.' 는 뜻이야.
일할 때 모습은 대문을 나서 마주치는 손님을 상대하듯 공손하게 해야 한다는 거야.

또한 '전전긍긍 망감혹이(戰戰兢兢 罔敢或易)'는 '조심하고 감히 쉽게 행해서는 안 된다.'는 뜻이야.
좋아! 숫자가 나왔으니 빨강으로…
100
일을 행할 때는 조심조심해서 행하고
조금이라도 대충대충 해서 넘겨서는 안 된다는 거지.
'수구여병 방의여성(守口如甁 防意如城)'은 '병마개와 같이 입을 막고 성곽을 지키듯이 잡념을 막는다.'는 뜻으로,
잡념
잡념
일할 때, 마음속으로 입은 병마개 막듯이 꼭 다물고
내 마음에 사심이 일어나지 않도록 잡념을 없애야 한다는 거야.
잡념
잡념
잡념
사 심

'동동촉촉 망감혹경(洞洞屬屬 罔敢或輕)' 은 '성실하고 감히 경솔함이 없어야 한다.' 는 뜻으로
마음속으로 항상 성실하고 진실하게 하여
성실 진실
잠시라도 경솔한 생각이 일어나지 않도록 해야 한다는 거야.
나도 모르게 그만…
공경을 실천함에 있어서 가장 중요한 것은 말하는 것을 삼가야 해.
약방에 감초처럼 이곳저곳 모든 일에 간섭하며,
다른 사람 잔치에 가서 '감 놓아라!', '배 놓아라!' 하는 식으로 잘난 체하는 모습은 절대 금물이야.
또 모든 일을 자신의 사사로운 감정으로 처리해서는 안 되며,
오디션
합격
충성을 다해야 한다고 했어.
충성

퇴계 선생은 이와 같은 내용을 매일매일 그치지 않고 실천해야
비로소 공경함이 마음속에 유지된다고 하셨어.
그럼 매일매일 공경을 실천함을 게으르게 행하면 어떻게 될까?
다음 그림을 보자.
이 그림은 공경함을 매일매일 실천하지 않을 때는 어찌 되는지를 설명해 놓았어!
弗違
日特敬
主一
無適
心
弗貳以二 弗參以三 惟心惟一 萬變是監
不東以西 不南以北 當事而存 靡他其適
有差
有間
於乎小子 念哉敬哉 墨卿司戒 敢告靈臺
毫釐有差 天壤易處 三綱既淪 九法亦斁
須臾有間 私欲萬端 不火而熱 不氷而寒
'수유유간 사욕만단(須臾有間 私欲萬端)' 은 '잠시라도 틈이 생기면
잠시만 나갔다 올까?
하하하
호호호
온갖 사심이 일어난다.' 는 뜻이야.

공경을 실천할 때 잠시라도 틈이 생기면
오늘은 좀 쉬고 싶은데.
개인적인 온갖 사사로운 욕심이 모두 일어난다는 거야!
'불화이숙 불빙이한(不火而熟 不氷而寒)' 은
'불을 피우지 않아도 더워지고,
얼음이 없어도 차가워지게 될 것이다.' 라는 뜻이야.
불을 피우지 않아도 더워지고, 얼음이 없어도 차가워지게 된다는 것은 모든 일이 순리에 어긋난다는 얘기야.

공경을 실천하는 행동은 조금이라도 멈추면
제가 도와 드리겠습니다.
그래, 고맙다.
그 사이에 자신도 모르게 사사로운 욕심이 생겨나며,
꿀꺽
답안지
도리에 어긋나게 되어
교무실
결국, 옳지 못한 곳으로 이르게 된다는 뜻이야.
'호리유차 천양역처(毫釐有差 天壤易處)'는 '털끝만큼이라도 차질이 있으면
毫釐有差
天壤易處
하늘과 땅이 바뀐다.'는 뜻이야.
'삼강기륜 구법역두(三綱旣淪 九法亦斁)'는 '인륜이 어지럽게 되며 구법 또한 못쓰게 된다.'는 뜻이야.
현상 수배
살인 강도

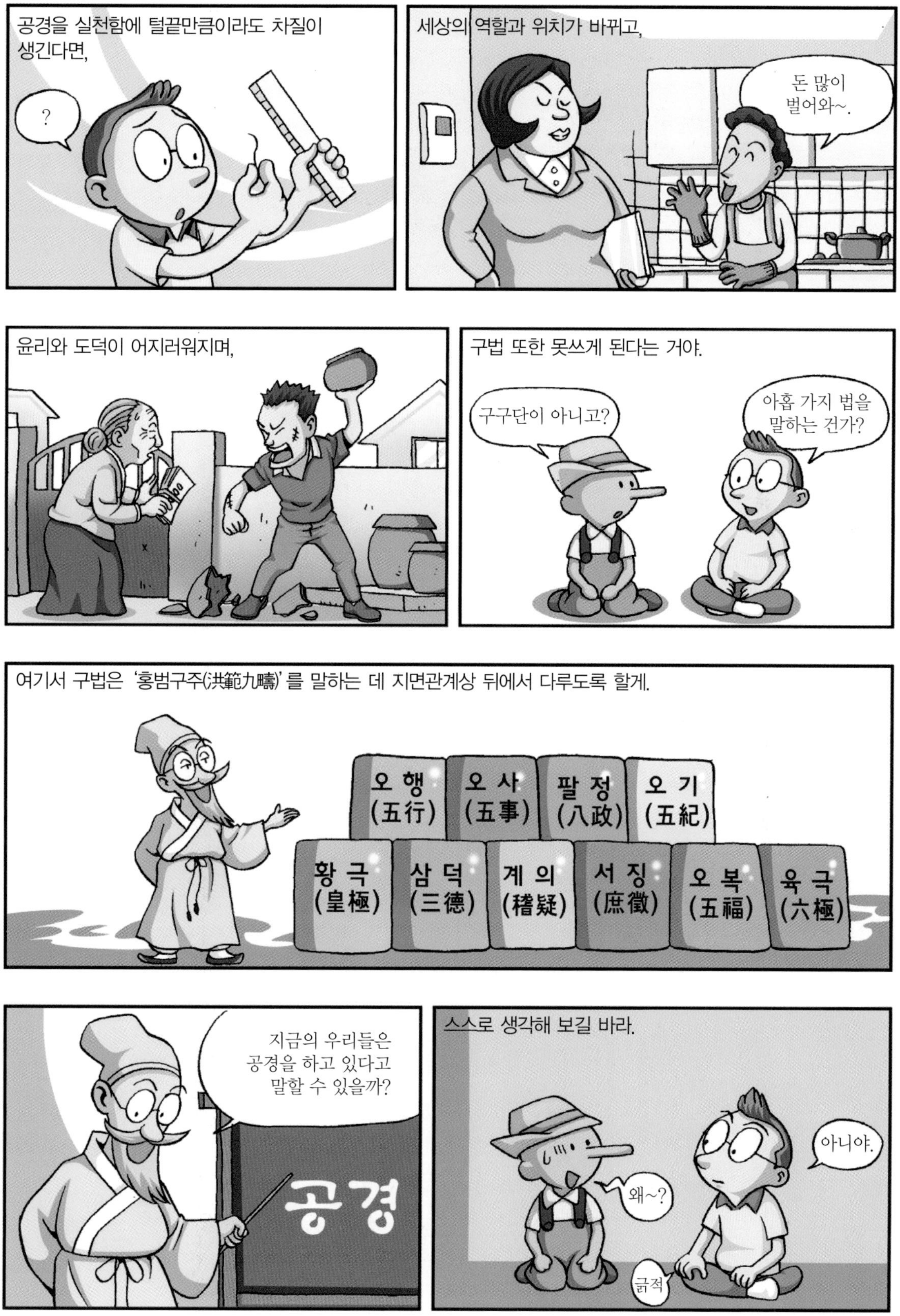
공경을 실천함에 털끝만큼이라도 차질이 생긴다면,
?
세상의 역할과 위치가 바뀌고,
돈 많이 벌어와~.
윤리와 도덕이 어지러워지며,
구법 또한 못쓰게 된다는 거야.
구구단이 아니고?
아홉 가지 법을 말하는 건가?
여기서 구법은 '홍범구주(洪範九疇)'를 말하는 데 지면관계상 뒤에서 다루도록 할게.
오행(五行)
오사(五事)
팔정(八政)
오기(五紀)
황극(皇極)
삼덕(三德)
계의(稽疑)
서징(庶徵)
오복(五福)
육극(六極)
지금의 우리들은 공경을 하고 있다고 말할 수 있을까?
공경
스스로 생각해 보길 바라.
아니야.
왜~?
긁적

주자는 공경을 잠시라도 멈추거나 그 실천에 차질이 생기면 세상이 거꾸로 돌아간다고 했어.
아마 그때 당시에도 요즈음과 같이 공경하지 않는 사람이 많았나봐.
요즈음 특히 우리 주변에서 어른을 공경하는 모습을 점점 찾아 볼 수 없는 것 같아 안타까워.
주변을 둘러보면 어린아이들이 어른들을 함부로 대하고
부모님에게 함부로 대하고
밥 먹어, 어서!
싫다잖아. 안 먹어!
심지어 자신을 올바른 곳으로 이끌어 주는 선생님께도 함부로 대하는
몰지각한 학생들이 많아지고 있어. 정말 개과천선해야겠지!
오늘부터 착해져야지.

그럼 공경은 왜 필요할까?
그 이유는 도덕적인 행동을 통하여 인간 사회에 행복한 질서를 세우기 위해서야.
나를 낳아주신 부모님이나
나를 도와주시는 웃어른,
나를 가르쳐 주는 선생님을 공경한다면
세상이 밝고 아름다워질 수 있을 거야.
인간은 약육강식의 지배구조가 아닌 인륜의 도리,
하늘이 부여해 준 착한 마음으로 살아갈 때
우리 사회를 보다 행복한 사회로 만들고 나아가 아름다운 미래를 자손 대대로 물려줄 수 있어.

주자는 이 글을 많은 사람들이 읽고 깊이 생각하여 공경스럽게 행동하기를 바랐어.
그래서 공경을 공부하는 학생들은 이 장의 내용을 잘 보이는 곳에 붙여두고
공경
매일매일 살피고 또 살펴서
공경
공경을 실천함에 차질이 없도록 해야 한다고 말했어.
퇴계 선생이 《성학십도》에 '경재잠도'를 넣은 것도
성학십도
경재잠도
'경(敬)'을 실천할 수 있는 조목들이 여기 모두 들어 있기 때문이야.
敬
실천조목

홍범구주(洪範九疇)

'홍범구주'는 중국 하(夏)나라 우왕(禹王)이 홍수를 다스릴 때, 낙수(洛水)로부터 얻은 글이다. 우왕이 그 낙서(洛書)의 이치를 보고 천하를 다스리는 9개의 법 조항을 만들었다. 후에 주나라 무왕(武王)이 은나라 마지막 왕 폭군 주(紂)를 베고, 기자(箕子)에게 나라를 잘 다스릴 수 있는 방안을 물었다. 기자는 비록 무왕이 자신의 조카를 죽인 원수였지만, 천하 백성들을 돌보는 길이기에 기꺼이 '홍범구주'를 가르쳐 주었다고 한다.

▲ 하나라 우왕

※중국 고대왕조 : 삼황오제→ 하→ 은→ 주→ 진→ 한

※기자(箕子)는 은나라 군주인 태정(太丁)의 아들로 주왕(紂王)의 숙부(叔父)이다. 주왕의 폭정에 대해 간언하다 받아들여지지 않자 미친 척하여 주왕의 칼날을 피했다.

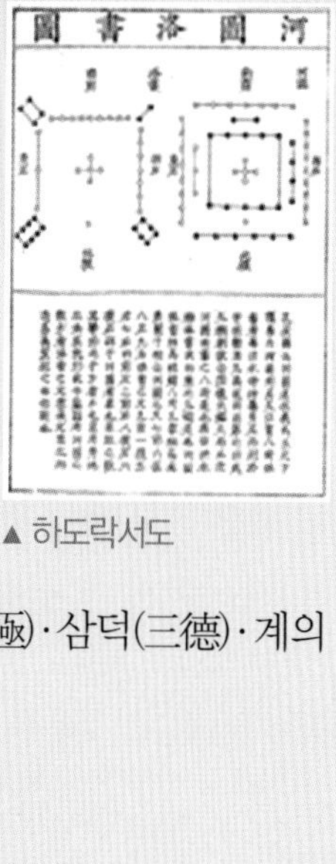
河圖洛書圖

▲ 하도락서도

홍범구주는 《서경》 주서(周書) 홍범 편에 수록되어 있으며, 9조목은 오행(五行)·오사(五事)·팔정(八政)·오기(五紀)·황극(皇極)·삼덕(三德)·계의(稽疑)·서징(庶徵) 및 오복(五福)과 육극(六極)이다.

▲ 기자는 후에 고조선으로 이동해 기자조선의 시조가 되었다고도 한다.

① 오행(五行)은 수(水)·화(火)·목(木)·금(金)·토(土)를 말한다. 물은 아래로 흐르며 짠 성질을 가지고 있고, 불은 위로 올라가는 성질로 쓴 맛을 만들고, 나무는 굽으나 곧게 자라므로 신맛을 만들고, 쇠는 변형하는 성질로 매운 맛을 만들고, 흙은 곡식을 거두게 하는 성질로 단맛을 내게 한다.

② 오사(五事)는 외모, 말, 보는 것, 듣는 것, 생각하는 것을 말한다. 외모는 공손해야 하고, 말은 옳은 것을 좇고, 보는 것은 밝게, 듣는 것은 총명하게, 생각함은 슬기로워야 한다. 공손함은 엄숙함을, 옳은 것을 좇음은 다스림을, 밝음은 지혜로움을, 총명함은 일을 도모하며, 슬기로움은 성인을 만든다.

③ 팔정(八政)은 첫째 먹는 것, 둘째 재물, 셋째 제사, 넷째 건설, 다섯째 교육, 여섯째 형벌, 일곱째 손님 접대, 여덟째 군사양병을 말한다.

④ 오기(五紀)는 첫째 해, 둘째 달, 셋째 날, 넷째 별, 다섯째 역법이다.

⑤ 황극(皇極)은 임금이 임금의 법도를 세우고, 오복을 백성들에게 베풀어주면, 그 서민들도 임금의 지위와 덕을 보존한다는 뜻이다.

백성들이 할 일을 계획하고 실천하고자 노력하면, 왕은 그들에게 깊은 관심을 가져야 한다. 백성들이 법도를 위배했더라도 큰 허물이 없을 때는 이들을 용서해야 한다. 의지할 곳이 없는 사람을 학대하지 말고 고매한 인격자를 존경하고 재능이 있는 사람을 격려해 주면 나라는 발전한다. 덕을 좋아하지 않는 사람들에게 왕이 혜택을 준다 해도 그들은 그것을 이용해 죄악을 범할 것이다. 왕도가 한쪽으로 치우치거나 기울어짐

이 없으면, 넓고도 넓을 것이다. 왕이 법도를 반포하면 불변의 교훈이 되는 것이며, 이것은 하늘의 교훈이기도 하다. 백성들이 교훈삼아 이 법도를 행동으로 옮긴다면, 이것은 백성의 부모가 되어 천하를 다스리는 것이다.

⑥ 삼덕(三德)은 첫째 정직, 둘째 강함으로 다스림, 셋째 유함으로 다스리는 것이다. 평화스럽고 안락할 때에는 정직을 중시하고, 강하여 굴복하지 않을 때에는 강함으로 다스리며, 부드러워 화합하지 못할 때는 부드러움으로 다스린다. 잠기고 잠긴 사람은 강건함으로 다스리고, 높고 밝은 사람은 부드러움으로 다스린다.

⑦ 계의(稽疑)는 복(卜)과 서(筮)의 점을 치는 사람을 임명하고 그들에게 점을 치게 하는 것이다. 복서의 점을 치는 사람들은 날씨에 관한 예보를 한다. 복점과 서점을 치는 사람을 정해 세 사람에게 명해 점을 치되, 왕은 그 중 두 사람의 점친 결과를 따라야 한다. 왕이 좋다고 생각하고, 복서의 점이 좋고, 귀족이나 관리가 좋다고 하고, 백성들까지 좋다고 한다면, 바로 이러한 상황을 대동(大同)이라고 말한다.

※ 복(卜)과 서(筮): 복(卜)은 거북 껍질과 짐승의 뼈를 태운 무늬를 보고 점을 치는 방법이고, 서(筮)는 풀줄기인 시(蓍)의 계산에 의해 점을 치는 방법이다.

⑧ 서징(庶徵)은 계절의 변화를 가리키는 것이다. 비가 오거나 맑거나 따뜻하거나, 춥거나, 바람이 부는 날씨의 변화가 알맞으면 초목이 무성하다. 다섯 가지 변화 가운데 어느 한 가지라도 두드러지면 흉하고, 어느 한 가지 현상이 나타나지 않아도 흉하게 된다.

⑨ 오복(五福)과 육극(六極) 중 오복은 첫째 수명, 둘째 부자, 셋째 평안함, 넷째 덕을 좋아함, 다섯째 천명을 누리는 것이다. 육극은 첫째 횡사요절, 둘째 질병, 셋째 근심, 넷째 가난, 다섯째 악함, 여섯째 약함이다.

제12장 숙흥야매잠도

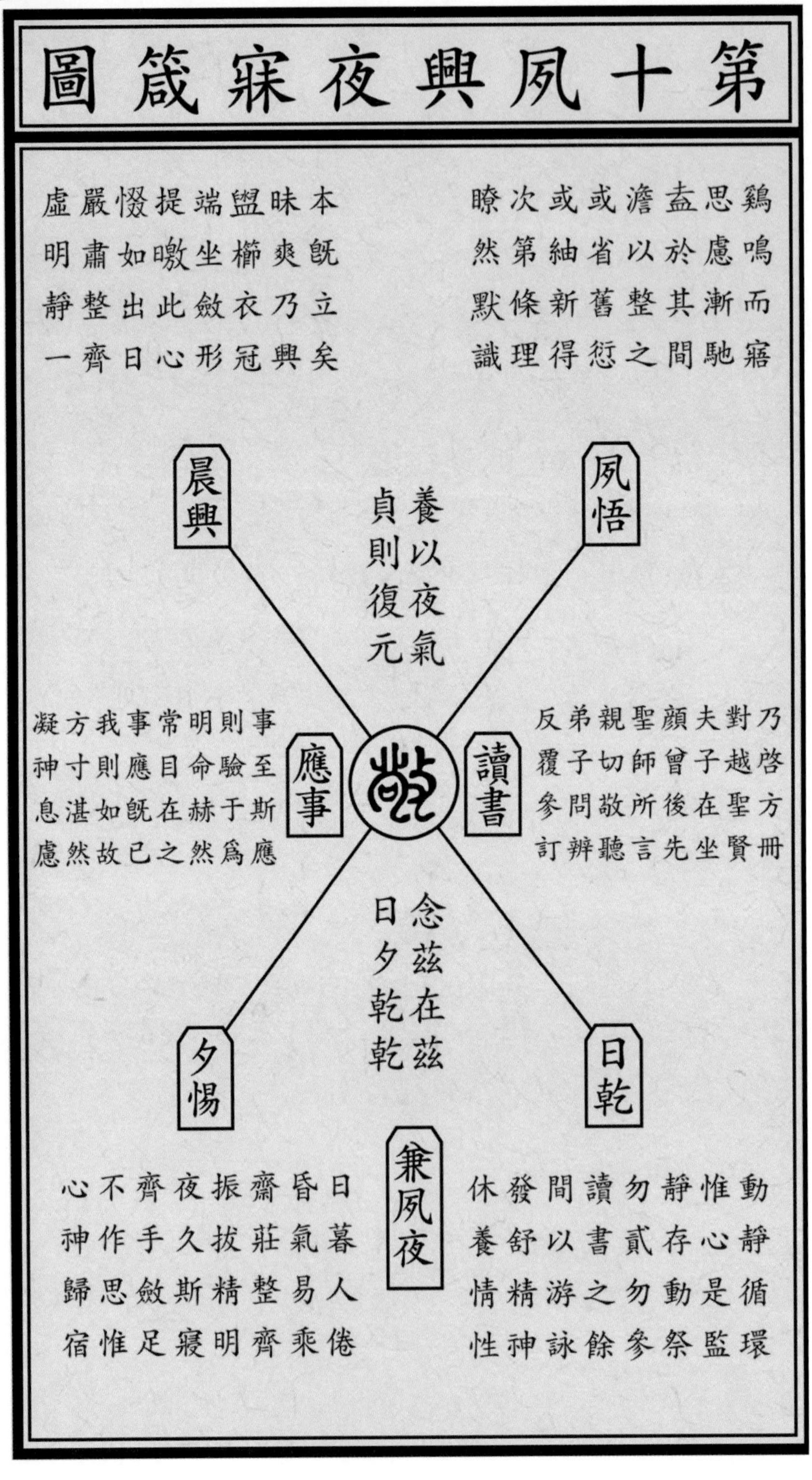
第十夙興夜寐箴圖
鷄鳴而寤 思慮漸馳 盍於其間 澹以整之 或省舊愆 或紬新得 次第條理 瞭然默識
本旣立矣 昧爽乃興 盥櫛衣冠 端坐斂形 提掇此心 皦如出日 嚴肅整齊 虛明靜一
晨興
夙悟
養以夜氣 貞則復元
事至斯應 則驗于爲 明命赫然 常目在之 事應旣已 我則如故 方寸湛然 凝神息慮
應事
敬
讀書
乃啓方冊 對越聖賢 夫子在坐 顔曾後先 聖師所言 親切敬聽 弟子問辨 反覆參訂
念玆在玆 日夕乾乾
夕惕
日乾
兼夙夜
日暮人倦 昏氣易乘 齋莊整齊 振拔精明 夜久斯寢 齊手斂足 不作思惟 心神歸宿
動靜循環 惟心是監 靜存動察 勿貳勿參 讀書之餘 間以游詠 發舒精神 休養情性

제10도 숙흥야매잠도

숙오 (일찍 잠에서 깨어남)

닭이 울어 잠을 깨면
생각이 점차 일어나게 되니
그 사이에
조용히 마음을 정돈하고
혹 지난 날을 반성하고
새롭게 깨달은 것을 모아
조리를 세워 분명하게
이해해야 한다.

신흥 (새벽에 일어남)

근본이 세워지면
일찍 일어나
세수하고 머리 빗고 옷을 갖추어 입고
단정히 앉아 몸을 가다듬는다
마음을 끌어모아
밝은 햇살처럼 해야한다
몸을 엄숙하고 가지런히 정돈하고
마음을 비우고 밝고 고요하기를 한결같이 한다

밤의 기운으로써 잘 기르면
정이 곧 원으로 돌아간다

경

독서 (책을 읽음)

책을 펴서 성현을 대하게 되면
공자께서 앞에 계시고 그 제자들이
앞뒤로 있을 것이다
성현이 말씀한 것을 귀담아 듣고
제자들의 질문과 변론을 반복하고
참고해서 바르게 고쳐야 한다

응사 (일에 대응함)

일에 대응할 때는 실천으로 증명해야한다
밝은 명령은 빛나는 것이니
항상 눈은 그곳에 있어야 한다
나는 예전과 같이
마음을 고요하게 하고
정신을 모아 사사로운 생각을 멈추게 한다

이것을 항상 생각하고 마음에
두어 밤낮으로 힘써야 한다

일건 (해가 저물 때까지 열심히 일함)

움직임과 고요함이
순환하는 것은
오직 마음으로 볼 수 있다
고요할때 보존하고
움직일때 관찰하여 두 가지
세 가지 마음이 생기면 안된다
책을 읽다 틈이 나면 휴식을 갖고
정신을 풀어헤쳐 쉬며
성정을 길러야 한다

겸숙야 (낮부터 밤까지 정신과 기를 가다듬음)

석척 (저녁에 두려워하고 조심함)

해가 저물면 피곤해진다
나쁜 기운이 들어오기 쉬우므로
몸과 마음을 가다듬고 정신을
맑게 이끌어야 한다
밤이 깊어 잠을 잘 때는
손발을 가지런히 모으고
잡생각을 하지말고
마음과 정신을 잠들게 해야한다

야 ~ 호! 드디어 성학십도의 마지막 그림
'숙흥야매잠도'가 나왔네.
第十夙興夜寐箴圖
'숙흥야매잠도', 이름만 들어도 어렵지?
우선, '숙흥야매(夙興夜寐)'라는 한자의 뜻부터 알아볼까?
夙興夜寐
'잘 숙(夙), 일어날 흥(興), 밤 야(夜), 잠잘 매(寐)', 즉 '아침 일찍 일어나고, 밤늦게 잠을 잔다.'는 뜻이야.
잘 숙 일어날 흥 밤 야 잠잘 매
夙興夜寐
모름지기 학문을 하는 사람들은 아침 일찍 일어나
부모님께 문안 인사를 여쭙는 것부터 시작하여
밤늦게까지 자신에게 부여된
업무를 부지런히 행한 뒤
잠자리에 들어야 하지.
완수

그럼 '숙흥야매잠도'는 누가 그린 것일까?
?

'숙흥야매잠도' 그림을 보면 앞장에서 배운 '경재잠도'와 그림이 비슷하지?
그렇네!

'숙흥야매잠도'는 퇴계 선생이 왕백이 그린 경재잠도를 본따
잘 보고 그리게나.

진백이 지은 글을 내용으로 해서 그린 그림이야.
내가 지은 글이지만 정말 아름답지 않나?

학문을 하는 학생들이 새벽부터 밤늦게까지 시간을 아껴서 열심히 공경을 실천할 수 있는 구체적인 내용을 그림으로 표현한 것이야!

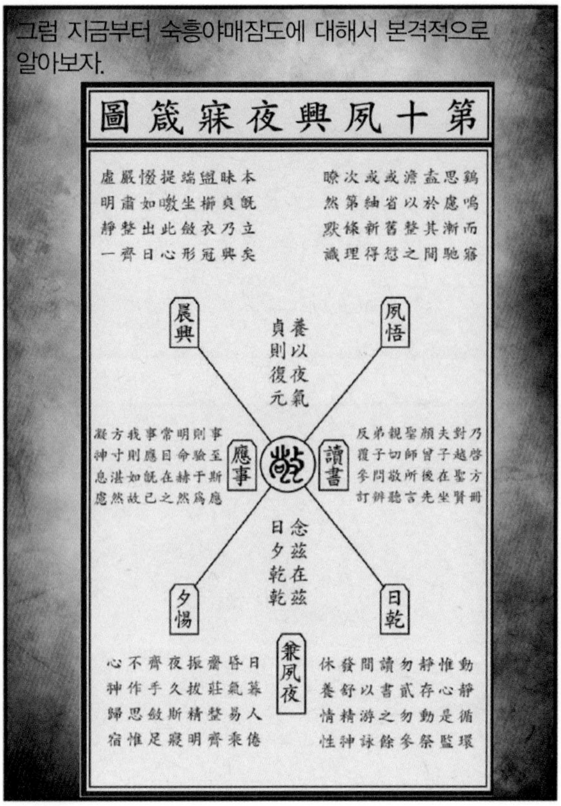
그럼 지금부터 숙흥야매잠도에 대해서 본격적으로 알아보자.
第十夙興夜寐箴圖
晨興
夙悟
應事
讀書
夕惕
日乾
兼夙夜

중앙에 '공경할 경(敬)'이라는 글자를 적어놓고,
敬

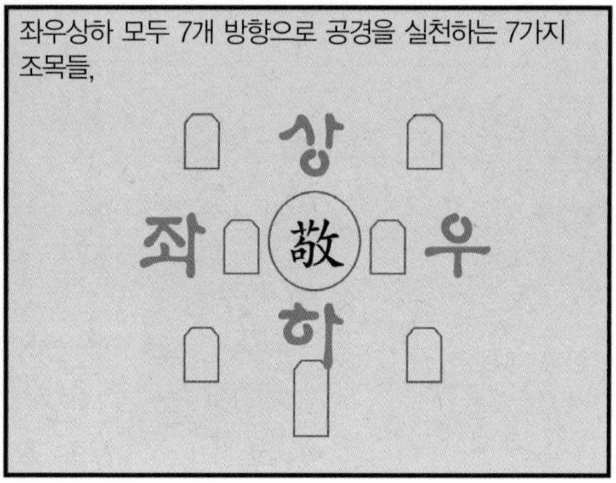
좌우상하 모두 7개 방향으로 공경을 실천하는 7가지 조목들,
상
좌
敬
우
하

즉 숙오, 신흥, 독서, 응사, 일건, 석척, 겸숙야 등을 배치해 놓았어.
각각 무슨 뜻인지 알아볼까?
晨興 신흥
夙悟 숙오
應事 응사
讀書 독서
夕惕 석척
兼夙夜 겸숙야
日乾 일건

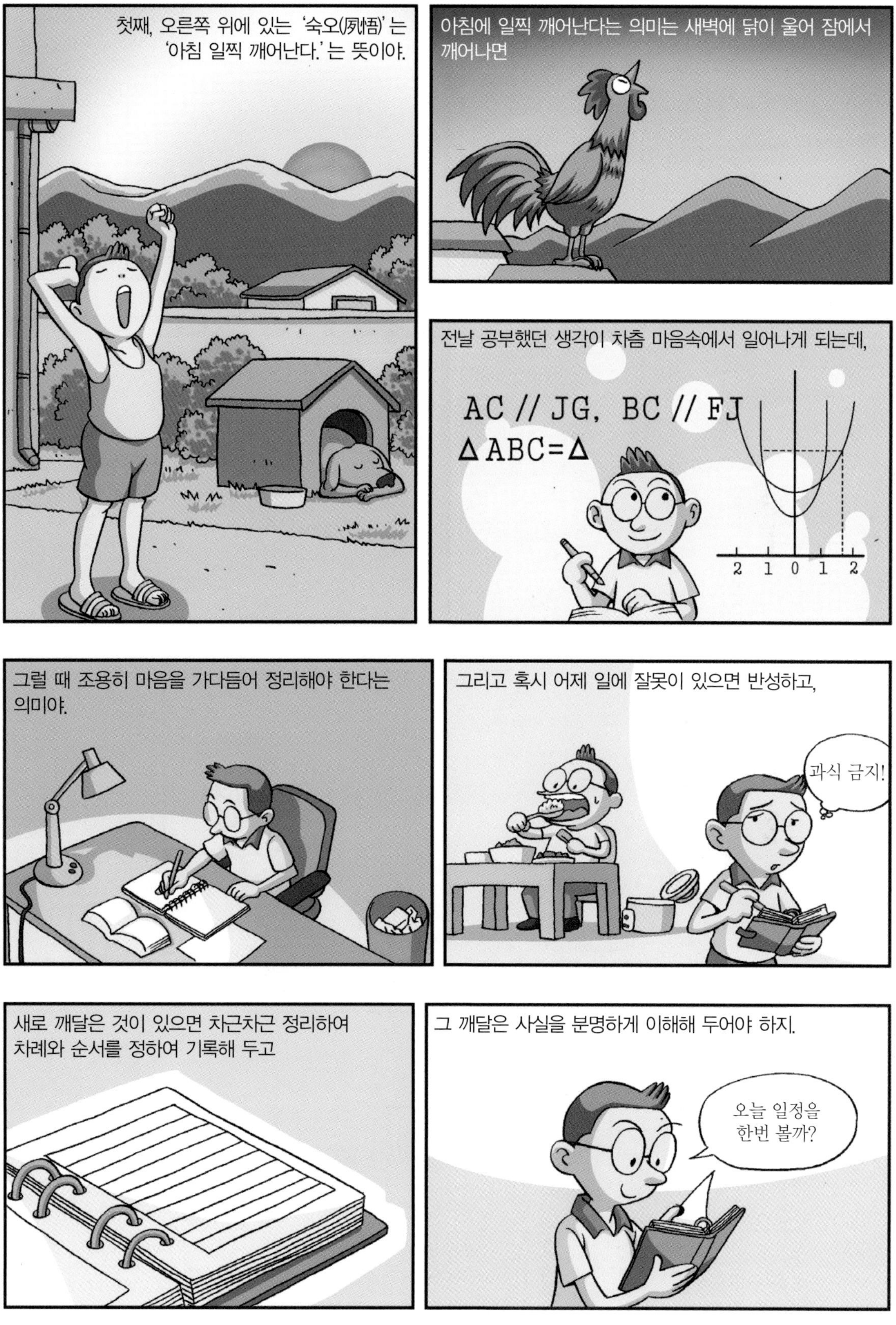
첫째, 오른쪽 위에 있는 '숙오(夙悟)'는 '아침 일찍 깨어난다.'는 뜻이야.
아침에 일찍 깨어난다는 의미는 새벽에 닭이 울어 잠에서 깨어나면
전날 공부했던 생각이 차츰 마음속에서 일어나게 되는데,
AC // JG, BC // FJ
△ABC=△
2 1 0 1 2
그럴 때 조용히 마음을 가다듬어 정리해야 한다는 의미야.
그리고 혹시 어제 일에 잘못이 있으면 반성하고,
과식 금지!
새로 깨달은 것이 있으면 차근차근 정리하여 차례와 순서를 정하여 기록해 두고
그 깨달은 사실을 분명하게 이해해 두어야 하지.
오늘 일정을 한번 볼까?

퇴계 선생은 아침 일찍 일어나 마음을 가다듬고
반성하고 하루를 계획하는 것을 중요하게 생각했어.
점검표
일주일의 계획이 월요일에 있다면
5 月
25
하루에 계획은 새벽에 있다는 거 모두 알고 있지?
따르릉
하지만 실상은 아침에 눈을 떠서 아무 생각 없이 그저 눈을 비비고 자리에서 일어나
세수하러 가는 사람들이 많은 것 같아.
퇴계 선생이 가르쳐준 방법대로 한번 해봐. 반드시 효과가 있을 거야!

둘째, '신흥(晨興)'은 '새벽에 일어난다.'는 뜻이야!
새벽에 일어나면, 세수하고 머리 빗고 옷을 갖추어 입고 단정하게 앉아 몸을 가다듬는 것이 먼저 할 일이야!
그런 뒤 헛된 잡생각은 모두 버리고 엄숙하게 자리에 앉아 마음을 텅 비운 듯 조용하게 한결같이 한다는 뜻이야.
퇴계 선생의 말에 비추면 우리들은 어떻게 해야 할까?
우선 아침 일찍 일어나야겠지!
몇 번을 깨워야 되니!
악
아침 8시까지 등교하는데 7시에 일어난다거나 7시 반에 일어나면 안 된다는 거야.
으아아~! 지각이다.
07:30
적어도 새벽 5시나 5시 반에 일어나 어제 있었던 일들을 돌이켜 생각해 봐야겠지!
05:00

만약 어제 학교에서 공부를 소홀히 했다면 반성해서 오늘은 더욱 열심히 할 것을 다짐하고,
어제 너무 놀았어.
또 어제 열심히 공부해서 무엇인가 얻어낸 것이 있다면 나만의 비밀노트에 정리해 놓도록 해야겠지.
그런 다음 자리를 힘껏 박차고 일어나 세수를 하고
푸부붓
오늘도 기운차게 시작해야지.
교복을 갖추어 입고 책상 앞에 조용히 앉아 오늘 학교에 등교하여 무엇을 해야 할지 계획을 세우고서
이건 도서관에서 자료를 모아야 하고…
그것대로 실천할 수 있도록 해야 해.

셋째, '독서(讀書)'는 '책을 읽는다.'는 뜻이야.
그것도 모르는 사람이 있어요?
뜨끔
책을 읽어 옛 성현들의 말씀을 대하게 되면,
비록 눈에는 보이지 않더라도 공자님이 앞에 있다고 생각하고
……
안자와 증자가 뒤에 있다고 생각해야 해.
그래서 공자께서 하신 말씀을 귀담아 듣고
또 그 제자 안자*와 증자**가 하는 질문과 변론을 반복해서 참고하여

* **안자** – 안회. 공자가 가장 신임하는 제자였음. 학덕과 재주가 뛰어남. ** **증자** – 증삼. 공자의 도를 계승해 공자의 손자 자사에게 물려줌.

자신의 부족한 점을 채우고 잘못된 점을 바르게 고쳐 나가야 하지.
나는 이 부분을 잘못 이해했군.

책을 읽을 때도 함부로 읽어서는
안 돼.
반드시 단정히 위엄 있게 앉아 공경스럽게 책을 대해야 해.
그런 후 마음을 가지런히 하여 조용히 그 뜻을
생각하며 읽어야 해.
흥미에 불을 붙였다.
흥미에
불?
흥미를
끌었다는
말인가?
만약 읽다가 모르는 것이 있으면 깊이 생각해보고
이건 나중에
다시 한번 체크!
그래도 모르면 스승에게 물어봐야 해!
정말
이해가
안 되는 것이
있어요.
그래,
뭐가
이해가
안 되지?

또 책을 읽을 때는 매 구마다 그 뜻을 깊이 생각하여 내 마음속에 체득하여야 해!
책은 책대로 놀고, 나는 나대로 노는 격이 돼.
만약 입으로 책만 읽고 마음속에 들어오는 것이 없으면,
넷째, '응사(應事)'는 '일을 대하는 자세'를 말해.
만약 일이 생겨서 대응해야 될 경우에는 이제까지 자신이 배운 것을 실천을 통해 증명해야 해.
자신이 배운 밝은 이치로 사물에 대응하고 난 뒤에는,
곧바로 마음을 예전과 같이 고요하게 하여 한 곳으로 모아 사사로운 마음이 생기지 않도록 해야 한다고 하셨어.

주자가 제자들에게 말하길 “사람이 기뻐하고 성내고 근심하고 두려워하는 것은 곧 마음의 작용이니 없게 할 수도 없고 또 없을 수도 없는 것이다.

그러나 평상시 일이 없을 때에 이 네 가지를 가슴속에 두지 말아야 한다.
전부 나가!

만약 이 네 가지를 가슴속에 두고 있으면 이것은 곧 사사로운 뜻이 된다.
도와 드릴게요.
나중에 하나 주겠지.
고마워.

만약 조금이라도 사사로운 뜻이 마음에 있으면 그 바름을 얻을 수 없다.
학원
오락실

평상시에 마음을 함양해서 사물을 응대하지 않을 때에는 마음이 맑고 깨끗하게 비어 있도록 해야 한다.”라고 했어.

다섯째, '일건(日乾)'은 '해가 질 때까지 부지런히 노력한다.'는 뜻이야.
내 몸이 움직이거나 고요하게 됨은 오로지 내 마음만이 살필 수 있어.
네 몸은 지금 고요해.
그래서 내 마음이 고요할 때는 공경함이 잘 보존될 수 있도록 하고,
공 경
거동하여 움직일 때는 공경함을 잘 실천하여서 마음이 두 갈래, 세 갈래로 나누어지지 않도록 해야 해.
그리고 책을 읽을 때는 틈틈이 여가 시간을 내어,
잠깐 쉬자.
정신을 가다듬어 타고난 본성을 회복할 수 있도록 해야 비로소 '일건'하는 것이라고 했어.
이 책을 읽는 목적은? 이 책은 뭘 말하고 있나?

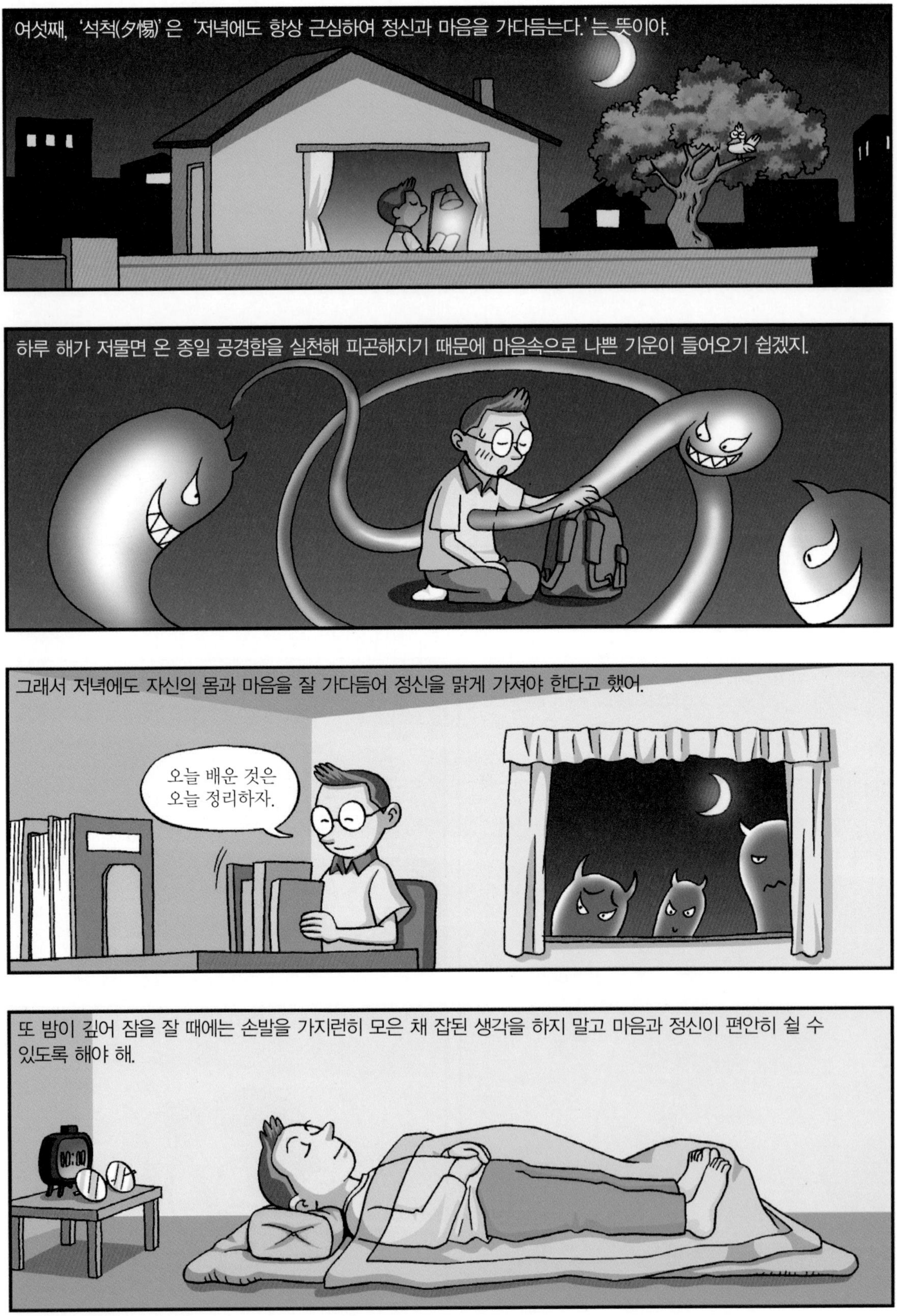

여섯째, '석척(夕惕)'은 '저녁에도 항상 근심하여 정신과 마음을 가다듬는다.'는 뜻이야.
하루 해가 저물면 온 종일 공경함을 실천해 피곤해지기 때문에 마음속으로 나쁜 기운이 들어오기 쉽겠지.
그래서 저녁에도 자신의 몸과 마음을 잘 가다듬어 정신을 맑게 가져야 한다고 했어.
오늘 배운 것은 오늘 정리하자.
또 밤이 깊어 잠을 잘 때에는 손발을 가지런히 모은 채 잡된 생각을 하지 말고 마음과 정신이 편안히 쉴 수 있도록 해야 해.

'주경야독(晝耕夜讀)', 즉 '낮에는 밭을 갈고 밤에는 책을 읽는다.' 라는 고사성어가 있어.
옛날에 가난한 선비들은 의식주를 해결하기 위해 손수 밭을 갈지 않으면 안 되었어.
그러다보니 낮에는 일을 하느라 책을 읽지 못하고, 밤에만 책을 읽어 성현들의 말씀을 마음에 새길 수 있었다고 해.
하루 동안 지치고 피곤한 몸을 이끌고 밤늦도록 열심히 성현의 말씀을 공부해 자신의 마음과 정신을 바르게 가져 군자의 도리를 다한 거지.

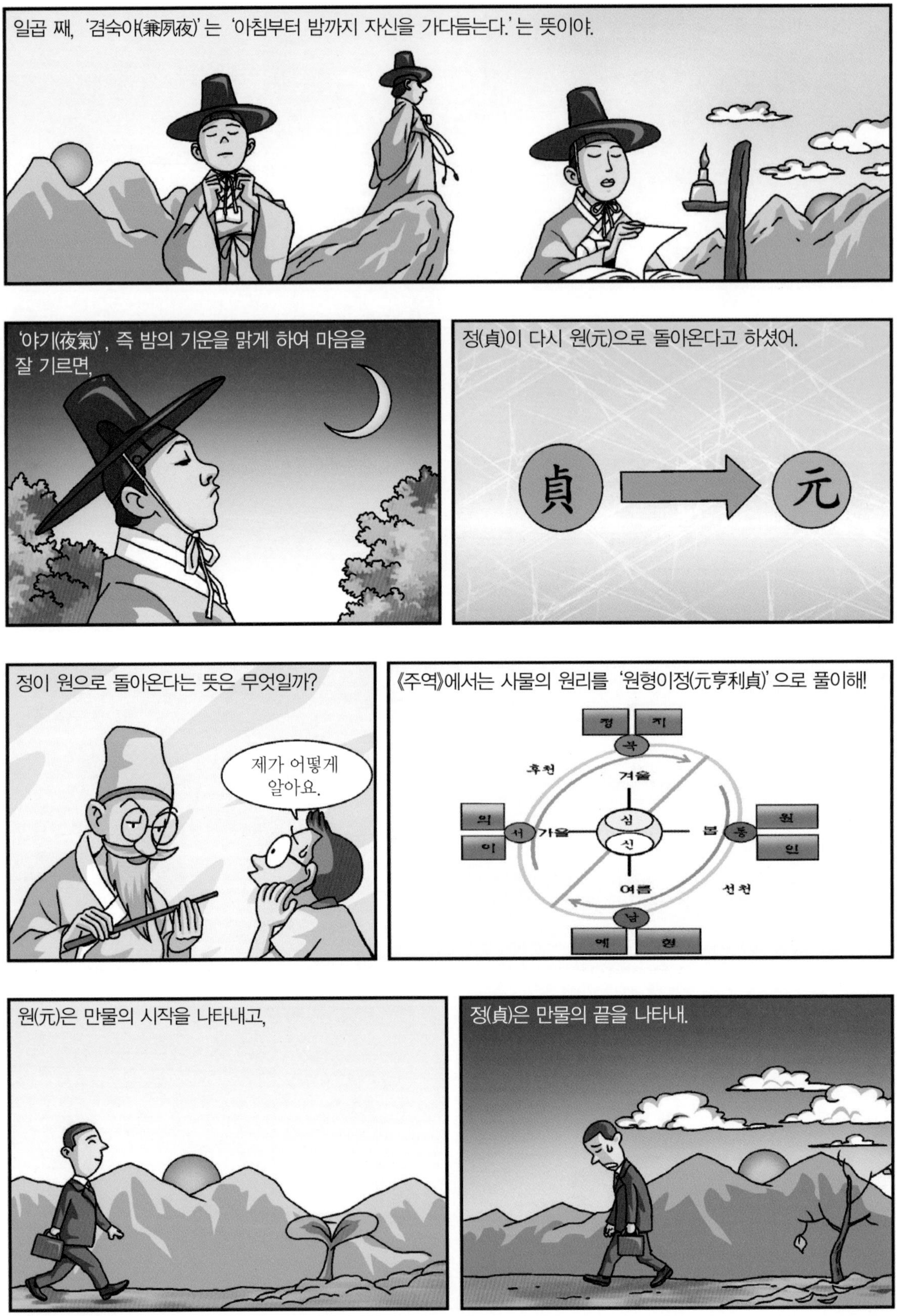
일곱 째, '겸숙야(兼夙夜)'는 '아침부터 밤까지 자신을 가다듬는다.'는 뜻이야.
'야기(夜氣)', 즉 밤의 기운을 맑게 하여 마음을 잘 기르면,
정(貞)이 다시 원(元)으로 돌아온다고 하셨어.
貞
元
정이 원으로 돌아온다는 뜻은 무엇일까?
제가 어떻게 알아요.
《주역》에서는 사물의 원리를 '원형이정(元亨利貞)'으로 풀이해!
정
지
북
후천
겨울
의
서
가을
이
심
신
봄
동
원
인
여름
선천
남
예
형
원(元)은 만물의 시작을 나타내고,
정(貞)은 만물의 끝을 나타내.

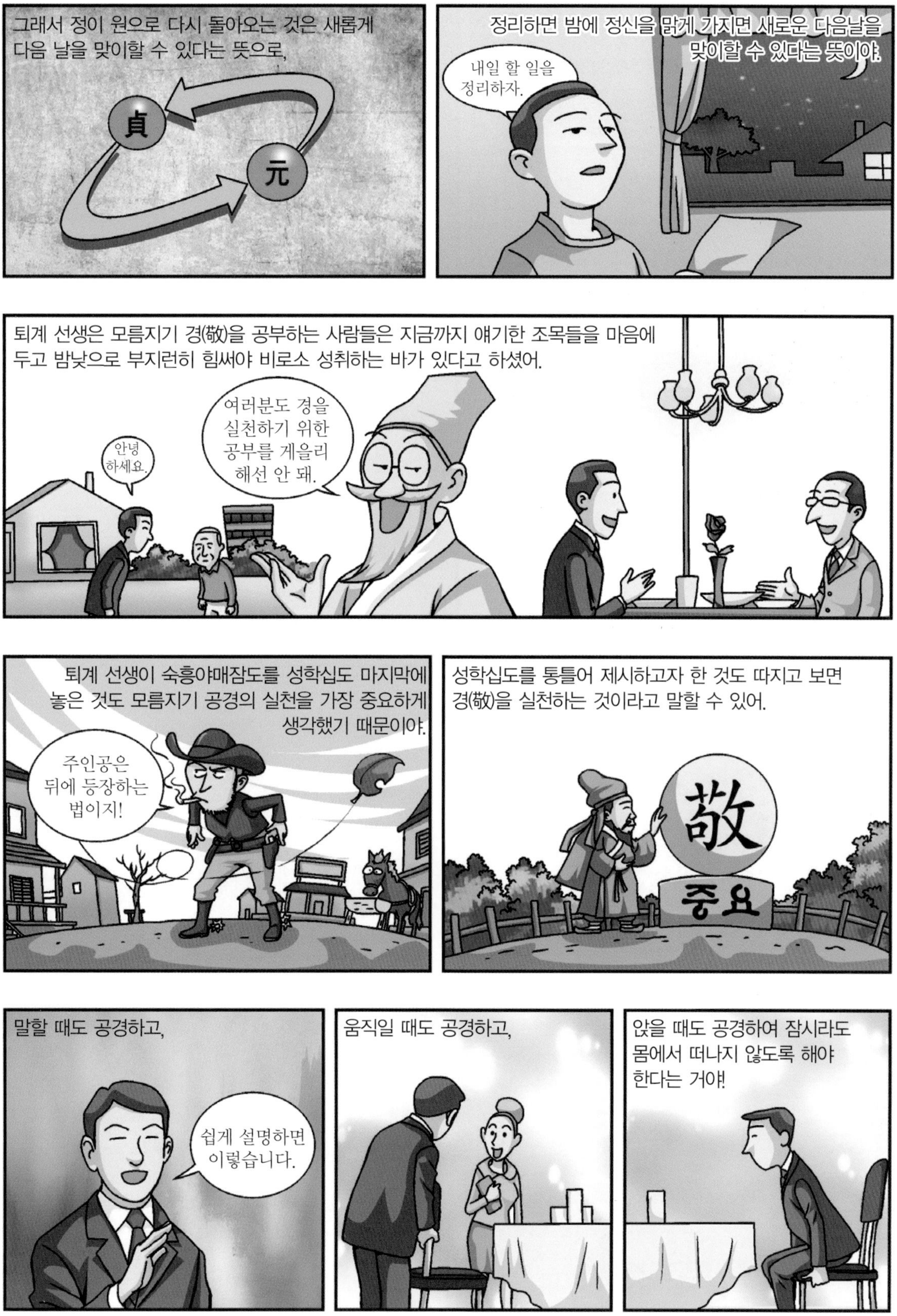
그래서 정이 원으로 다시 돌아오는 것은 새롭게 다음 날을 맞이할 수 있다는 뜻으로,
貞
元
정리하면 밤에 정신을 맑게 가지면 새로운 다음날을 맞이할 수 있다는 뜻이야.
내일 할 일을 정리하자.
퇴계 선생은 모름지기 경(敬)을 공부하는 사람들은 지금까지 얘기한 조목들을 마음에 두고 밤낮으로 부지런히 힘써야 비로소 성취하는 바가 있다고 하셨어.
안녕하세요.
여러분도 경을 실천하기 위한 공부를 게을리 해선 안 돼.
퇴계 선생이 숙흥야매잠도를 성학십도 마지막에 놓은 것도 모름지기 공경의 실천을 가장 중요하게 생각했기 때문이야.
주인공은 뒤에 등장하는 법이지!
성학십도를 통틀어 제시하고자 한 것도 따지고 보면 경(敬)을 실천하는 것이라고 말할 수 있어.
敬
중요
말할 때도 공경하고,
쉽게 설명하면 이렇습니다.
움직일 때도 공경하고,
앉을 때도 공경하여 잠시라도 몸에서 떠나지 않도록 해야 한다는 거야!

성학십도의 '제1도 태극도' 부터
'제5도 백록동규도' 까지는 우주의 생성원리와
인간의 도리를 밝혔어.

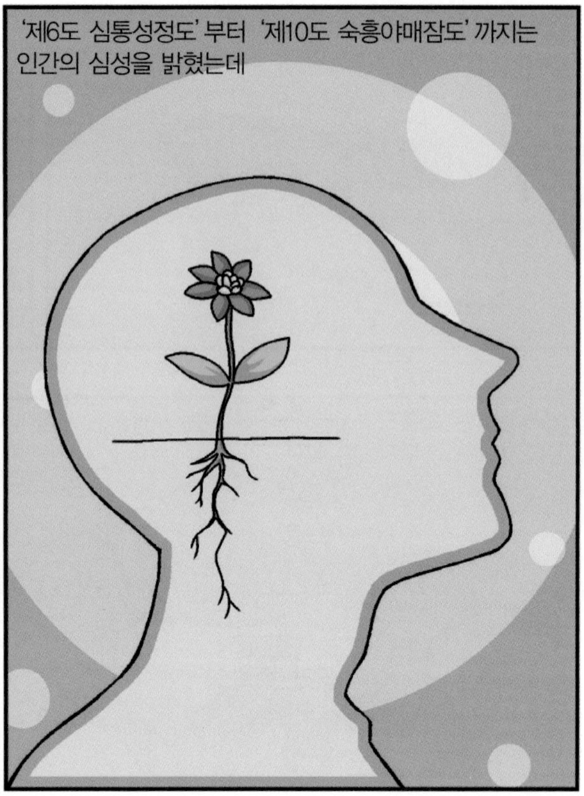
'제6도 심통성정도' 부터 '제10도 숙흥야매잠도' 까지는
인간의 심성을 밝혔는데

* 거경 – 성리학의 수련 방법으로, 늘 한 가지에 집중하여 심신을 순수한 상태로 유지하여 덕성을 함양하는 것.

특히 경의 실천을 중요시하여 심학의 근본이 경임
을 강조하였어.
경
실천

퇴계 선생은 거경*과 궁리** 중에 거경에 더 치중했지.
궁리
거경

** 궁리 – 사물의 이치를 깊이 연구함.

그래서 성학십도를 통하여 공경함을 실천하는 것이야말로 성인의 경지에 다다르는 길임을 강조하고 있는 거야.
공경

휴~! 지금까지 성학십도의 10개의 도표를 모두 살펴 보았어!
모두 이해할 수 있겠니?
잘 모르겠다고? 후후훗.
第十夙興夜寐箴圖
第九敬齋箴圖
第八心學圖
第七仁說圖
第六心統性情圖
第五白鹿洞規圖
第四大學圖
第三小學圖
第二西銘圖
第一太極圖
나는 하나도 모르겠다.
그런 대답이 나올 줄 미리 알고 있었어!
우아~! 대단하다.

지금까지 소개한 성학십도는 유명한 성리학자들께서 평생을 연구해서 이룩해 놓은 철학 사상들이야.

이것을 여러분들이 한 번 읽어서 모두 이해했다면 그것이 오히려 이상한 일이겠지?
잘 아시면서 왜 물어?
우아~ 나는 백 번을 읽어도 모르겠다.

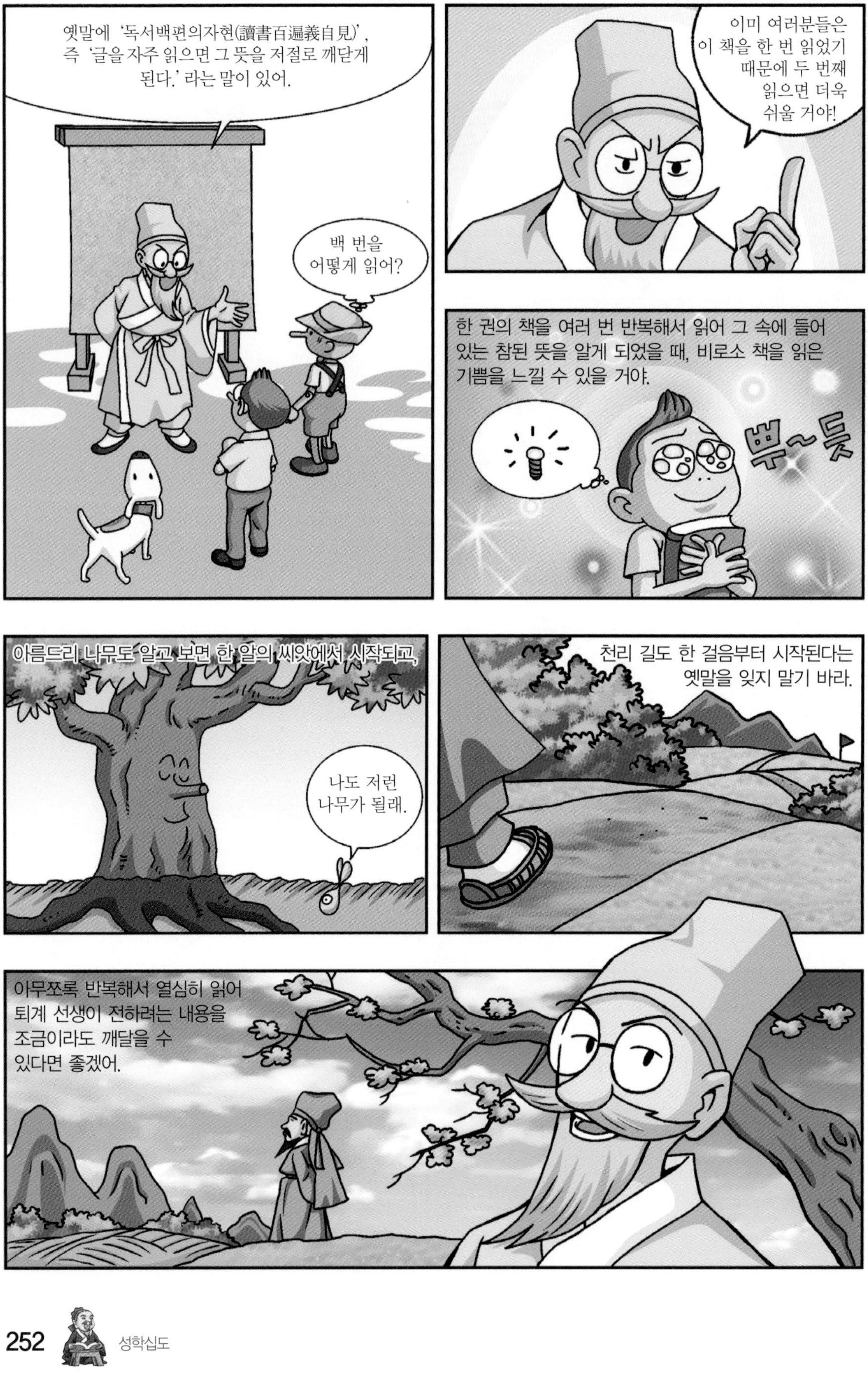
옛말에 '독서백편의자현(讀書百遍義自見)', 즉 '글을 자주 읽으면 그 뜻을 저절로 깨닫게 된다.' 라는 말이 있어.
백 번을 어떻게 읽어?
이미 여러분들은 이 책을 한 번 읽었기 때문에 두 번째 읽으면 더욱 쉬울 거야!
한 권의 책을 여러 번 반복해서 읽어 그 속에 들어 있는 참된 뜻을 알게 되었을 때, 비로소 책을 읽은 기쁨을 느낄 수 있을 거야.
뿌~듯
아름드리 나무도 알고 보면 한 알의 씨앗에서 시작되고,
나도 저런 나무가 될래.
천리 길도 한 걸음부터 시작된다는 옛말을 잊지 말기 바라.
아무쪼록 반복해서 열심히 읽어 퇴계 선생이 전하려는 내용을 조금이라도 깨달을 수 있다면 좋겠어.

《성학십도》와 관련된 인물들

주희(朱熹, 1130~1200)

▲ 주희

남송의 유학자로 일명 주자(朱子)라고 한다. 자는 원회(元晦), 호는 회암(晦庵)이다. 일찍이 불교와 도학을 배웠으며, 24살 때 이연평을 만나 유학을 배웠다. 그는 육구연(陸九淵)과 함께 논변을 하였으며, 논변을 통해 서로 절차탁마하는 가운데 성리학이 비약적으로 발전하였다. 북송 때 유학자 주돈이, 장재, 정호, 정이의 학설을 정리하여 성리학을 완성하였다. 그는 우주 만물들이 형이상학적인 '이(理)'와 형이하학적인 '기(氣)'로 구성되어 있다고 보았다.

주돈이(周敦頤, 1017~1073)

▲ 주돈이

북송 중기 유학자로, 자는 무숙(茂叔), 호는 염계(濂溪)이다. 도가사상의 영향을 받고 새로운 유교이론을 창시하였다. 우주의 근원인 태극으로부터 만물이 생성하는 과정을 그림으로 표시한 '태극도(太極圖)'를 그렸다.

▲ 장재

장재(張載, 1020~1077)

북송 중기의 유학자로, 자는 자후(子厚), 호는 횡거(橫渠)이다. 송나라 최초로 '기일원(氣一元)'의 철학사상을 전개하였다. 그는 처음에 불교와 노장사상에서 심취하였으나, 이정자, 즉 정호와 정이를 만나면서 유학으로 돌아서게 되었다. '서명(西銘)'의 저자이다.

▲ 정호

정호(程顥, 1032~1085)

북송 중기의 유학자로, 자는 백순(伯淳), 호는 명도(明道)이다. '이기일원론(理氣一元論)'과 '성즉리설(性則理說)'의 이론을 정립함으로써 주자(朱子)에게 큰 영향을 주었다.

▲ 정이

정이(程頤, 1033~1107)

북송 중기의 유학자로, 자는 정숙(正叔), 호는 이천(伊川)이다. 형인 정호(程顥)와 함께 주돈이에게 학문을 배웠고, '이기이원론(理氣二元論)'의 이론을 정립하였다. 학문하는 방법도 형과 달리 '경(敬)'을 중히 여겼다.

정복심(程復心, 1279~1368)

원나라의 유학자로, 자는 자견(子見), 이름은 복심(復心)이다. 벼슬을 하지 않고 은거 생활을 하다가 노년에 《사서장도(四書章圖)》를 지었다.

권근(權近, 1352~1409)

▲ 권근

고려 말과 조선 초기의 문신이며 성리학자로, 자는 가원(可遠), 호는 양촌(陽村)이다. 경전 지식에 밝아 사서오경에 현토를 달았으며, 《입학도설(入學圖說)》을 지었다. 훗날 퇴계 이황에게 영향을 주었다.

왕백(王柏, 1197~1274)

남송 때 유학자로, 자는 회지(會之), 호는 노재(魯齋)이다. 성리학(性理學)에 밝았고 시화에 능했다. 일설에는 주자의 문인과 함께 학문을 했다고 전한다.

진백(陳柏, 연대미상)

남송 말과 원나라 초기의 인물로 추정되며, 자는 무경(茂卿), 호는 남당(南塘)이다. '숙흥야매잠(夙興夜寐箴)'을 지었다.

이황 성학십도

허경대 글 | 정윤채 그림

01 《성학십도》를 쓰고 그린 사람은 누구일까요?

① 이이 ② 이황 ③ 정몽주 ④ 정도전 ⑤ 정약전

02 《성학십도》라는 제목의 뜻을 풀이해 보세요.

____

____

03 퇴계는 말년에 청빈한 삶을 살며 자신이 지은 암자에서 지내는 동안 많은 학생을 가르쳤습니다. 그러다 57세가 되었을 때 교육 기관을 짓고 그곳에서 많은 후학을 양성했습니다. 이곳의 이름은 무엇일까요?

① 퇴계학교 ② 퇴계서당 ③ 다산서당
④ 도산서당 ⑤ 도산학원

04 〈태극도〉에 나타난 우주의 생성 원리에 대한 설명으로 틀린 것은 무엇일까요?

① 너무 커서 더 이상 커질 수 없는 상태인 태극의 움직임에 따라 음과 양이 생성된다.

② 음과 양이 변하고 결합하여 오행이 만들어진다.

③ 양은 움직이고 음은 고요하다. 즉, 태극이 움직이면 양이 만들어지고 태극의 움직임이 극한에 달해 고요해지면 음이 만들어진다.

④ 양과 음이 변함에 따라 다섯 가지 요소를 만들어 내는데 이것은 오행이다. 오행에는 물, 불, 바람, 쇠, 흙이 있다.

⑤ 오행의 요소들이 서로 조화를 잘 이루면 상생 관계라 부르고, 서로 조화를 이루지 못하면 상극 관계라고 부른다.

05 우주에 있는 온갖 사물과 현상을 지칭하는 한자어는 무엇일까요?

---

06 〈서명도〉는 원나라 때 정복심이 그린 그림이나 내용은 송나라 때 이 사람이 지은 '정완(訂頑)'이라는 글에서 나왔습니다. 이 사람은 누구일까요?

① 정호　② 서명　③ 장재　④ 주돈이　⑤ 주자

07 ② : 호가호위는 여우가 호랑이의 위세를 빌려 호기를 부린다는 뜻으로, 남의 세력을 빌려 위세를 부리는 상황에서 사용합니다.

08 ① / 09 백록동서원

10 의관을 바르게 하고 눈매를 존엄하게 해야 합니다. 집에 있을 때도 마음을 가라 앉혀 마치 임금을 대할 때처럼 공손히 있어야 합니다.

07 〈소학도〉에서는 '명륜(明倫)'이라고 하여 교육을 받는 목적과 기본 방향인 오륜을 밝히고 있습니다. 오륜에 해당하지 않는 것은 무엇일까요?

① 명부자지친　② 명호가호위　③ 명군신지의
④ 명부부지별　⑤ 명장유지서

08 〈심학도〉를 보면 마음속에 든 묘한 것들이 우리 몸을 움직이게 한다고 나타나 있습니다. 이 마음속에 든 묘한 것은 마음이 텅 비어 신령스러운 상태를 말하는 허령, 사물의 이치와 도리를 분별하는 힘인 지각, 그리고 신기하고 묘한 밝은 힘인 ○○입니다. 빈 칸에 들어갈 말은 무엇일까요?

① 신명　② 신력　③ 심력　④ 현명　⑤ 묘명

09 〈백록동규도〉는 주자가 '이곳'에서 제자들을 가르치기 위해 만든 규범을 이황이 그 목차를 뽑아 그림으로 그린 것입니다. 이곳은 중국 당나라 때부터 송나라 때에 이르기까지 있었던 서원의 하나였습니다. 어디일까요?

정답

01 ② / 02 성인이 되기 위한 학문을 10개의 그림으로 나타낸 것 / 03 ④

04 ④ : 오행에는 물, 불, 나무, 쇠, 흙이 속합니다. / 05 삼라만상(森羅萬象)

06 ③ : 장재가 지은 '정완(訂頑, 둔함을 바로 잡는다.)'을 동 시대에 살았던 정호라는 유학자가 '서명(西銘)'이라고 고쳐 불렀습니다.

10 〈경재잠도〉는 공경을 실천하는 방법을 설명하고 있습니다. 이 그림에 나타난 공경을 실천하는 여러 방법 중 두 가지를 설명해 보세요.